Посвящается маме

Февраль

Четверг, 11 февраля

Мы сидим и смотрим «Новости» — папа в кресле прикрывает лицо рукой, чтобы не видеть меня, словно я бельмо у него на глазу. «Ты хоть отдаешь себе отчет в том, что, пока полиция во всем разобралась, студию радиовещания пришлось полностью эвакуировать? Что мы были вынуждены перенести интервью с Хамфри, задержать прямой эфир с Никки Кэмпбеллом и чуть не сорвали трансляцию встречи премьер-министра с Герхардом Шредером?»

«Ты хоть понимаешь, что фургон не взорвали только потому, что я узнал его номера во время собрания директоров, на котором, кстати, присутствовал генеральный директор студии? Как тебе удалось раздобыть мою карточку? По какому праву ты без спроса пользуешься моей парковкой, жопа несчастная?!»

Откуда мне было знать, что Тони Блэр должен приехать на студию? Кто мог мне сказать, что там увеличили количество охранников из-за событий в Ираке? Откуда я мог знать, что они станут проверять все номера машин сотрудников Би-би-си по списку? И как я мог догадаться о том, что старый мамин фургон не был там зарегистрирован? А папа — тот всегда оставляет машину у телецентра. Я даже не знал, что он окажется в здании радиостудии.

Папа говорит медленно, выделяя каждое слово. «Ты воспользовался на парковке моей карточкой, которую у меня украл, и приехал на белом фургоне, которыми любят пользоваться террористы. Ты миновал кордон вооруженных полицейских и припарковался на том самом месте, где должен был остановиться премьер-министр нашей страны. У меня это просто в голове не укладывается. И ничего иного кроме раздражения ты у меня вызвать не можешь».

Папа у меня очень толстый и низенький. У него бледно-голубые глаза водянистого цвета, длинный нос, и он быстро лысеет. Больше всего ему хочется стать генеральным директором Би-би-си и пристроить меня на работу в Сити, чтобы я самостоятельно начал зарабатывать деньги и куда-нибудь переехал.

Поздно вечером по телевидению начинают транслировать документальный фильм об искусственном интеллекте, и это еще больше обостряет ситуацию. Какой-то исследователь из лаборатории теоретической кибернетики выдвинул предположение, что к 2010 году можно будет создать робота с объемом мозга кошки, и лишь недостаточность государственного финансирования может замедлить процесс редупликации мозга человека. Это полностью совпадает с моей теорией, согласно которой вся работа в современном обществе должна выполняться роботами. Я делаю какое-то замечание по этому поводу, и папа снова обрушивается на меня с упреками.

— У нас наступила эпоха досуга. На место человека приходит техника. Человечество расщепило атом, создало синхрофазотрон, но до сих пор не может изобрести машину, которая бы выполняла функции консультанта по трудоустройству. Ну это же глупо, папа.

— Я. Не. Позволю. Тебе. Потерять. Эту. Работу, — отвечает он, не глядя на меня, и тут же, словно эти две вещи взаимосвязаны, вспоминает о том, что я до сих не купил себе туфли на те пятьдесят фунтов, которые он мне дал. — Я не позволю тебе просрать эти деньги. Ты меня понял?

— Успокойся. Куплю я себе эти туфли в субботу. И никто не собирается бросать работу. Я просто высказываю свою точку зрения и говорю о роботах, — отвечаю я.

— Я. Не. Позволю. Тебе. Потерять. Эту. Работу, — повторяет он.

Мистер Гатли из Лондонской школы литераторов обещал прислать мне образчик собственного творчества и привел в своем письме очень хорошую аналогию относительно того, что пишу я. Он написал, что я не даю воли своему воображению и постоянно держу его на поводке.

— Когда я сажусь писать, то все время представляю свое воображение в виде огромного пса. Потом я мысленно похлопываю его по спине и спускаю с цепи. Я уже двадцать пять лет профессионально занимаюсь литературой и всякий раз не устаю изумляться тому, что он мне приносит.

Кроме этого, мистер Гатли исправил орфографические ошибки, допущенные мною в слове «совершенствование», и посоветовал поменьше пользоваться точками с запятыми. Но мне они почему-то нравятся.

Пятница, 12 февраля

Сегодня приехала Сара со своим женихом Робом, чтобы приготовить ростбиф. Обычно в таких случаях участие в разговоре распределяется равномерно, а Сара лишь исполняет роль ведущей, подкидывая нам темы для обсуждения: «Как твои литературные курсы, Джей? Как дела в школе, Чарли? Папа, я прочитала статью о тебе в «Санди таймс». Что слышно о твоем назначении?» Я обычно люблю «вставлять шпильки» во время таких воскресных трапез, но сегодня из-за истории с фургоном меня никто ни о чем не спрашивал. Я был предан остракизму и вынужден молча поедать свой пастернак, выслушивая скучные разглагольствования Сары о подготовке к свадьбе и не менее скучное перечисление знаменитостей, рядом с которыми папа сидел за обедом, организованным Би-би-си.

Чарли снова расчесывает себе локти, и у него то и дело возникает потребность совершить какую-нибудь глупость, способную, как ему кажется, предотвратить несчастье. Это и становится главной темой для обсуждения. Началось все с того, что он кстати и некстати стал хвататься за всякие деревяшки, потом принялся заглядывать за углы прежде, чем обойти их, хлопать ладонью по фонарным и телеграфным столбам, а иногда, если что-то его особенно сильно беспокоило, подключать к этому и окружающих. Например, вчера он заставил меня двадцать пять раз «набить» резиновый мяч, чтобы предотвратить несчастный случай, который якобы должен был произойти с дедушкой.

После того как Чарли выходит из-за стола, чтобы покормить Медлюшку-Зеленушку, свою новую черепаху, я стараюсь вести себя исключительно позитивно. Я говорю, что, на мой взгляд, корки на локтях у Чарли выглядят гораздо лучше и что, пока мы ели пудинг, он ни разу не почесался.

— В четверг он был в налокотниках, — свирепо глядя на меня, заявляет папа. Когда зуд у Чарли становится особенно нестерпимым, он носит специальные налокотники. — А в понедельник, когда за ним заезжала Анжела, он так валандался, занимаясь своей магией, что в результате они опоздали в школу. Что по отношению к Анжеле по меньшей мере несправедливо... И зачем ты купил Чарли эту черепаху, Джей? Потому что он ее действительно хотел или только для того, чтобы посильнее досадить мне? Полагаю, последнее. Ну так тебе это удалось. Со дня на день я жду приезда министра внутренних дел, который должен у нас отобедать, а теперь в гостиной воняет как в виварии. Отлично!

Перед отъездом Сара читает мне статью об американском писателе Джее Макинерни, которая тоже выводит меня из себя. Она специально ее вырезала. «Ставший позднее лидером нового литературного течения, в юности Джей, — произносит Сара, делая особое ударение на нашем общем имени и улыбаясь папе, — никак не мог найти себе работу по вкусу. Он был неудачником и постоянным аутсайдером, и именно это заставляло его писать». Сара смотрит на меня. «Аутсайдер, неудачник — это прямо про тебя, братик», — добавляет она со смехом. Сара никогда не упускает возможности принизить меня. Но она еще за это поплатится, когда в свет выйдет моя автобиография.

Я начал вести дневник для того, чтобы в будущем литературоведам было проще восстановить события моей юности, когда я стану знаменитым. Этот документ позволит им познакомиться с конкретными фактами, объясняющими причины моих поступков, так что биографам не придется полагаться на такие сомнительные источники, как свидетельства Большого Эла из забегаловки «Золотые кебабы Эла» и папы, считающего меня бездельником. Больше всего на свете я хочу написать великий роман, который сделает меня главным выразителем взглядов своего поколения.

«В сегодняшнем мире, где поп-культура распространяется со скоростью света, сложно найти человека, который обладал бы столь быстрой реакцией, чтобы ощутить ее пульс. Джею Голдену удается не только нащупать болевые точки нашего общества, но и поставить диагноз». Вот что будет написано на обложке моей книги рядом с фотографией, на которой я буду сидеть с задумчивым видом в вельветовом костюме.

Вечером я отправляюсь в кафе на набережной, чтобы поработать над текстом. Я уже решил, что главного персонажа моего романа будут звать Пижон. Это будет восемнадцатилетний правонарушитель в широкополой шляпе, сбежавший из своей распавшейся семьи в Беллингдоне; я передам всю драму нашего поколения, увиденную его печальными, покрасневшими от усталости глазами.

Именно с этой целью я принимаюсь за первую главу, но далеко продвинуться мне не удается. Боюсь, мне никак не избавиться от влияния Сэлинджера. Пижон в своей речи все время соскальзывает на грубые американизмы, объясняет окружающим, что все они «снобы и пустозвоны», и рассказывает, как он прошел пятнадцать долбаных кварталов под проливным дождем. Выходцы из Беллингдона так не разговаривают.

Суббота, 13 февраля

Кульминация недели: мы с Джеммой отправляемся покупать мне туфли. Я совершенно не собирался тратить папины пятьдесят фунтов, но продавщица оказалась такой занудой, что только Джемма со своим чувством юмора не дала мне сорваться. Началось все с того, что мне дали померить замшевые туфли, но они оказались малы, и я попросил восьмой размер. Продавщица вернулась, так пыхтя и задыхаясь, словно я попросил ее слетать на Луну, и, хотя туфли оказались мне впору, я шутки ради заявил, что они тоже малы. Короче, она приносила мне все бóльшие и бóльшие размеры, пока я не оказался в бахилах, как у клоуна, так что между задником и пяткой можно было всунуть целый кулак. Продавщица лишь повторяла: «А они вам не великоваты?» — и при этом переглядывалась с другой коллегой.

Но я продолжал разгуливать, поджимая пальцы, и отвечал: «Нет, эти тоже тесноваты. Что-то жмут».

Джемма уже лопалась от смеха, и ей пришлось выбежать из магазина. Но я продолжал сохранять серьезную мину, пока мне не принесли туфли как для йети. Тут я не удержался на ногах и рухнул на стойку с сумками. В конце концов мне пришлось купить эти туфли, так как я чувствовал себя виноватым. Обувная коробка по своим размерам напоминала маленький гробик.

После этого мы долго не могли успокоиться и, взяв папин справочник телефонов Би-би-си, позвонили Полу Дэниелсу. Это наше давнее хобби — разозлить какую-нибудь знаменитость, чтобы она послала нас подальше. На Джемму уже кричали Джон Инман, Карла Лейн, Род Стайгер, Пенелопа Кейт, Джеффри Бойкотт, Джон Хамфрис и Ноэл Эдмондс. А я навлек на себя ругань Антеи Тернер, Тома Конти и Джонатана Росса, а гнев Бобби Давро и Иена Ботама даже вызвал дважды.

На этот раз, когда Дэниелс снимает трубку, я выдаю себя за журналиста из Южной Африки и говорю, что мне известно о том, что он был привлечен к уголовной ответственности за грубое обращение с животными, в частности за то, что вытаскивал кроликов из шляп за уши. Этот снимок опубликован на обложке «Радио таймс».

— Вы нанесли травму кроликам, мистер Дэниелс, — говорю я. — И завтра мы расскажем об этом в «Южно-африканских таймс». Можете ли вы что-нибудь сказать в свое оправдание?

И я передаю трубку Джемме, чтобы она услышала, как он отреагирует. Дэниелс покупается на мою провокацию и начинает лепетать, что всегда поддерживает кроликов за задницу, вытаскивая их из шляпы.

— Хватать кроликов за задницу — это еще более серьезное преступление, мистер Дэниелс, — кричу я, и знаменитый фокусник бросает трубку в полном смятении.

Мы веселимся вовсю, но в глубине души мне несколько не по себе из-за Джеммы. Не знаю, вызвана ли неопределенность, существующая в наших отношениях, силой чувства, с которым я не могу совладать, или тем, что ситуация начинает выходить из-под контроля, и я подсознательно этого боюсь. Например, я все время ощущаю скованность. При этом Джемма то прямо («Мне нравятся люди, которые смешат окружающих»), то косвенно («Марк скучный, а я люблю интересных людей») всячески дает понять, что я ей нравлюсь. Мне тоже нравится Джемма, но я боюсь, что мы с ней несовместимы. Меня интересует литература, и я собираюсь написать великий роман. А ее литература не интересует, и она смотрит блокбастеры.

Сегодня получил еще одно письмо от своего наставника мистера Гатли. Сначала Лондонская школа литераторов вызывала у меня определенный скепсис. Однако, судя по заляпанным кофейными пятнами письмам мистера Гатли, он занимается этим не ради денег, а для души. Иногда он, конечно, разражается всякими глупостями о псах, спускаемых с поводков, и о том, как долго он профессионально занимается литературой, но все равно приятно, когда кто-то испытывает к тебе искренний интерес. Думаю, мистер Гатли уважает меня как своего коллегу, потому что в последнее письмо он вложил образчик собственного творчества. Это вырезка из «Книжного ежемесячника» с описанием того, как настоящие писатели живут вне общества, словно дикие звери за решеткой. Мистеру Гатли явно свойственны звериные аналогии, и я даже посмеялся. Сам он совсем не похож на дикого зверя.

Воскресенье, 14 февраля

Когда я показал туфли папе, лицо у него исказилось, и он начал играть со мной в молчанку. Я думал, он смилостивится, но он решил прибегнуть к своему излюбленному трюку. Он дожидается момента, когда все карты выложены на стол, а потом, завладев вниманием беспомощного собеседника, обрушивает на него весь груз своей мудрости. Похоже, в «Нью стейтсмене» собираются опубликовать статью об инциденте на парковке.

— Во-первых, если бы ты заранее предупредил, что собираешься воспользоваться моим местом для парковки, я бы тебе не отказал и только посоветовал бы особенно не засвечиваться. Но ты предпочел все сделать за моей спиной, и теперь про это напишут в журнале, который прочтут тысячи людей. Во-вторых, твои туфли. Ты выкинул на ветер пятьдесят фунтов стерлингов, которые принадлежали мне, а не тебе. Иногда мне кажется, что ты делаешь это специально, старичок. Я прав или нет? — Я объясняю, что в магазине они мне показались довольно удобными, и мне обещали обменять их, если они не подойдут. — Ты что, специально испытываешь меня на прочность? Так вот, я тебя предупреждаю: терпение мое скоро лопнет, — говорит папа.

Когда я возвращаюсь в свою комнату, на подушке лежит письмо зловещего вида. Оно отпечатано на фирменной папиной бумаге с «шапкой» — «Морис Голден, шеф-редактор Би-би-си-2», что всегда является дурным знаком, как мне известно по предыдущему опыту.

Дорогой Джей!
Я не в претензии, что ты поставил меня в неловкое положение во время встречи с генеральным директором, от которого сейчас зависит назначение меня на новую важную должность. Я не говорю даже о том, что ты создал определенные неудобства для премьер-министра этой страны и канцлера Германии. Наплевать даже на те пять тысяч человек, которые по твоей милости должны были покинуть центр радиовещания в течение пятнадцати минут. Бог с тем, что ты купил Чарли черепаху, хотя я неоднократно предупреждал тебя — никаких домашних животных. Плевать я хотел на твои несчастные туфли — в конце концов, меня это не касается. Меня волнует только одно — твоя работа. За последние пять месяцев ты сменил

17

уже пять мест. Но сейчас ты получил действительно хорошую должность. Я знаю: ты считаешь, что всю работу должны выполнять роботы. Но дело в том, что они ее не выполняют. Ее выполняют люди. Попробуй это усвоить и воспользоваться предоставившейся тебе возможностью.

С любовью, твой глупый старик.

P. S. Не знаешь ли ты, случайно, что произошло с моим справочником? Его кто-то переложил на другое место.

Я уже собираюсь лечь, когда мне звонит Сара. «Джей, надеюсь, ты не собираешься бросать эту работу? Пообещай мне, что не станешь ее бросать. Папа так радовался, когда ты ее получил, а ему и так сейчас хватает забот с Чарли и в связи с приближающейся годовщиной».

Я говорю, что не собираюсь бросать работу, и Сара, успокоившись, отвечает, что видит в этом моем новом занятии определенную иронию судьбы: человек, сам уволившийся с четырех мест, начинает выполнять обязанности консультанта по трудоустройству и подыскивать работу для других. Иногда зацикленность моих родных действует мне на нервы.

Мне нравится Джемма, но иногда ее слащавость начинает меня раздражать. Она задает провокационные вопросы о моей жизни, вынуждая меня делать вид, что какие-то вещи значат для меня больше, чем это есть на самом деле. Сегодня она пожелала мне удачи на новой службе. И поскольку считается, что подружки должны поддерживать своих парней, вместо того чтобы посмеяться над моим безответственным поведением, она пытается возражать, когда я говорю, что скорей всего меня снова уволят. И все равно я бы хотел, чтобы она стала моей подружкой. У нее кожа цвета фисташковой шелухи, и мне очень хочется к ней прикоснуться.

Описание Джеммы: на три дюйма ниже меня, рост приблизительно пять футов пять дюймов, короткие темные волосы, голубые глаза, худенькая стройная фигурка и маленькая родинка на лице, которая делает ее похожей на панду. Джемма собирается вернуться в Шеффилдский университет и заняться психологией (год назад она бросила там отделение классической филологии). Ее мечта — выследить серийного убийцу с помощью психологических методов.

Понедельник, 15 февраля

Сегодня я приступил к работе в фирме «Монтонс». Краткое описание моих коллег: региональный менеджер Пэм Винс — громкоголосая и амбициозная особа с профилем ведьмы, разговаривая, она так вращает руками, словно те прикреплены у нее с помощью шарикоподшипников, — совершенно мне не нравится. Администратор Бриджит Райтс — деловая, скучная, сидит рядом со мной — абсолютно мне не нравится. Кэролайн Джонс — толстая девица, бодро отвечающая на телефонные звонки, — из разряда особ, которые любят обсуждать своих мальчиков и чужие прически, —

совершенно мне не нравится. Линда Парк — чопорная дура с длинной атлетической спиной, личность настолько рыхлая и неопределенная, что на ней можно выращивать кресс-салат, — не вызывает никаких симпатий.

«Монтонс» — бюро трудоустройства для строительных рабочих, и я работаю в отделе найма на временную работу.

Сегодня я занимался проверкой временных рабочих, в основном ирландцев, уже трудоустроенных нашей фирмой. Происходило это следующим образом: я звонил по телефону и спрашивал: «Ну и как у вас дела, мистер О'Лири?» (Далее надо было упомянуть конкретное место, где он трудился.) А мне отвечали: «Отлично, отлично, спасибо».

Вернувшись домой, я пытаюсь наладить отношения с папой — два труженика после тяжелого рабочего дня мечтают о том, чтобы закинуть повыше ноги и уткнуться в телевизор. Я сбрасываю туфли, массирую себе ноги, глубоко вздыхаю и произношу любимую фразу папы: «Уф. Ой-ой-ой. Как я устал. Врагу не пожелаю».

Но папа принимает все за издевку. «Устал?! — произносит он. — Лично я только что отпахал пятнадцать часов. Да ты даже не догадываешься о том, что такое работа. Ты сначала встань в шесть утра, накорми и приготовь ребенка к школе, потом проведи административное собрание, договорись, чтобы вышеупомянутого ребенка забрали из школы, приготовь обед, вымой посуду, прочитай пятидесятистраничный отчет об усовершенствовании работы Би-би-си, а потом рассказывай мне о том, как ты устал.

— Серьезно? — отвечаю я. — По-моему, я и так тебе уже сказал, что устал.

После того, как он требует, чтобы я исчез с его глаз долой, пишу ему ответ на фирменной бланке «Монтонс» и оставляю письмо на его подушке.

Дорогой папа!

Хоть я и убежден, что в современном обществе все должны делать роботы, это еще не означает, что я собираюсь бросить работу. Просто мне представляется странным, что человечество может отправить человека на Луну и не в состоянии изобрести робота, который выполнял бы функции консультанта в бюро по трудоустройству. Думаю, что поиск работы для ирландских такелажников требует не большей сообразительности, чем преодоление силы притяжения Земли и погружение зонда весом в несколько тонн в недра планеты, лишенной кислорода и расположенной на расстоянии трехсот тысяч миль от нас.

Искренне Твой консультант по временному найму рабочих Джей Голден.

P. S. Что касается твоего справочника, то мне о нем ничего не известно.

7 часов вечера

Чарли тоже решил стать знаменитым писателем и, подражая мне, повсюду носит с собой записную книжку. Сегодня вечером он мне ее показал. Вместо того чтобы фиксировать обрывки разговоров, перемежая их описаниями разных людей для добавления реалистичности, он записывает совсем другое: «На завтрак ел хлопья „Капитан Кранч", наш учитель географии мистер Ватсон — законченный болван, я хочу, чтобы мне на день рождения подарили бутсы „Сан-Марино", кассеты про черепашек, которые я видел по кабельному телевидению, и дюжину зверюшек Бини-бейбиз».

В результате он ставит меня в идиотское положение, потому что папа запретил играть в черепашек-ниндзя в доме. Но Чарли напяливает колпак на мою лампу и, надев на себя маску из банного полотенца, начинает изображать Донателло. Я насаживаю на нос рулон туалетной бумаги, потому что я — Би-Боп, коварный наемник лорда Крэнга.

Папа говорит, что его радуют мои игры с Чарли, но он считает, что я мог бы оказывать на него более положительное влияние, и тогда у Чарли не было бы таких проблем в школе.

— Ты — старший брат. И он во всем пытается походить на тебя. Постарайся стать для него примером. Но как бы там ни было, я хочу, чтобы вам было хорошо друг с другом. И ни в коей мере не намерен вам мешать. Но постарайся оказывать на него хорошее влияние. А когда я с тобой разговариваю, попытайся воспринимать мои слова всерьез. И пожалуйста, сними этот рулон со своего носа.

Описание Чарли: шесть лет, низковат для своего возраста, светлые волосы и такие же голубые глаза, как у меня. Дома он носит униформу «Манчестер Юнайтед», а в школе фуфайку, на которой спереди написано «Привет», а сзади «До свидания». Чарли мечтает о том, чтобы выступать за

«Манчестер Юнайтед» и сражаться с черепашками-ниндзя против лорда Крэнга и его мерзких бородавочников.

10 часов вечера

Чтобы не попадаться папе на глаза, я ухожу к Шону и заявляюсь в тот самый момент, когда его ссора с отцом достигает максимального накала. Шон сделал из папье-маше модель Ближнего Востока, чтобы следить за политическими событиями, когда разразится очередной конфликт, и, набрав песка для Саудовской Аравии, случайно просыпал его в масленку.

— Это был даже не песок, — кричит Шон, когда мы оказываемся в его спальне. Перегородка между нею и гостиной очень тонкая, так что его слова рассчитаны на то, что их услышат. — Это был мамин куриный корм.

Мать Шона держит кур, которых он всегда обвиняет во всем происходящем, потому что ему кажется, что она любит их больше. Вполне возможно, что так и есть. У Шона очень странная мама.

Четверг, 16 февраля

Сегодня из центрального офиса прибыла Луиза, являющаяся моим куратором, которой поручено объяснить мне, чем конкретно занимаются строительные рабочие и что такое теодолит. Судя по всему, мои обязанности будут заключаться в том, чтобы обзванивать строительных подрядчиков. И Луиза не упускает возможности привести соответствующую цитату. «Залог успешной торговли — красноречие, Джей. Но не забывай, что язык у тебя один, а ушей в два раза больше. Вот и используй их в прямопропорциональном соотношении». Эта банальность выводит меня из себя, и я ловлю себя на желании сказать ей: «Луиза, у тебя один язык и никаких мозгов, вот и пользуйся ими соответственно».

В наших анкетах имеется графа о дополнительных требованиях служащих. И кретин, который заполнял ее до меня, вносил туда следующие сведения: «Мистер О'Шонесси любит посещать „Кристал-Палас"», а «Мистер Мэлон интересуется социальными программами». Все это выглядит настолько глупо, что я решаю добавить несколько собственных перлов. Поэтому, переговорив с мистером О'Нилом, я вписываю в соответствующую графу «Никак не может дождаться выходных, так как в эти дни экспериментирует с Вечным злом и пьет кровь младенцев на алтаре, сложенном из человеческих костей. Хотел бы изменить график работы».

9 часов вечера

Пришло несколько открыток в связи с предстоящей годовщиной свадьбы папы и мамы. Мама умерла в прошлом году в апреле, и, вероятно, папа об этом помнит, так как начинает разговаривать с ней, заснув в кресле.

— Сегодня ей лучше, — произносит он. — Она хорошо спала. И доктор Мейтланд проявляет гораздо большую оптимистичность, не так ли?

Я не сразу догадываюсь, что он говорит о маме и считает, что она все еще жива. Когда я рассказываю ему об этом позднее, он совсем расклеивается и бросается меня обнимать. Он так давно этого не делал, и для меня это такая неожиданность, что я отскакиваю в сторону.

— Мы движемся с разных концов спектра, но рано или поздно встретимся, потому что любим друг друга. Ты невыносим, сын мой, но я все равно тебя люблю, — говорит он и прижимает мою голову к своей груди.

Саре больше всего не хватает маминых звонков по телефону. Она говорит, что ей все время хочется рассказать о каких-нибудь мелочах, она снимает трубку и только тут вспоминает, что мамы больше нет. А мне больше всего не хватает ее умения понимать, что в любом споре существуют две правды. Она никогда не злилась, как папа, и всегда меня оправдывала. Даже если бы я оказался Саддамом Хусейном, угрожающим начать вторую войну в Заливе, скорее всего она бы сказала папе, что такие поступки свойственны молодежи, и лишь потом бы тихо добавила: «Не хочу быть занудой, Джей, но я бы на твоем месте впустила наблюдателей ООН и обнародовала местонахождение заводов, производящих химическое оружие. Нехорошо запугивать гражданское население нервнопаралитическим газом».

В полночь мы спускаемся в сад и выпиваем за маму.

— С нашей годовщиной, родная. Ну и как, на твой взгляд, мы справляемся? — говорит папа, повернувшись к розовому кусту, где развеян мамин прах.

Мы стоим еще некоторое время, и папа рассказывает ей о последних выходках Чарли и приготовлениях к свадьбе Сары.

— Думаю, мама была бы рада, что теперь ты ездишь на ее прачечном фургоне, — в какой-то момент замечает он. — Я никогда не возражал против того, что она занимается глажкой. А она считала, что мне это не нравится. Ведь правда, дорогая? — И он снова делает жест в сторону куста. — Она считала, что компрометирует меня этим. Жена главного редактора телеканала занимается глажкой чужого белья. Но меня это нисколько не смущало. Ей нравилось это делать. Ей хотелось быть полезной. И я любил ее за это. Я просто хочу, чтобы ее старший сын оказался таким же.

Он говорит, что волнуется за меня. Он говорит: «Знал бы ты, сколько раз мы с твоей матерью о тебе говорили... Кем он станет? Счастлив ли он? Чем мы можем ему помочь? Представляешь ли ты себе, как мы тебя любили... и любим?»

Я говорю, что представляю.

Настроение его внезапно меняется, и я явно начинаю вызывать у него раздражение, возможно из-за статьи, опубликованной в «Нью стейтсмене». А может, потому, что сегодня вечером, когда Чарли делал домашнее задание перед телевизором и он посоветовал ему уйти в столовую, тот ответил, что в наше время домашнее задание должны делать роботы.

Мама умерла от рака. Сегодня я прочитал старые записи из своего дневника, относящиеся к этому времени. 1 июня, день, когда ей был поставлен окончательный диагноз.

1 июня: Когда я вошел в приемное отделение, то заметил, что сестры смотрят на меня как-то испуганно. Но в тот момент я еще не понял, что это первый сигнал, и считал, что все в порядке, пока в коридоре меня не остановила медсестра по имени Донна. «Боюсь, твоей маме только что сообщили плохие новости. У нее сейчас сестра», — сказала она.

Я спросил, какие именно, и почувствовал, как у меня начинает колотиться сердце.

«Лучше спроси у сестры», — ответила Донна.

Когда я открыл дверь, то увидел, что мама лежит в кровати и плачет. Вся палата была заставлена цветами. Рядом стояла медсестра и держала ее за руку.

«Привет, милый», — сказала мама, утирая слезы. Я взял ее за другую руку и посмотрел на сестру. «Биопсия, милый, — промолвила мама, снова разражаясь рыданиями, — показала, что это рак».

Мама продолжала плакать, а сестра принялась рассказывать истории о больных, которым удалось победить опухоль, главное — сохранять позитивное отношение к жизни. Потом приехал папа, и мы сели с ним по обе стороны кровати, но мама по-прежнему плакала между редкими всплесками оптимизма.

Она сжимала нам руки с такой силой, что костяшки пальцев у нее белели, а сухожилия на запястьях напрягались и начинали напоминать спагетти.

— Моему отцу, твоему деду, семьдесят три года, — кричала она. — Это несправедливо! Ну почему это должно было произойти именно со мной? Почему со мной?

Я чувствовал, как к глазам подступают слезы, но не мог позволить себе расплакаться, потому что на меня все время смотрел папа и я знал, что он пытается сохранять самообладание ради мамы, а я должен был делать это ради него. Мама, всхлипывая, повторяла, что единственное, чего ей хочется, — это поставить на ноги меня, Чарли и Сару.

— Теперь мне придется отказаться от глажки белья. А мне так хотелось скопить для ребят начальный капитал, — сказала она папе.

Папа обнял ее и закрыл от меня ее лицо, но она продолжала сжимать мою руку, и я подумал: «Она делает это для того, чтобы я не чувствовал себя одиноким». Она не видела меня, но не хотела, чтобы я чувствовал себя менее значимым, чем папа. Я тоже сжал ее руку изо всех сил и заплакал, потому что не хотел всему этому верить и не хотел видеть маму в таком состоянии, и еще мне никогда не приходило в голову, что она ежедневно гладит белье на протяжении уже бог знает скольких лет только для того, чтобы у нас был начальный капитал.

Папа пытается ее подбодрить и говорит спокойным размеренным голосом. Он говорит, что она тоже доживет до семидесяти трех лет, как и дедушка. Мне знаком этот голос из разряда «не глупи». Он делает мне знак, и я тоже начинаю говорить таким же голосом, а мама переводит взгляд с него на меня, словно пытаясь поймать нас на неосторожном слове.

— Тебе есть для чего жить, — говорит папа. — Люди умирают от рака только тогда, когда им не для чего жить. У тебя есть сад и вот этот, — он обхватывает меня за голову.

— Это правда, — подхватываю я, вытирая глаза.

— Да-да, вы правы, — соглашается мама, глотая слезы. — Простите меня. Просто я только что узнала и еще не оправилась. Господи, что бы я без вас делала! Идите сюда. Все в порядке. Я знаю, все будет хорошо. Обязательно.

Но естественно, этого не случилось. Сейчас, оглядываясь назад, я понимаю, что у нее не было ни малейшего шанса. И врачи это знали, но не говорили нам, потому что на ранних стадиях принято внушать пациентам надежду.

«Ничего страшного, всего лишь ущемление грыжи». — «Спасибо, доктор, с этим можно справиться». Через неделю: «Извините, это оказалось гигантской доброкачественной опухолью желудка». — «Спасибо, доктор, ведь могло быть хуже». Еще через месяц: «Боюсь, это рак, но без метастазов». — «Спасибо, доктор, слава Тебе, Господи, что нет метастазов». Через три месяца: «Метастазы появились, но, похоже, мы их все удалили». — «Слава Богу, доктор, что вы это сделали». И еще через месяц: «Нет, к сожалению, мы удалили не все. Ей осталось жить не более полугода, но не волнуйтесь — болей не будет». — «Какое счастье, доктор, что она не будет страдать». И вот она умирает, и на похоронах все говорят, что у нее очень умиротворенный вид. «Да, спасибо, доктор, действительно, вид у нее чертовски умиротворенный».

Описание мамы: очень худая, длинные светлые волосы, которые она заплетает в косы, теплые синие глаза, не очень хорошие зубы, и она — самый обаятельный человек из всех, кого мне доводилось видеть. Самое смешное, что мама даже не подозревала о том, насколько она замечательный человек. Например, у нее были очень своеобразные отношения с телефоном. И мы ее прозвали Почтальоном из-за этого фильма «Почтальон всегда звонит дважды». Можно было нормально поговорить с ней по телефону, но стоило повесить трубку, как она тут же перезванивала. Поэтому все знали, что не стоит возвращаться к своему занятию — залезать обратно в ванну или снова включать видик, потому что она все равно перезвонит, чтобы извиниться за то, что тебя обидела, хотя ничего подобного и в помине не было. «Когда я сказала, что не буду делать в воскресенье жаркое, я совершенно не имела в виду, чтобы ты не приезжал. Просто у меня сейчас нет вырезки. Но если хочешь, я схожу и куплю».

От этого у меня и перехватывает дыхание, когда я представляю себе выражение маминого лица между этими двумя звонками: «Может, надо ему перезвонить? Может, он решил, что я не хочу его видеть?»

Среда, 17 февраля

Сегодня вместе с Линдой участвовал в проведении собеседования. Фирма «Монтонс» гордится уровнем своего профессионализма. Линда ставила к нам на учет мистера Пейна, который собирался стать прорабом.

«Сидячая работа противоречит моему чувству юмора. Можете считать меня кем хотите, но громкие названия должностей меня не интересуют — я не могу к ним серьезно относиться из-за своего чувства юмора».

Все это было очень забавно — похоже, все противоречило чувству юмора мистера Пейна; и, когда он ушел, Линда заявила:

— С такими надо держать ухо востро. У него нет никакой квалификации, он — дешевая рабочая сила. Надо всегда проверять уровень компетенции клиентов. Иначе они перестанут считать нас профессионалами.

Днем мне устроили выговор за беспорядок на столе. В этом месяце в фирме проводится соревнование на звание самого аккуратного офиса, и Бриджит хочет, чтобы его завоевали мы. Когда Бриджит вышла из комнаты, я заявил, что, на мой взгляд, все это звучит слишком патетично и противоречит моему чувству юмора. Линда надулась и заявила:

— Меня совершенно не волнует бардак на твоем столе, Джей, но постарайся, по крайней мере, не распространять его на мой. Из-за тебя я сегодня потеряла заявки двух королевских стипендиатов.

На работе я ни с кем не общаюсь. Все только и говорят о том, какой уважаемой является их фирма, как будто меня это волнует. И никто не понимает моих шуток.

9 часов вечера

Позвонил Шону. Опять застал его в разгар скандала с родителями, на этот раз — из-за переезда в Шотландию. Они собираются переезжать в апреле, когда отец Шона выйдет на пенсию, и Шон опасается, что ему будет негде жить, если он не поедет с родителями.

— Неужели твой отец тоже выходит из себя по малейшему поводу? — спрашивает Шон. — Неужели он тоже постоянно ходит за тобой, как бездомная собака, потому что ему больше нечем заняться?

Я слышу, как мать Шона спрашивает, с кем он разговаривает своим шутливо-сварливым голосом, который их собаки всегда принимают всерьез и тут же разражаются диким лаем.

— Мама, иди отсюда и покорми собак. Иди-иди, покорми этого долбаного Сеффи или побрей себе ноги.

— Это ты, Джей? С кем ты разговариваешь? Это ты, Джей? Шон, прекрати устраивать театр. Джей, скажи Шону, что ему никогда не удастся найти подружку, если он не научится вытирать себе задницу. Все трусы сегодня опять были измазаны.

И я слышу, как миссис Ф. разражается смехом.

— Подожди минутку, — с плохо сдерживаемым раздражением произносит Шон, и до меня доносится стук опускаемой трубки. Потом раздаются шум, крики, еще более ожесточенный лай, стук двери и оглушительный грохот.

Затем к телефону снова подходит Шон.

— Я запер эту кошелку, — произносит он, затем понижает голос и произносит тоном, которым пользуется всегда, когда знает, что его слова вызовут у меня смех: — Скажи-ка мне, Джей, когда ты мастурбируешь под порнуху, ты когда кончаешь? Когда ты типа... того? Когда это происходит с чуваком на экране или в другой момент? Тебе не кажется, что в этом есть что-то непристойное — кончать вместе с чуваком на экране? Не получается ли тогда, что именно он тебя возбуждает?

Я заверяю, что не считаю его геем, и он продолжает:

— Эта глупая кошелка все перепутала. Это следы не от грязной задницы, понятно?

Четверг, 18 февраля

Сегодня было три звонка от клиентов, одного из которых мне удалось пристроить — мистера Джона Грэма я отправил работать прорабом в Норвест-Хольст. Бриджит меня поздравила, а Линда поинтересовалась, ощутил ли я душевный подъем, и мне выдали бутылку белого вина в связи с успешным началом.

Сперва я старался не реагировать на весь ажиотаж, но потом он начинал меня раздражать. И когда я отправляюсь с Кэролайн проводить собеседование, то начинаю корчить из себя большого начальника, кивать и повторять: «Правильно, Кэролайн, именно так». Естественно, в конце она высказывает в мой адрес пару ласковых. Судя по всему, мое поведение отрицательно сказалось на процедуре интервьюирования.

Вечером приходит Джемма, и мы снова звоним Полу Дэниелсу. Мы хотим убедить его, что история с кроликами стала известна всему миру.

— Это Ники Накарони из «Дейли мейл», Токио, — говорю я. — Это миттер Дэнлс?

— Да, — заподозрив неладное, отвечает Дэниелс.

— Миттер Дэнлс, вы соверсали сексуальные акты с кроликами. И теперь японский народ узе не смозет относиться к вам по-прежнему, миттер Дэнлс, потому сто японский народ очень любит кроликов.

— О господи! — восклицает Дэниелс. — Неужели вам больше не о чем писать? — И он бросает трубку.

Больше всего я хочу, чтобы меня послал на хуй Лес Деннис. Это предел моих мечтаний. Но для этого его надо как следует довести, чтобы он сорвался. К сожалению, в папином справочнике нет номера его домашнего телефона, только телефоны его агентов. Но это не так интересно. А Джемма мечтает о том, чтобы ее послал Нерис

Хьюз, хотя и не говорит, почему ей этого так хочется.

Я снова ее смешу. За сегодняшний вечер мне уже трижды удалось ее насмешить. Она смеется беззвучно. Губы у нее остаются плотно сжатыми, а верхняя часть тела начинает вибрировать как камертон. А я, глядя на нее, думаю, когда же мы начнем встречаться по-настоящему. Сегодня пошел снег, и мне очень хотелось завалить в него Джемму, но смелости не хватило. Люди толкают друг друга в сугробы, когда между ними возникают отношения другого рода. Она бы тогда тоже могла потянуть меня за собой, запихать мне за шиворот снег, и, может, мы бы поцеловались. А может, она просто уставится на меня с непонимающим видом и начнет жаловаться, что я испортил ее новый шенилевый свитер, который нельзя сушить в машине.

Хотя, думаю, последнее вряд ли произошло бы, потому что, когда я сегодня рассказал ей о запоздало полученной мною валентинке, она наградила меня очень сексуальным взглядом. Думаю, это был намек на то, чтобы я ее обнял, но я этого не сделал, потому что внезапно почувствовал себя каким-то неловким уродом. Джемма казалась такой хорошенькой в своем обтягивающем красном свитере, что пальцы у меня вдруг стали толстыми, как свиные сосиски, и мне пришлось отвести глаза. Все это очень напоминало момент, когда Красавица собирается поцеловать Чудовище, но тут оно вдруг понимает, что не является подарком, и, отпрянув, говорит: «Послушай, а сколько сейчас времени? Мне пора — у меня на два назначена стрижка когтей».

Джемма ничуть не удивляется, что Шон может быть геем. Вроде бы он однажды уже прижимался к другу ее сестры, когда они сидели в баре.

Пятница, 19 февраля

После работы пошел выпить с Кэролайн и Бриджит. Кэролайн продолжала вести себя точно также, как на работе, — безучастная выдача информации и справок и полное пренебрежение к собеседнику. Я понимаю, в чем тут дело. Когда я в прошлый раз звонил Шону, то тоже изображал повышенную участливость. А когда пару дней назад выходил из метро и одна женщина спросила у меня, который час, я вдруг начал перед ней извиняться и указывать на какого-то человека, у которого, как мне показалось, должны быть часы. Я чуть ли не рассыпался перед ней в благодарностях за то, что она ко мне обратилась.

Когда мы добираемся до паба, Бриджит берет на себя роль моей наставницы. Атмосфера очень милая, и в результате меня приглашают на вечеринку, которую будет устраивать фирма в следующую среду. Когда Бриджит расслабляется, она становится еще хуже. Она рассказывает, что както напилась до такого состояния, что заснула в метро и проехала свою остановку. И почему только все рассказывают одно и то же, чтобы доказать, какая у них тяжелая работа? На меня это производит гнетущее впечатление, и я начинаю подумывать об увольнении.

Написал мистеру Гатли и поблагодарил его за последние письма. Я представляю его эксцентричным благожелательным литератором, мечтающим найти истинный талант, который он сможет взять под крыло. Я даже представляю, как раз в неделю на его коврик шлепается моя новая рукопись и мистер Гатли ковыляет на своих ходунках обратно к столу и говорит жене, что это очередной текст небезызвестного ей юного дарования.

Жена отрывает взгляд от яйца всмятку, и в ее глазах зажигается доброжелательная искорка: «А почему бы тебе не послать ему что-нибудь из своих произведений, милый? Не сомневаюсь, они ему понравятся. Может, ту статью, которую ты написал для „Книжного ежемесячника“? Мне очень понравилось место про диких зверей. Или там речь шла о псе на цепочке? В общем, одна из твоих звериных метафор».

Когда я стану знаменитым, то обязательно приглашу мистера Гатли в «Интерконтиненталь» на презентацию своей книги. Вокруг меня будут крутиться разные известные издатели, и на какой-то момент ему покажется, что он лишний на этом празднике жизни. Но в тот момент, когда он уже соберется уходить, я громко произнесу его имя, выведу вперед, обниму за плечи и скажу: «Вот этот человек. Именно ему и только ему я всем обязан». И мистер Гатли разрыдается.

8 часов вечера

Я бы хотел, чтобы папа хоть немного походил на мистера Гатли. Он снова на меня набросился, когда я сообщил ему о своем намерении уволиться, для того чтобы превратиться в дикого зверя.

— У меня просто сердце разрывается, когда я вижу, как ты губишь свою жизнь, — ответил он. — Мир стал гораздо более жестоким со времен моей юности. Тебе следует избавиться от своих литературных фантазий и заняться делом, пока ты еще молод. Я очень боюсь, что ты упустишь время. К тому же ты до сих пор не объяснил мне, зачем купил эту черепаху. От нее уже весь дом провонял. И что ты собираешься делать?

Я объясняю, что купил Чарли настоящее животное, чтобы избавить его от порочной страсти к черепашкам-ниндзя. Что это общепризнанный способ выработки стойкого отвращения.

— Это все равно что заставить человека выкурить за один раз целую пачку сигарет, чтобы ему стало плохо, — добавляю я.

Но это не убеждает папу, и он требует, чтобы аквариум был вынесен из гаража до приезда министра внутренних дел, иначе у меня будут неприятности.

Суббота, 20 февраля

Сегодня мы с Джеммой ездили в мемориал капитана Кука. Мы постелили матрацы на металлический пол фургона, играли в слова и откровенничали. Игра эта заключается в том, чтобы выбрать какую-нибудь тему, например европейские страны, и по очереди произносить названия, после того как партнер два раза хлопнет в ладоши. Если пропускаешь свою очередь, то должен сделать большой глоток спиртного и в чем-нибудь признаться. Я признался в том, что Джемма мне нравилась еще в шестом классе и я хочу стать знаменитым писателем, а Джемма сказала, что регулярно видит эротические сны, в которых участвует Рутгер Хауэр. Он ей нравится, потому что он очень сильный и производит обманчивое впечатление злодея.

Вернувшись домой, мы продолжили состязания и пошли к Джемме играть в «Эрудита». В какой-то момент мы поспорили по поводу Короля-Солнца Людовика XIV, и я, достав папин справочник Би-би-си, позвонил Магнусу Магнуссону, чтобы узнать правильный ответ. Трубку сняла миссис Магнуссон.

— Не пригласите ли вы к телефону Магнуса? — сказал я.

— А кто его просит? — поинтересовалась миссис Магнуссон.

— Простите, что беспокою вас, но мы тут поспорили о миссис Бленкинсоп — это такая безвкусно одетая библиотекарша, которая выступала в четвертом четвертьфинале в Бристоле в общеобразовательном раунде. Вот я и подумал, может, Магнус разрешит наши разногласия.

— Боюсь, что...

— Это очень важно. Мы бы хотели, чтобы он нас рассудил.

— А почему бы вам не позвонить прямо на Би-би-си?

— Мы бы хотели выслушать личное мнение Магнуса.

— К сожалению, он занят.

— Может, я оставлю свой номер телефона?

Дело кончилось тем, что миссис Магнуссон сама взялась нас рассудить и сказала, что я прав, хотя Джемма и не приняла ее вердикта и заявила, что та просто хотела меня сплавить.

Мама Джеммы бывшая учительница истории, и мы с ней сегодня обсуждали Наполеоновские войны, пока смотрели новости об Ираке, по-прежнему отказывающемся впустить наблюдателей ООН. Ну что, миссис Дрейкот, я ведь не какой-нибудь обычный Том, Дик или Гарри! Она также поинтересовалась тем, как продвигается мой роман, и была приятно удивлена, когда я произнес слово «совершенствование».

Еще я рассказал сегодня Джемме о маме. Хотя совершенно не собирался этого делать. Это произошло, когда мы сидели в фургоне и обсуждали модель Ближнего Востока, сделанную Шоном. Он ее расширил и присоединил к ней Северную Африку на тот случай, если вмешается Турция. Джемма была рада, что я заговорил о маме. Она выслушала меня молча, и лишь потом я заметил, что на глазах у нее слезы, а губы дрожат. «Ох, Джей!» — произнесла она и перекатилась ко мне, так что мы оказались рядом, лежа на животах как сардины в банке.

20 сентября: Я лежу в ванне в доме Сары, когда к дверям подходит Роб. Он говорит таким голосом, которого я раньше у него никогда не слышал. «Джей, это звонит твоя мама», — говорит он.

Первое, что приходит мне в голову, — что-то случилось с Чарли. Потом — с папой. Ведь маме сказали, что с ней все в порядке. Ей целиком удалили желудок, и доктор Мейтланд заявил, что ей ничего не грозит — у нее наступила ремиссия.

— В чем дело? — спрашиваю я.

— Боюсь, у меня плохие новости, — отвечает она.

Мама плачет.

— Я уже говорила тебе, что у меня отекли ноги, — говорит она. — Но теперь у меня еще и живот раздулся. Я была у врача, и он сказал, что процесс возобновился. — Она выдерживает паузу. — Это рак.

Доктор Мейтланд сказал, что отеки могут объясняться проникновением метастазов в печень. Мама говорит, что они собираются сделать анализы, но результаты будут известны не раньше вторника.

— Всего неделя отделяла меня от полного выздоровления, и я так хорошо себя чувствовала, — всхлипывает она. — Еще сегодня утром я сажала луковицы.

Я стараюсь вселить в нее оптимизм. Я говорю, что раз врач не считает, что надо предпринимать какие-то неотложные меры, это хороший знак. Я говорю, что первым признаком рака печени является рвота, по крайней мере, так утверждает Роб.

— Да, наверное, — отвечает она, — ведь я сегодня на ужин ела лосося.

— Все будет в порядке, мам, — убеждаю я ее. — Только подумай, как мы повеселимся во вторник, когда тебе сообщат, что результаты анализов хорошие.

— Да, — с удивительной нежностью говорит мама. — Все будет в порядке. Я в этом не сомневаюсь. Я совершенно не собираюсь умирать.

У меня возникает странное ощущение после того, как я рассказываю об этом Джемме, но я не жалею о том, что сделал. Обычно я предпочитаю не говорить о маме — в горле у меня тут же встает комок, и потом, мне не нравится, когда на меня начинают смотреть с сочувствующим видом, и все эти вопросы: «Сколько ей было? Как папа? Не слишком ли переживает Чарли?» Люди задают эти вопросы только для того, чтобы показать, как много они знают о смерти, и это выводит меня из себя. Обычно в таких случаях мне хочется рассмеяться им в лицо. И это еще одна причина, по которой я предпочитаю не говорить о маме. Однажды такое уже было — я рассмеялся в лицо распорядителю похорон мистеру Твену. Чего только стоил один его вид, когда он шел к нашему дому в своем идиотском сюртуке. «Догадайся, кто это», — сказал я Саре и, хотя в этом не было ничего смешного, не смог удержаться от хохота. Так что папе пришлось попросить меня взять себя в руки («Ты мне нужен сейчас»).

После похорон Сара уехала к себе, Чарли вернулся в школу, и на протяжении целой недели мы с папой только тем и занимались, что смотрели по видику фильмы. Мы посмотрели «Мост через реку Квай», «Героев Келли», «Дэмбастеров» и «День „Д“», первую и вторую части «Крестного отца», «Папиллон» и «Великий побег», «Лоренса Аравийского», «Покров», «Бен-Гурион», «Касабланку», пять фильмов Вуди Аллена и три Стива Мартинса.

В каком-то смысле это была хорошая неделя, мы сидели с папой перед телеэкраном, и течение наших жизней словно приостановилось.

В «Спартаке», которого мы посмотрели три раза, была одна замечательная реплика. Римский сенатор Марк Красс — Лоренс Оливье — случайно оказывается на загородной вилле и требует, чтобы ему показали гладиаторские бои. Питер Устинов — владелец виллы — недоволен тем, что сенатор требует боя до смертельного исхода, ибо понимает, что это может вызвать волнения среди гладиаторов. Его опасения оказываются справедливыми: начинается мощное восстание рабов под предводительством Спартака. Впрочем, это не имеет значения. Важна лишь реплика, которую произносит Лоренс Оливье своим хорошо поставленным актерским голосом: «Сулла — да будет проклято его имя и весь его род». Он говорит это потому, что Сулла со своей армией входит в Рим, чего, судя по всему, делать не следовало. И мы с папой начали целыми днями повторять эту реплику, стараясь добиться полного соответствии интонации Оливье. Я говорил, что он произносит это так, а папа возражал, что иначе.

— Сул-ла — да будет проклято его имя.
— Нет, Сулл-а — да будет про-клято его имя.

И так без конца.

Воскресенье, 21 февраля

Папа собирается отправить Чарли в школу-интернат. Это выяснилось сегодня за семейным обедом. «Хочешь взглянуть?» — спрашивает папа и бросает мне через стол несколько проспектов. Сара кидает на меня косой взгляд, показывая этим, что ей обо всем уже известно и ее тревожит мое мнение. Когда я возвращаюсь в свою комнату, на подушке меня ждет еще одно письмо. Честно говоря, я бы предпочел, чтобы папа перестал относиться к моей подушке как к доске объявлений.

> *Дорогой Джей,*
> *Я уже говорил об этом с твоей сестрой и то же самое сообщаю тебе — мои намерения относительно Чарли абсолютно серьезны. С ним надо что-то делать. Понимаю, что в твоих глазах я буду выглядеть чудовищем. Но я не чудовище. Я желаю Чарли добра, надеюсь, как и ты, и в данном случае это требует смены обстановки. Он учится все хуже и хуже, а что делается с его локтями, ты и сам видишь, и во многом это связано с домашней обстановкой. Я считаю, мы все должны подумать о таком варианте — не лучше ли отправить его в школу-интернат.*

Папу вновь утверждают главным редактором Би-би-си, и генеральный директор студии звонит, чтобы лично его поздравить. Папе это доставляет такое удовольствие, что он начинает носиться по всему дому, делая вид, что поддает ногой воображаемые кегли. Однако я все еще не могу успокоиться после этих проспектов и, когда по Би-би-си начинают показывать вторую серию какой-то костюмированной мелодрамы, высказываю в ее адрес критические замечания. Папа встает на защиту студии, или Биба, как он ее называет, тем паче что мелодрама сделана по его личному заказу.

— У тебя опять начинается приступ гиперкритицизма? — восклицает он, заглатывая мою наживку.

— Просто я считаю, что это полная чушь, вот и все, — отвечаю я.

— Понятно, — говорит он. — А то, что шесть миллионов зрителей, включая меня, с тобой не согласны, тебе ни о чем не говорит, старичок?

Я отвечаю, что это означает лишь то, что шесть миллионов телезрителей, включая его самого, ошибаются, и папа, покачав головой, выходит из комнаты, чтобы налить себе выпить.

Он возвращается опустив голову и шаркая ногами, как делает всегда, когда хочет показать, насколько я его утомил, однако когда он доходит до середины комнаты его посещает другая мысль, и он останавливается с таким видом, словно увидел на ковре гремучую змею.

— По-моему, я просил тебя пропылесосить ковер, — произносит он.

— У меня не было времени, — отвечаю я.

— Но ведь сейчас ты свободен.

— Минутку.

— Нет, будь любезен сделать это сейчас же.

Я ухожу за пылесосом, бормоча под нос:

— Просто тебе нечего возразить по поводу этого зрелища.

— Можешь нанять робота, чтобы он сделал это вместо тебя, — отвечает папа.

Перед тем как лечь, я звоню Саре. Я решил, что если папа отошлет Чарли в интернат, то перестану с ним разговаривать. Сара советует мне подождать и посмотреть, что будет дальше — возможно, все образуется. Она говорит, что папа всегда склонен перегибать палку и что она постарается убедить его отправить Чарли к другу Роба, детскому психологу.

Я рассказываю и о нашей ссоре в надежде найти у нее какую-нибудь поддержку, но Сара возлагает всю вину на меня. «Джей, в данном случае именно ты вел себя неразумно. Папа работает по пятнадцать часов в день, и чем ты ему помогаешь? Сначала чуть не взрываешь мамин фургон, потом грозишь уволиться, да еще покупаешь Чарли черепаху, от которой в доме начинает вонять. Я знаю, ты считаешь, что всю работу должны выполнять роботы. Но в данном случае ее выполняют не роботы, а папа.

Папа — непререкаемый авторитет, потому что он работает по пятнадцать часов в день. Меня уже тошнит от этого. Недавно я попросил у него разрешения воспользоваться его ноутбуком, и он мне отказал. «В прошлый раз ты заляпал мышь „Мармайтом“ и оставил на моем столе кофейные пятна», — пояснил он.

Размышления об отцах своих сверстников повергают меня в глубокое уныние. Всех остальных отцов почему-то интересуют желания своих детей. И только мой папа полностью поглощен лишь своими собственными амбициями. Ну надо же — кусочек «Мармайта» на его мыши! Какая мелочность! Только представьте: если бы так вел себя отец Шекспира! Что бы тогда было со всемирной литературой? «Я понимаю, Уильям, что ты хочешь закончить „Бурю“, но я не позволю тебе оставлять капли жира в моей торговой книге».

10 часов вечера

Сегодня вечером ходил к Шону. Отец в шутку назвал его педерастом, тот покраснел и теперь переживает из-за этого.

— Я даже не понимаю, почему покраснел. Может, как раз потому, что подумал: «Как это будет ужасно, если я сейчас покраснею и отец решит, что я гей», или я покраснел потому, — Шон откашливается, — что в глубине души я и в самом деле гей?

— Ты придаешь этому слишком большое значение, — говорю я.

— Но что еще хуже — он заметил это и позднее поднялся ко мне, сел на край кровати и извинился, словно я и вправду педераст, — добавляет Шон.

— Может, если бы ты не думал об этом постоянно, все было бы иначе.

— Он сказал, что если я когда-нибудь захочу с ним о чем-нибудь поговорить, то он всегда к моим услугам. — Шон глубоко затягивается и, вытаращив глаза, усмехается. — И главное, я не знаю, что теперь делать, — добавляет он, поглаживая подбородок и нервно моргая, — то ли пойти к нему и сказать, что я не гей, то ли не делать этого, потому что, если он подумал то, что я, тогда-то уж он точно решит, что я гей.

— А что он еще мог подумать? Да и какая разница, что он вообще думает?

— Он мог подумать, что я просто стесняюсь. Он спросил меня: «В чем дело?» Может, он имел в виду просто то, что я покраснел. А может, он считает, что мне мешает застенчивость, что из-за этого мне не удается устроиться на работу и реализовать свой потенциал.

Мама Шона приносит нам чай.

— У тебя страшная вонь, — говорит она и открывает окно. Шон снова называет ее кошелкой. — Перестань грубить, — резко обрывает его она и тут же все сводит к шутке: — Он этого даже не замечает, Джей, настолько он привык. Но мы-то совсем другое дело. Он еще хуже, чем мои куры.

— Вся беда в том, что я умею отличать красивых парней от некрасивых, — понизив голос, говорит Шон, когда она выходит.

— Весь вопрос в том, оцениваешь ли ты их как девушка, думающая: этот парень симпатичный, а этот нет, или… — я делаю глоток из своей чашки, — ты просто отмечаешь привлекательность.

— Не знаю, — с гримасой на лице отвечает Шон, — не знаю.

Затем мы переходим к Ближнему Востоку. Шона очень интересует война в Заливе. Еще три недели назад он ничего не знал о военной технике, а теперь он стоит над своей моделью и произносит с видом знатока: «Безусловно, самонаводящиеся ракеты это не более чем усовершенствованный вид бомб, которые использовались во время Шестидневной войны, когда самолет мог нести под крыльями до тридцати килограммов полезного груза дополнительного снаряжения. А что касается турбодвигателей бомбардировщиков «Стелс-Ф15» и «Прат-Уитни Ф 100-100», то лучше них еще ничего не изобрели.

Мы договариваемся вместе сходить во вторник вечером в «Сад» и проверить его гомосексуальные наклонности. Месяц назад Марк подцепил там трех девиц и теперь утверждает, что если человек не в состоянии это сделать, то с ним явно что-то не в порядке.

Вернувшись домой, я дочитываю «Жестокое море» Николаса Монсерата. Грандиозный роман, посвященный грандиозной теме. Автор на фоне военных действий в Атлантике выводит перед нами потрясающих персонажей, которыми мы восхищаемся и судьбу которых оплакиваем. Главный акцент сделан на характеры людей, благодаря чему мы понимаем, что такое война. Наводящие ужас немецкие подводные лодки, охотящиеся на корабли, как стая волков. Локхарт и Эриксон, пьющие розовый джин в Гибралтаре после затопления «Тихой Розы», когда Локхарт соглашается стать первым помощником на «Сальташе». Люди, захлебывающиеся нефтью, моряки, умирающие достойно и недостойно. Когда я ложусь, все мои мысли заняты исключительно событиями Второй мировой войны.

Понедельник, 22 февраля

Сознание у меня словно раздвоилось: одна половина считает, что папа всерьез собирается отправить Чарли в интернат , а другая полагает, что это не более чем пустая угроза. Когда мне было девять лет, я украл у компании «Хепворт» марки. Они рассылали наборы марок по почте, чтобы человек мог выбрать понравившиеся и потом оплатить их. Я менял в буклете нумерацию марок и тырил самые ценные.

Никогда не забуду тот день, когда папе позвонили. Естественно, мне все приходилось делать от его имени, так как я был еще маленький, и в компании решили, что воровством занимается именно он. «Дже-е-ей, мне звонит какой-то человек, который говорит, что, если я не верну новую десятишиллинговую марку с изображением короля Эдуарда на ультрамариновом фоне, он обратится в полицию. Ты можешь мне объяснить, что это значит?»

Компания не стала возбуждать судебное дело, так как я был слишком мал, но вечером ко мне зашел папа и сказал, что на следующий день отправит меня в интернат. Тогда он просто хотел меня напугать, и, возможно, с Чарли тот же самый случай. А может, он и вправду хотел отправить меня в интернат и его отговорила мама.

Но если он отошлет Чарли, я точно перестану с ним разговаривать.

Позвонил деду, чтобы поздравить его с днем рождения и поговорить о войне. Ему сегодня исполняется семьдесят четыре, и он видел, как погибают люди. Наверное, это потрясающее ощущение — пережить войну. Сегодняшняя жизнь стала такой плоской и суетной. Людям, пережившим войну, всегда есть что рассказать, даже если они не воевали на фронте, а просто были шоферами. Дед любит вспоминать войну и своих друзей со странными именами — Пачкуна, Коротышку Харриса и прочих. Так что в результате мы с ним беседуем больше получаса.

Жаль, что, когда я стану дедом, мне будет не о чем вспомнить. Что я смогу рассказать своим внукам? «Расскажи нам, дедушка, как Европейский союз запретил пепин»? Звучит не слишком убедительно.

Дед спрашивает, как поживает мелкий, и я говорю, что в школе у Чарли все в порядке. Я не рассказываю ему об интернате. Смерть мамы здорово подкосила деда. Стоит упомянуть что-нибудь с ней связанное или просто сказать, что Чарли плохо себя ведет и у него опять начались заскоки, как голос у него становится очень странным.

Описание деда: очень высокий, набриолиненные седые волосы, постоянно носит костюм и имеет приплюснутый нос, напоминающий кокос, на который кто-то сел.

Сегодня приезжали министр внутренних дел Джек Стро и еще какие-то шишки из Би-би-си. Они обсуждали стоимость лицензии, освещение событий в Заливе и судьбу студии в XXI веке в бильярдной, куда папа отвел гостей, чтобы показать фотографии на стенах, где он стоит в обнимку с разными знаменитостями.

Папа был на грани — с ним всегда это происходит, когда он хочет произвести впечатление на окружающих. Он то и дело подходил ко мне, когда никто не видел, и отдавал резкие распоряжения, а потом вновь возвращался к шутливо-непринужденному тону. «Джей, убери свои чертовы туфли... А это Джей, мой старший, не правда ли, симпатичный пацан?.. Христа ради, вытащи ты наконец Чарли из ванной, министру нужно пописать... Ах этот запах. Это аквариум с черепахой. Черепашки-ниндзя. Ха-ха-ха! Нас он тоже сводит с ума, не правда ли, Джей?.. Немедленно убери этот вонючий аквариум в гараж».

— Ну и как все это понимать? — спрашиваю я, когда все расходятся. Я и вправду здорово разозлился.

Папа на кухне надевает на себя пижаму.

— Что именно? — спрашивает он, наливая себе выпивку, и ахает, чувствуя, что перелил. Перед сном он любит выпить стаканчик «Куантро».

— Что это за обращение со мной? — повторяю я.

— Какое именно? Я сегодня это заслужил, — добавляет он и делает глоток. — Хорошо.

— Как будто я твой подчиненный. Как будто я какой-нибудь младший продюсер.

Он с презрительным видом прикрывает глаза и выходит в гостиную. Мол, «видишь, как я сдержан, как умею справляться с собственными эмоциями». Но ему не удается до конца сохранить эту стойку. На полпути он останавливается, возвращается и, нацелив стакан в мою голову, словно это оптический прицел винтовки, произносит:

— Хватит.

— Чего хватит-то? — переспрашиваю я.

— Просто хватит, — повторяет он.

— Что именно? — не унимаюсь я, и тогда он отвечает мне очень угрожающим тоном:

— Ты живешь в прекрасном доме и ни в чем не нуждаешься. Чтобы так продолжалось и впредь — а ты, по-моему, не спешишь куда бы то ни было переезжать, — нам кое-что необходимо изменить. — Думаю, именно так он выступает на своих собраниях: подбородок выдвинут вперед и текст произносится медленно, с неравномерными паузами. — Ты знал, что у меня сегодня встреча с важными людьми. Я предупреждал тебя об этом еще четыре дня назад. Я напоминал тебе об этом сегодня утром. Но на тебя все это не производит никакого впечатления.

Я спрашиваю, что на этот раз я сделал не так. Я не затевал никаких разговоров о роботах, как он меня просил.

Папа издает саркастический смешок и наклоняется, так что его лицо оказывается на одном уровне с моим.

— Ты обещал вынести аквариум в гараж. Ты сказал, что сделаешь это еще в пятницу вечером. А в результате весь дом провонял. Может, тебе и нравится жить в свинарнике, а вот мне не нравится. И уж совершенно точно это не нравится моим гостям. Ты слышал, что сказал Джек Стро об этом запахе?

Вероятно, Чарли стоял на площадке и слышал это, потому что в полночь он приходит ко мне и говорит, что если отец выставит меня из дома, то я смогу спать у него на верхней полке, разве что надо будет куда-нибудь перевезти шмотки, потому что ему и так придется убирать сверху своих Бини-бэйбиз на ночь.

Вторник, 23 февраля

Ситуация в Заливе обостряется. Ирак по-прежнему отказывается впустить наблюдателей ООН, и уже высказываются предположения, что если Саддам не уступит, то разразится еще одна война.

Шон звонит в восемь утра. Он только что уничтожил на своей модели все военные объекты, которые, как сообщают новости, были сметены с лица земли в результате воздушных ударов, нанесенных за последнюю ночь. «Если он хочет войну, он ее получит. Как мне нравится запах папье-маше по утрам», — возбужденно кричит он, прежде чем сообщить мне, что ядерный ветер, который пронесется со скоростью пятьсот миль в час после прямого попадания стамегатонной нейтронной бомбы в центр ВВС Великобритании, сотрет с лица земли Чилтернские округа. Перед тем как повесить трубку, он спрашивает: «Джей, а что происходит сначала? Сначала появляется высокий голос, который заставляет человека осознать, что он гей? Или, наоборот, сначала человек понимает, что он гей, а потом у него вырабатывается высокий голос? И если у тебя появляется такой голос, то это вызвано изменением гормонального фона, или он вырабатывается сознательно, для того чтобы привлекать людей соответствующей ориентации? Джей, скажи мне честно, без дураков, у меня уже появился такой голос?».

Мысль о предстоящей глобальной войне продолжает занимать меня и на работе, так что в результате Бриджит делает мне замечание и объясняет, что я забываю произносить «Добрый день, фирма „Монтонс" слушает» с улыбкой в голосе. Интересно, как можно улыбаться, когда перед глазами у тебя скачут апокалиптические скелеты? Я сообщаю об этом Бриджит, но она лишь недоуменно поднимает брови и говорит, что заставит меня составлять расписание, если я продолжу с ней пререкаться. Бриджит настолько зациклена на работе, что Апокалипсис может заинтересовать ее лишь в том случае, если он потребует перестройки работы нашей фирмы.

Опять никого не удалось устроить на работу. Когда я сегодня подводил итог дня, к нам в кабинет зашла эта ведьма Пэм, сообщившая, что на этой неделе я должен устроить на работу как минимум троих. Она заявляет, что успех с Джоном Грэмом не может стать для меня оправданием на всю оставшуюся жизнь, и, когда я повторяю слова Бриджит о том, что растущие цены отпугивают строительные корпорации, погоревшие во время предыдущего кризиса, Пэм отказывается меня слушать. Кроме этого, Кэролайн обнаруживает мои комментарии в справочнике по трудоустройству, и меня объявляют сумасшедшим. Они ничего не понимают. Ведь существуют же какие-то критерии. Не каждому дано сойти с ума. В лучшем случае на это способен один процент населения. Что касается всех остальных, то они просто глупы, страдают забывчивостью или живут с просроченным расписанием поездов.

2 часа ночи

Сходили с Шоном в ночной клуб «Сад», чтобы проверить его сексуальную ориентацию. Это был полный кошмар. Единственные девицы, которых Шону не удалось запугать своими рассказами об управляемых ракетах системы «Томагавк», оказались из Брэдфорда и остались равнодушны к моему сообщению о том, что Шон играл эпизодическую роль в фильме «Вексель».

— Ну и сколько ты за это получил? — с угрожающим видом осведомилась девица Шона.

Моя работала секретаршей и обслуживала четырех (барабанная дробь!) директоров. Она постоянно говорила о собственной значимости и рассказывала, что все ее шефы отказываются взять на работу кого-нибудь другого, так она незаменима.

Я попытался вернуться к обсуждению Шона.

— А еще он снимался в «Супермене-IV», — сообщил я.

Его девица обратила на него восхищенный взгляд.

— Правда?

Шон скромно кивнул и заметил, что ему в то время было всего шесть лет.

— В сцене на площади перед зданием Объединенных наций, — добавил я. — Но зрители запомнили его благодаря другим, гораздо более удачным работам.

Обе девицы тут же повисли на Шоне, и минут десять все шло хорошо, пока он сам все не испортил, поинтересовавшись, вмешаются ли, на их взгляд, в войну фундаменталистские африканские страны, если ООН примет решение бомбить Багдад. Я ушам своим не поверил. Девицы тут же обменялись недоумевающими взглядами, и Шон, вероятно, понял, что допустил оплошность, потому что кинул на меня отчаянный взгляд и произнес: «А вот Джей, например, снимался в рекламе „Кнорр“. Правда, Джей?»

На обратном пути он долго извинялся и говорил, что хотел сказать, что я снимался в последней серии Джеймса Бонда, но почему-то ошибся. «Я, например, пью суп „Кнорр“ вместо чая», — добавил он, словно это что-то объясняло.

Перед тем как лечь, позвонил Генри Келли из передачи «Золотоискатели»: «Генри, я тот самый человек, который звонит телеведущим в самое неподходящее время, наплевав на их частную жизнь. Мое имя начинается на букву „Т“. Угадал? Правильно. Я — Телефонный хулиган. Отлично, Генри, мы включаем тебя в финал конкурса эрудитов, который состоится на этой неделе».

Среда, 24 февраля

Сегодня начались авиаудары по Ираку. Лично я считаю, что это не перерастет в крупномасштабный конфликт, хотя Шон прав — было бы здорово поменять справочник по трудоустройству на противотанковое орудие. Тогда мне было бы о чем потом вспомнить.

Шон говорит, что, если его призовут, он пойдет в артиллерию. А если призовут меня, я пойду работать в Арабское бюро и буду работать за линией фронта, подрывая врага изнутри, как Лоренс Аравийский. Буду погонять палкой своего дромадера и разыскивать бедуинов.

«Скажите, вы хорошо знакомы с Т. Э. Лоренсом?»

«Нет, но мне доводилось пожимать ему руку в Дамаске».

«В летописи сказано, что ни один белый человек не войдет в Акабу».

«Мне наплевать на то, что говорят другие, я сам делаю историю» и т. д. и т. п.

Когда я прихожу на работу, на моем столе лежит записка: «Ты не в школе. Немедленно приведи свой стол в порядок». Я читаю ее под пристальным строгим взглядом Бриджит. Позднее она снова возвращается к этой теме и заявляет, что если на моем столе и дальше будет беспорядок, то я начну забывать существенные вещи и не стану обращать внимание на жизненно важные звонки. Я пытаюсь объяснить: беспорядок на столе свидетельствует о том, что человек занят делом, но она отвечает, что я ей надоел.

Кроме того, меня выводят из себя слепая покорность и заискивающая манера Линды. Если я не перезваниваю клиенту, ее это страшно раздражает. Сначала я думал, что речь идет исключительно о хороших манерах, тогда я еще мог бы это принять. Но сегодня я понял, что дело не в этом. Линду интересует лишь имидж компании. Она сама произнесла именно эти слова — «имидж компании»: «От этого пострадает имидж фирмы „Монтонс", Джей». И откуда только берутся такие люди?

После работы — корпоративная вечеринка. Клэр похожа на шар и явно выбирала себе одежду с использованием числа «пи», Рейчел, видимо, считает, что самое интересное — это съедать середину из чужих пицц, а Саймон изображает из себя умудренного жизнью манкунианца. Он задает соответствующие вопросы, а потом отвечает с помощью стандартных фраз — «Да, побродил я по зарубежью» и «Помарал я бумагу в Беркли». Он двумя словами обозначает любой поступок и любое движение души. Полная задница.

Короче, вечер просто отвратительный, и мне не хватает Джеммы. Думаю, мне больше всего нравится в ней ее манера поведения. Пару дней назад я видел, как она делает лазанью. У нее какая-то особая манера обращения с окружающими предметами. Когда она их берет, большие пальцы у нее отгибаются назад, принимая на себя всю тяжесть, а костяшки белеют. Но стоит ей захватить предмет в руку — будь то макароны, шариковая ручка или косметичка, — как она с небрежным видом принимается им размахивать, словно показывая, насколько крепко его держит. Несмотря на свою красоту, Джемма довольно неуклюжа и не умеет держаться. Мне это очень в ней нравится.

Очень хочу дать ей прочитать «Над пропастью во ржи». Думаю, это произведет на нее сильное впечатление и она согласится сбежать из дома и поселиться со мной в глинобитной хижине в Африке. Это было бы здорово — мы бы сами пекли себе хлеб, завели бы кур, я бы сидел у костра и наблюдал за тем, как она собирает манго.

Вернувшись домой, я написал ей письмо, используя военные метафоры, учитывая войну в Заливе. Суть послания сводилась к тому, чтобы встретиться на нейтральной полосе и немного пообниматься. Я стараюсь использовать обтекаемые выражения, преследуя при этом две цели. Во-первых, быть достаточно остроумным, чтобы все это выглядело шуткой и Джемма не испугалась, а во-вторых, я действительно хочу понять, что она ко мне испытывает.

Если мы начнем встречаться с Джеммой, то я вряд ли захочу стоять у маховика противотанкового орудия. Думаю, тогда меня это не будет интересовать.

8 часов вечера

Сара сообщает мне по телефону, что папа согласился отложить решение вопроса с интернатом до тех пор, пока Чарли не встретится с приятелем Роба — детским психотерапевтом доктором Робертсом. Похоже, нам предстоит потратить много сил, чтобы убедить папу, особенно после сегодняшнего вечера. Чарли придется научиться не размахивать руками, когда он возбуждается. А сегодня вечером он уже уронил одну тарелку с комода, когда играл в черепашек-ниндзя. Я спрятал осколки в мусорном бачке под картофельными очистками, но папа обнаружил их, когда выносил пустые бутылки из-под «Куантро». После чего Чарли еще больше осложнил ситуацию, так как, вместо того чтобы извиниться, начал кричать: «Да падет горе на голову Хумунгуса». Черепашьи высказывания и законы запрещены в нашем доме, и папа требует, чтобы я заплатил за разбитую тарелку. Все справедливо — это высказывание тянет на двадцать фунтов.

Чарли привлекает идея посещения психолога, и мы, перед тем как погасить свет, играем у него на кровати в доктора-пациента.

— Ну что ж, Чарли, расскажи мне о своем детстве.

— Я люблю футбол, Джей, черепашек, истории про пиратов и еще рисовать.

Четверг, 25 февраля

Сегодня наш временный сотрудник Мартин обратил внимание на тот энтузиазм, с которым я отвечаю по телефону, и начал пародировать мое восторженное «Здравствуйте, фирма „Монтонс" слушает». Я объяснил ему, что это входит в мои служебные обязанности. Каждый раз надо отвечать по-разному, во-первых, для того, чтобы тебе не наскучил звук собственного голоса, а во-вторых, чтобы в ответе звучала хоть какая-то заинтересованность. Иногда я говорю «Здравствуйтефир-маМонтонс», иногда «Здррррасьте фирма Монтонс», а иногда все в одно слово. Мартина это очень развеселило, и мы поэкспериментировали с новыми способами ответа, включая механический «Здрав-ствуй-те фир-ма Мон-тонс слу-ша-ет», чем заслужили негодующий взгляд Линды. Надо постараться поближе сойтись с Мартином. Он собирается основать со своими друзьями юмористический журнал, и ему могут потребоваться авторы, что будет неплохим началом моей литературной карьеры.

После работы пошел в кафе Дебби. Хочется думать, что его посетители считают меня таинственной фигурой и я вызываю у них интерес. Мое внезапное появление, исписанные страницы, приверженность к чизбургерам и пинте кока-колы, в которую я требую положить три винных кубика, наверняка должны вызвать любопытство у обслуживающего персонала.

Сначала я просто делал заказ, но теперь начал позволять себе некоторые изыски. Например, сегодня я попросил, чтобы Дебби добавила к моему чизбургеру семь кружочков огурца и приглушила свет над моим столиком.

Официантки беспрекословно выполняют мои просьбы, что убеждает меня в том, что за стойкой они ведут примерно следующие беседы: «Ты представляешь? Этот парень за четвертым столиком — теперь он хочет, чтобы ему приглушили свет. Может, он писатель? Или актер? Или миллионер?» В следующий раз непременно укажу, какой толщины должны быть колечки огурца.

Я мало что написал, зато меня посетили совершенно потрясающие фантазии. Когда мой роман будет признан («Потрясающе», «Непревзойденно», «Голден — истинный гений»), я дам интервью Линн Барбер. Одно-единственное интервью в ресторане «Квалиньо», поедая кальмара в карамельном соусе, после чего кану в небытие и стану отшельником, как Сэлинджер, предоставив всем гадать, в чем заключается истинный смысл моего произведения. Меня будет осаждать вся мировая литературная общественность, но я останусь недостижимым. Я буду скрываться от их любопытных взглядов за высокими воротами с дистанционным управлением, меня будут охранять огромные псы и симпатизирующее мне местное население, которое, несмотря на свою необразованность, сумеет отличить истинного гения, когда он будет проноситься по проселочной дороге на своем «феррари».

Когда я прославлюсь, то буду разговаривать только с Чарли, Шоном, Джеммой, Сарой, мистером Гатли и папой, если тот пообещает повесить в бильярдной нашу с ним фотографию, где он обнимает меня за плечи.

11 часов вечера

Мне наплевать на то, что написано другими, я скажу свое собственное слово в литературе! Думаю, мы все-таки начнем встречаться с Джеммой. Я провел у нее сегодня весь вечер, и мы очень сблизились после того, как я сказал, что отправил ей письмо. Мы сидели на полу в гостиной и задавали друг другу вопросы из настольной игры «Терапия». Это специальная игра, предназначенная для того, чтобы собеседникам не нужно было самим выдумывать темы для разговора — за них все это уже сделано. «Оцени по десятибалльной шкале, насколько ты считаешь себя красивым»... «Оцени по десятибалльной шкале, насколько страстным ты себя считаешь».

Карточки служат хорошим оправданием для того, чтобы задавать скользкие вопросы. Однако через некоторое время они начинают казаться мне недостаточно откровенными, и я принимаюсь сочинять свои собственные. «Оцени по десятибалльной шкале, насколько тебе нравится человек, задающий этот вопрос», — спросил я.

Джемма заливается краской от изумления.

— Там действительно это написано? — с подозрительным видом спрашивает она.

Я киваю.

— Я уже два года играю в эту игру и еще никогда... — говорит Джемма и наклоняется вперед, чтобы забрать у меня карточку. Я отдергиваю руку, она хватается за один конец карточки, я — за другой, и мы начинаем бороться, что обычно в разных кинофильмах приводит к объятиям.

— Ну ладно, теперь моя очередь, — наконец сдается Джемма и делает вид, что читает вопрос по своей карточке. — Оцени, Джей, по десятибалльной шкале, насколько тебя волнует то, — она улыбается, — что ты пишешь в своем письме.

Потом Джемма стоит на подножке фургона и смотрит, как я залезаю внутрь. Она улыбается, а я ощущаю такую легкость, словно меня накачали гелием.

— Девять! — выкрикивает она, когда я уже собираюсь тронуться с места.

— Что? — переспрашиваю я, опуская стекло.

— В соответствии с десятибалльной шкалой именно настолько мне нравится человек, задавший этот вопрос, — отвечает Джемма, прикрывая глаза ладонями, напоминающими лопаточки. Вид у нее просто потрясающий.

— И у меня столько же, — говорю я.

— Что? — сдвинув брови, переспрашивает Джемма.

— Именно настолько по десятибалльной шкале меня волнует то, что было написано в письме, — отвечаю я.

Когда Джемма счастлива, она становится немыслимо красивой. Ее лицо начинает сиять, а ямочки на щеках выглядят так, словно их проткнули невидимой стрелой. К тому же, когда она улыбается, ее асимметричное лицо становится симметричным. Обычно кончик ее носа и верхняя губа сдвинуты вправо. Но когда она улыбается, все встает на место, как конечности надувного зверька, когда его надувают.

Пятница, 26 февраля

Бриджит делает замечание, которое не сулит мне ничего хорошего. Проверив мои записи в регистрационном журнале, она убедилась в том, что я делаю их с большим опозданием.

— Джей, ты должен вовремя вносить всю информацию. Что мы станем делать, если кто-нибудь позвонит, а тебя не будет? — спрашивает она. Интересно, что имеется в виду под этим «не будет»?

В 11.30 я совершаю роковую ошибку. Я звоню инженеру-сметчику Полу Арнольду в компанию «Вестфилд» и оставляю ему сообщение, что Джей Голден из фирмы «Монтонс» может предложить ему новую работу. Однако в процессе я вспоминаю о том, что наша фирма гарантирует конфиденциальность клиентам, и мой голос резко меняется: «Нет-нет, это не Джей Голден из фирмы „Монтонс“, это совсем другой человек, простите, ошибся номером».

Боюсь, что поставил под угрозу как свое будущее, так и будущее Пола Арнольда в компании «Вестфилд». Впрочем, я решил затихориться и спокойно ждать, когда разразится буря.

Общее собрание после работы также прошло на редкость плохо. В среду на региональном совещании выяснилась одна любопытная подробность. Я занял предпоследнее место в таблице продуктивности работы консультантов. И это при том, что таблица включает в себя всех сотрудников, работающих как в графствах, прилегающих к Лондону, так и в центральных.

И хотя я совершенно не стремлюсь к тому, чтобы меня уволили, — я все еще должен папе триста фунтов, о которых он мне постоянно напоминает, — я не могу удержаться от разных оскорбительных выходок. Поиск клиентов наводит на меня такую скуку, что я начинаю рассылать письма с совершенно непрофессиональным текстом. Наши прейскуранты должны содержать в себе стоимость услуг различных рабочих, зарегистрированных в фирме «Монтонс», от плотников до инспекторов. Сначала я писал так:

Уважаемый мистер клиент!
Посылаю Вам экземпляр нашего прейскуранта. Если он Вас заинтересует, свяжитесь со мной по телефону, указанному ниже.
Агент по найму временных рабочих
Джей Голден
P. S. Также посылаю вам наклейку для автомобиля.

Потом я изменил текст:

Уважаемый мистер клиент!
Вот наш текущий прейскурант. Берегите его. Учитывая постоянный рост цен на канцелярские товары, другого такого вы не получите. Ни-ког-да.
Агент по найму временных рабочих
Джей Голден
P. S. Также посылаю вам наклейку для автомобиля.

Следующий вариант выглядел так:

Уважаемый мистер клиент!
Учитывая постоянный рост цен на канцелярские товары, не соблаговолите ли вернуть высланный Вам в этом месяце прейскурант, чтобы

им мог воспользоваться кто-нибудь еще. Фирма «Монтонс» благодарит Вас за содействие.

Агент по найму временных рабочих
Джей Голден

P. S. Может, и наклеечку вернете?

И наконец:

Уважаемый клиент!

Непрекращающийся рост цен на канцелярские товары накинул удавку на шею фирмы «Монтонс». Вы оказали нам неоценимую услугу, эгоистично зажав единственный экземпляр нашего прейскуранта.

Агент по найму временных рабочих
Джей Голден

P. S. И подавитесь своей вонючей наклейкой.

Сегодня попробовал провернуть свою затею с огурцами у Дебби. Все сработало на пять с плюсом. Никто мне слова не сказал, когда я потребовал, чтобы кружочки были не толще одного сантиметра. Когда мне подали салат, я принялся дотошно проверять толщину кружочков, поднося их к свету и прищуривая глаз, как ювелир.

Неплохо бы подружиться с Дебби. Когда я прославлюсь, дружба с кокни сможет украсить мой имидж. И в отличие от знаменитых друзей папы, я никогда не стану вести себя по отношению к Дебби покровительственно. Я буду разговаривать с ней на равных, возможно, даже посещу свадьбу ее дочери и буду проявлять такой же интерес к ее проблемам с поставщиком мяса, как она — к моим литературным занятиям.

Похоже, кризис в Заливе разрешен. В Ирак прибыли наблюдатели ООН. Я зашел к Шону, чтобы узнать, как он это воспринял. Он вместе со своей моделью оказался на кухне, стоял там, с печальным видом теребя железнодорожную ветку Багдад–Амман. Я положил руку ему на плечо и напомнил, что в Курдистане стычки продолжаются, но он только отмахнулся.

— Да пошло это международное законодательство к чертям собачьим! Они были обязаны нанести ядерные удары! — И он сметает рукой завод по опреснению воды в Басре.

Я понимаю, что испытывает Шон. Я тоже не сомневался в наличии биологического оружия, и для меня существовал только один вопрос — когда оно будет использовано. Я был уверен в том, что у Саддама есть атомная бомба. И теперь пребываю в полной растерянности. Моя административная деятельность была даже отчасти прикольной из-за перспективы грядущего Армагеддона. Меня так грела мысль о том, что я сыграю роль Лоренса в крупном эпическом кинополотне: я верхом на верблюде, и ветер раздувает мои белые одежды.

«Скажите, вы хорошо знакомы с Джеем Голденом?»

«Нет, но мне доводилось пожимать ему руку в Чартридже».

Когда Шон немного успокаивается, я предлагаю ему еще один тест на гомосексуализм.

— Значит, так, я буду перелистывать страницы, — говорю я, кладя перед ним журнал «Хэлло!», — а ты меня остановишь, когда тебе кто-нибудь понравится. Главное, чтобы ты действовал спонтанно и полагался на собственную интуицию. Старайся ни о чем не думать, иначе ничего не получится.

Я принимаюсь медленно переворачивать страницы, начиная с раздела, где запечатлены особы королевской крови.

— Принцесса Монако Стефания, — говорю я, задерживаясь на несколько секунд. Шон качает головой, не обращая на нее никакого внимания. Далее мы переходим к кинозвездам. Через несколько страниц, не вызывающих у него никакой реакции, мы доходим до Ника Нольта, снятого дома со своей женой. — Ник Нольт, Шон. Тебе нравится Ник Нольт? — Шон улыбается и качает головой.

Следующими идут Николь Кидман и Том Круз, и Шон указывает на них пальцем.

— Я понимаю, почему Круз нравится девушкам, — неохотно произносит он.

— Тебе он тоже кажется привлекательным? — спрашиваю я.

Шон говорит, что не знает, и погружается в мрачные разглагольствования о том, что теперь, когда не надо следить за ежечасными сообщениями об эскалации ближневосточного кризиса, ему нечем будет заняться.

Существует два вида людей: одни стремятся вперед, а другие — в сторону. Последние ужасаются при виде того, во что они могут превратиться, первых вдохновляют мечты о том, кем они могут стать. Папа — человек, ориентированный вперед. Я стремлюсь в сторону. А Шон представляет собой жуткую картину того, во что я могу превратиться.

Суббота, 27 февраля

Сара будет венчаться в часовне Генриха VII в Вестминстерском аббатстве. Папа объявил это сегодня за столом поверх тарелок с куриным карри (Сара забыла купить окорок, и папе пришлось готовить самому). Сначала венчаться хотели в церкви Христовой в Беллингдоне, но папа переговорил с настоятелем аббатства, который читает Хвалебные песни, и тот сказал, что Сара может обвенчаться в часовне.

Сара счастлива, Джемма мечтает пойти в аббатство, чтобы посмотреть, что надо на себя надевать в торжественных случаях, а папа носится по всему дому, поддавая ногой воображаемые кегли, и непрестанно повторяет: «Я родился в двухэтажном муниципальном доме в Уэйкфилде, а теперь твоя сестра выходит замуж в Вестминстерском аббатстве. Вот за что я люблю эту страну».

Однако он не упускает возможности устроить мне очередной скандал. Выйдя из-за стола, я направляюсь в туалет, и он принимает это за уловку, чтобы избежать мытья посуды. Когда я возвращаюсь, все уже вымыто, и он произносит: «Чрезвычайно изобретательно. Ты всегда умеешь переложить свои дела на других. Отлично».

Я отвечаю, что совершенно не собирался отлынивать и мне просто понадобилось в клозет, на что он заявляет, что пора уже начать помогать ему по хозяйству.

— Даже Чарли делает больше, чем ты, хотя он в два раза тебя младше, — говорит он.

Позднее он снова поднимается ко мне, когда я устраиваюсь работать над своим романом. Он говорит, что это мама выполняла все обязанности по дому и никогда ни на что не жаловалась, но он — не мама, и мне пора принять в этом посильное участие.

— Я не шучу, — говорит он. — И кстати, когда я получу свой чек на триста фунтов?

Упоминание мамы в этом контексте выводит меня из себя, и я заявляю, что начну помогать ему тогда, когда он перестанет пичкать нас куриным карри. Папа складывает руки на груди и интересуется, чем мне не угодило куриное карри. Я говорю, что с карри все в порядке, если не считать того, что мы едим его уже две недели и в нем не хватает овощей, так что в ближайшее время у нас начнется искривление позвоночника из-за недостатка витамина D.

Перед смертью мама научила его готовить примерно дюжину блюд. Она познакомила его с рецептурой рыбных пирогов, жарких и запеканок. Она даже выписала некоторые рецепты на отдельные листочки и приклеила их к холодильнику, но теперь папа утверждает, что они потерялись.

— А может, ты сам начнешь готовить для себя, а заодно и для нас? — говорит он. — Хотя нет, как я мог забыть? Ведь это значит что-то делать для других.

Меня уже начинает тошнить от всего этого. Когда Сэлинджеру было столько лет, сколько мне, он уже писал рассказы для журнала «Эсквайр». Когда ему было пятнадцать, он писал саркастические заметки для Военной академии в долине Фордж. А чем занимаюсь я? Как можно стать голосом своего поколения, когда на тебя кричат из-за невымытых кастрюль и ты целыми днями обзваниваешь строительные фирмы?

Отправился к Дебби, чтобы взбодриться и продолжить работу над книгой, но в результате еще и она на меня накричала. Когда я попросил положить в чизбургер четвертинку плавленого сыра вместо куска обычного, она заявила, что мне здесь не «Ритц». Я туманно намекнул ей на то, что, пожалуй, переберусь в «Шипящие сосиски», и, похоже, мы друг друга поняли, потому что она добавила к моему чизбургеру бесплатные чипсы и рогалик с маслом.

10 часов вечера

Несмотря на то что Джемма бросила отделение классической филологии в Шеффилде, сегодня она очень интересно рассказывала о древних греках. Когда Александру Македонскому было столько, сколько мне, его учителем был Аристотель. Джемма показала мне иллюстрацию в одном из своих учебников, когда мы вернулись к ней домой, поиграв в автоматы в пабе. На рисунке оба изображены рассматривающими равнобедренный треугольник, начерченный Аристотелем на песке. Хотелось бы мне быть Александром Македонским и чтобы меня повсюду сопровождал самый образованный человек в мире. Я не хочу сказать, что мой отец — имбецил, но эрудицией он, честно говоря, не блещет.

Вечером я ввязываюсь с ним в очередную перепалку. Когда мама была жива, она всегда умела вовремя вмешаться. Она настолько не переносила наши ссоры, что всегда приходила ко мне и уговаривала извиниться. Она говорила, что папа любит меня и ему тоже очень неловко из-за того, что произошло. Вероятно, то же самое она внушала и папе, потому что иногда мы с ним сталкивались на лестничной площадке нос к носу и тут же мирились. Я считал, что папа вышел для того, чтобы признать свою неправоту, и в порыве великодушия извинялся первым, а он, вероятно, полагал, что это я собираюсь признать свою ошибку, и хоть и не извинялся (он никогда ни у кого не просит прощения), то, по крайней мере, смотрел на меня с виноватым видом.

Все наши ссоры довольно легко объяснимы. Папа — очень властный и неуправляемый человек, а я, в отличие от его подчиненных на работе, не делаю того, что он от меня хочет. Уж не говоря о том, что и сам я иногда провоцирую его на мелкие стычки. Настоящими ссорами их не назовешь, и я их устраиваю скорее для нашего обоюдного блага, так как они дают ему возможность проявить свою власть в тех областях, которые для меня мало что значат. Именно поэтому я отказываюсь выписать ему сегодня чек, хотя мог бы начать выплачивать долг. По этой же причине я не заношу свои долги в календарь, где они должны фиксироваться по взаимной договоренности. Я делаю это ради сохранения статуса-кво, и это вовсе не является воровством, хотя папа и утверждает обратное.

Сегодня мы поссорились из-за Ближнего Востока. Папа сказал, он рад тому, что этот кошмар в Заливе закончился, потому что ему было страшно смотреть по вечерам новости. А я ответил, мне очень жаль, что все завершилось ничем, потому что я, точно так же как Шон, рассчитывал на крупномасштабную ядерную пан-арабскую войну, которая могла бы спасти меня от скуки.

— Твое состояние очень меня беспокоит, — говорит папа. — Мама считала тебя деликатным ранимым мальчиком, но, похоже, она ошибалась. Ты бесчувственный, как горилла.

Когда я стану великим писателем, то смогу позволить себе платить самому образованному человеку на свете за то, чтобы он повсюду следовал за мной. Он всегда сможет меня прикрыть и круглосуточно будет отвечать на вопросы о науке, религии, философии и обо всем остальном, о чем папа не имеет ни малейшего представления. Возможно, со временем этот человек оценит мой пытливый ум, и мы станем с ним друзьями. Мы будем засиживаться допоздна, выпивая и обсуждая высокие материи, пока в один прекрасный день я не выскажу своих замечаний по вопросам тригонометрии или какой-нибудь другой отрасли знания, и тогда он грустно опустит голову и скажет: «Похоже, в моих услугах больше здесь не нуждаются». А я отвечу: «Какая чушь, старик! Мне еще есть чему поучиться». Но утром, когда я на рассвете приду к нему, чтобы заняться языком урду, то увижу, что он исчез, оставив лишь записку на том же языке урду: «Ученик обогнал своего учителя», и тогда я все пойму.

Неплохо было бы приставить такого человека ко всем игральным автоматам в пабах. В пабе у Элли, например, очень много сложных вопросов.

11 часов вечера

Решил почитать старые записи — может, они вдохновят меня на написание романа.

23 сентября: У меня такое ощущение, как будто меня изнутри пожирают какие-то черви. Это ощущение невозможно сравнить с обычной депрессией, от которой можно избавиться с помощью сна и переоценки происшедшего. Оно пронизывает тебя до мозга костей. Доктор Мейтланд считает, что опухоль снова начала разрастаться. «Может, это что-нибудь другое?» — спросила его мама. Но доктор Мейтланд лишь покачал головой, и маму снова госпитализировали в Чилтернскую больницу. Из ног и живота у нее начали откачивать жидкость, чтобы уменьшить отеки, и днем мы отправились ее навестить.

Мы рассаживаемся вокруг кровати, и Чарли с изумленным видом уставляется на розовую жидкость с темными сгустками, напоминающими полупрожеванный чернослив, которая стекает по пластиковой трубке из маминого живота в мешок на полу. Нам поручают следить за тем, чтобы объем жидкости в мешке не превысил пол-литра. И Чарли говорит, что он этим займется. («Двести пятьдесят миллиграммов... Триста... Ничего себе! Джей, ты видел, какой огромный кусок?!»)

Мы говорим в основном обо всяких бытовых мелочах, и всякий раз, когда упоминается опухоль, мама приходит в ярость, потому что, по ее словам, она по-прежнему хорошо себя чувствует.

Чарли с Сарой остаются в палате, а мы с папой выходим на улицу. Папа прислоняется к каменной стене у стоянки и, отвернувшись от меня, устремляет взгляд на выкошенное поле, расположенное рядом. Он говорит, что скорей всего метастазы уже захватили печень, и тогда у мамы не остается никаких шансов.

Вечером, когда Сара укладывает Чарли спать, мы снова возвращаемся к этой теме. Папа будничным тоном объясняет, что мы с Сарой должны распределить свои посещения, так чтобы бывать в больнице чаще, когда положение ухудшится.

— Насколько оно может ухудшиться? — спрашиваю я.

— Намного, — отвечает он и добавляет, что маме осталось жить не более полугода. — Ей еще предстоит курс химиотерапии, но Мейтланд говорит, что больше они ничего не смогут сделать.

Я звоню деду и сообщаю об этом. Ему нечего сказать мне в ответ. Так что когда я вешаю трубку, на глазах у меня выступают слезы. Пока ищешь решение проблемы, еще куда ни шло, но как только все начинают тебе соболезновать, это становится невыносимым.

Я не могу представить себе дом без мамы — без ее глажки, желтого халата и вечных попыток накормить меня помидорами.

Странная вещь — человеку рассказывают о жизни и никогда ничего не рассказывают о смерти. А напрасно. Думаю, когда человеку исполняется пять лет, отец должен пригласить его в свой кабинет и прямо сказать: «Возможно, ты уже кое-что слышал от своих сверстников об этом, старичок, поэтому я не стану отнимать у тебя время и слишком тебя расстраивать. Но думаю, ты уже достаточно взрослый, чтобы знать об этом. В какой-то момент — с каждым человеком это бывает по-разному — с тобой произойдет несчастный случай или ты заразишься какой-нибудь болезнью, сердце у тебя остановится, в мозгу начнется кислородное голодание, и ты умрешь. И после этого ничего не будет — ни рая, ни реинкарнации, — тебя просто положат в деревянный ящик и сожгут, или закопают в землю и отдадут на съедение червякам. Ну же, ну же, не надо плакать, вот тебе носовой платок. А теперь беги играть — смотри, какой сегодня замечательный день!»

Воскресенье, 28 февраля

Получил ответ Джеммы на свое письмо. Она пишет, что меня мучает гордыня и что я точно так же боюсь отказа, как и она. Сегодня она лично вручила мне письмо, я его при ней же прочитал, и после этого мы договорились устроить настоящее свидание. Мы обсудили все с теоретической точки зрения и пришли к выводу, что преодолеть барьер дружеских отношений будет довольно трудно.

Днем мы сходили в Вестминстерское аббатство, и я чуть не разрыдался в нефе. И дело не в предстоящей свадьбе Сары, просто я почувствовал, что здесь похоронят меня. Джемма спросила, в чем дело, и я ей объяснил.

— Поцелуй меня, — сказал я, — чтобы я вспоминал тебя, когда стану духом великого писателя, погребенного в этих стенах.

— Хватит чепуху молоть, — отвечает Джемма, причем так громко, что туристы оборачиваются.

Если я стану знаменитым писателем и меня захотят похоронить в Вестминстерском аббатстве, я бы предпочел западный придел, так как туда пускают бесплатно. Тогда большее количество людей сможет посетить мой последний приют. Меня вполне устроит место между Дэвидом Ллойд Джорджем и Рэмси Макдональдом. Я уже несколько раз прошелся там и неизменно ощущал пророческий холодок, который пронизывал мне позвоночник, правда, Джемма говорит, что это просто сквозняк.

Мама Джеммы подарила мне репродукцию с изображением Наполеона. Картина была написана непосредственно перед его высылкой на остров Эльба. Мне попался вопрос о Наполеоне, когда я сдавал экзамен на аттестат зрелости. Я считаю его настоящим героем, потому что этот человек появился из ниоткуда, был настолько безумен, чтобы считать, что у него есть некое предназначение свыше, и ему хватило целеустремленности, чтобы достичь своей цели. Я понимаю всю значимость этого подарка и поэтому рассыпаюсь в благодарностях. Вряд ли мама Джеммы стала бы дарить мне изображение Наполеона, если бы не знала, что мы собираемся встречаться, а узнать это она могла только от дочери.

10 часов вечера

Ничто не сравнится с удовольствием лежать в ванне и читать. Будь у меня такая возможность, я бы всю свою жизнь проводил, лежа в ванне. Привинтил бы к ней колесики, поставил бы моторчик и разъезжал бы себе туда-сюда-обратно. Закончил читать «Книги и литераторы», в процессе мне пришлось трижды подливать горячей воды, а потом в дверь постучал папа и сказал, что если я слишком резко встану, то вода протечет на кухню. Я ответил, что резко вставать не буду. Пора бы уж ему понять, что мне восемнадцать лет и я кое-что в жизни соображаю.

Благодаря этой книге мне удалось понять некоторые вещи. Я должен продолжать работу над романом, чтобы выполнить свое предназначение. Эту книгу мне посоветовал прочитать мистер Гатли, и она меня несколько огорчила. Оказывается, Колридж написал «Кубла-хана», пробудившись ото сна, а Роберт Льюис Стивенсон вообще постоянно записывал то, что ему снится ночью. А мне снятся только клиенты и планы на следующую неделю. Это несправедливо. Позвонил вечно улыбающемуся хлыщу Ричарду Уайтли и лег спать.

Март

Понедельник, 1 марта

С утра опять всякая мура, а в три часа дня — собрание в отделении Виктория, посвященное достигнутым результатам, под председательством Пэм Винс. Все филиалы должны отчитаться. Результаты оцениваются по количеству сотрудников и трудоустроенных клиентов за каждую неделю. Все это производит крайне тяжелое впечатление. Я занимаю второе место после Крохобора Джона из Уилсона. Он уже пристроил пятьдесят рабочих и каждую неделю пристраивает по пять новых. Под гнетущими взорами менеджеров я бормочу, что пристроил не то десять, не то одиннадцать человек. Я знаю, что десять, но это «не то... не то» представляется мне более убедительным.

— Надо точнее знать, сколько человек ты устроил на работу, Джей. И сколько новичков ты набрал из Харроу? — спрашивает Пэм.

Я оглядываюсь по сторонам в надежде встретиться глазами с Бриджит, но она сидит, опустив голову.

— Одного, — отвечаю я.

— Одного в неделю? — переспрашивает Пэм и берет ручку, чтобы отметить это в своем блокноте.

— Нет, одного за все это время, — говорю я. Почему-то я произношу это довольно глуповатым голосом.

Пэм откладывает ручку и ничего не записывает. Повисает тяжелая пауза, и все, включая меня, утыкаются в свои блокноты.

— Я сотрудничаю с фирмой уже целый месяц, поставляя ей четверть клиента в неделю, — произношу я, пытаясь придать своему тексту максимально формальный оттенок.

На протяжении оставшегося времени я сижу молча и только сосу мятные леденцы, которые раздают здесь бесплатно. Я не беру коньячные бисквиты — мне кажется, что я их не заслужил, или, вернее, я думаю, что они считают, что я их не заслужил, — и на все вопросы, которые Пэм адресует мне, отвечает Бриджит, поскольку она, как менеджер, несет за меня ответственность.

Она подходит ко мне после собрания, когда в зал заседаний приносят выпивку.

— По-моему, все прошло отлично, — говорю я, но она почему-то не отвечает мне улыбкой.

— Это я тебя приняла на работу, Джей. Пэм Винс хотела взять на это место другого человека. Зачем ты пытаешься сделать из меня идиотку?

Папу кто-то довел до белого каления на форуме «Встреча с публикой», и он возвращается домой в самом отвратительном состоянии духа. В доме нет хлеба, когда он хочет съесть бутерброд, в ванной — горячей воды, когда он хочет принять ванну, а я смотрю футбол, когда он хочет посмотреть «Телекурьер», и вообще я целый день плевал в потолок, пока он работал. А когда я намекаю на то, что, возможно, меня снова уволят, он и вовсе выходит из себя.

— Ну и сколько страниц этого своего великого романа ты уже написал? — спрашивает он. — Я имею в виду количество реально написанных страниц.

— Не считая примечаний?

— Не считая твоих долбаных примечаний!

— Три, — отвечаю я. — Но дело в том, что я уже некоторое время не пишу, потому что у меня наступил творческий кризис и...

— Три! — Он разражается злобным хохотом. — Тогда давай будем говорить начистоту. Значит, я весь последний год работаю по пятнадцать часов в день, рву себе жилы, а ты за это время написал три страницы. — Он снова разражается смехом, качает головой и делает большой глоток из своего стакана. — И насколько хороши эти три страницы?

— Нормальные.

— Значит, нормальные страницы, — с саркастическим видом повторяет он.

— Ну, первая вообще замечательная, да и вторая неплоха. К тому же я полностью разработал сюжетную линию, и у меня возникла куча идей. Именно поэтому я и сделал передышку, чтобы они отстоялись.

— Идеи рождаются у всех. Меня интересует реальный результат работы. Я хочу понять, насколько я оказался глуп. Просвети меня. За то время, которого мне хватило на то, чтобы реорганизовать студию, перераспределить многомиллионный бюджет и спродюсировать три документальных сериала, один из которых посвящен истории демократии в Западном мире, ты написал одну «замечательную» страницу. Причем замечательна она пока только с твоей точки зрения.

— Я писал ее не весь год. Кроме этого, я еще ходил на работу.

— С которой тебя уволили.

— Уволили. Но теперь я работаю в другом месте и регулярно хожу на службу. Уже не говоря о том, что написать книгу — это не так просто. Сэлинджеру понадобилось десять лет для того, чтобы написать «Над пропастью во ржи». А Толстой писал «Войну и мир»...

— Десять лет!

— Просто я пытаюсь объяснить...

— Вот и я пытаюсь сделать то же самое, Джей. Ты же не дурак и должен понимать, насколько глупо все это звучит. Я же вижу, что ты все понимаешь. Три страницы за год! Пора уже заканчивать со всем этим вздором.

Холден Кофилд хотел стать кетчером на ржаном поле. Это метафора. Он представлял себе детей, играющих во ржи, которая растет на высоком утесе. А он должен был стоять на самом краю и ловить невинных ребятишек, норовящих сорваться с обрыва в пошлый и лживый мир взрослых. Именно этому посвящена вся книга. Когда в прошлом году меня уволили с «Видео-Плюс», папа посоветовал мне перестать играть в кетчера во ржи. Он считает, что меня увольняют именно из-за этого.

— Я советую тебе спрыгнуть с утеса. Уверяю тебя, приземление будет мягким, — говорит он. — И неужели тебя не смущает то, что ты самый старший на этом поле? Ты же в два раза больше всех остальных. Может, уже пришло время играть во взрослые игры со своими ровесниками у подножия утеса?

— Как прочие Транжиры? — в шутку спрашиваю я, хотя и понимаю, что он имеет в виду. Большая часть моих друзей уже пристроилась на работу, и он хочет, чтобы и со мной произошло то же самое. Он не хочет, чтобы я становился писателем. Родители никогда не хотят, чтобы их дети рисковали, они предпочитают гарантированную безопасность.

11 часов вечера

Первые поцелуи и объятия с Джеммой в фургоне. Я чувствую себя несколько неловко, но все не так плохо, правда, пальцы все равно не слушаются, напоминают свиные сардельки. Сначала я очень смущаюсь. До этого мы кое-что выпили, но все равно приходится преодолевать чувство вины. Мы непрерывно смеемся и чмокаем друг друга, перед тем как перейти к делу.

— Тебе хорошо?

— Да. А тебе?

— И мне тоже.

И правда, под конец было действительно здорово. Кажется, я по-настоящему влюбился в Джемму. Она оказывает на меня какое-то необъяснимое воздействие, и я постоянно хочу быть рядом с ней, особенно когда становится темно. И еще мне в ней нравится то, что она ничего не воспринимает всерьез. У нее настолько сильный характер, что она без всяких обид воспринимает мои шутки и подкалывает меня в ответ, так как у нее замечательное чувство юмора. К тому же она нигде не работает и не собирается это делать. И еще ей понравилось начало моего романа, которое я ей сегодня показал.

Вторник, 2 марта

Дела идут все хуже. Сегодня утром Бриджит спрашивает, фиксирую ли я свои звонки. А я уже знаю, что это прелюдия к увольнению — недостаточное количество сделанных звонков дает законные основания для того, чтобы вышвырнуть человека на улицу.

— Не фиксирую, потому что это лишняя трата времени. Если фиксировать все звонки, то все время будет уходить на записи, — отвечаю я.

— Впредь, пожалуйста, фиксируй их, Джей, — говорит Бриджит. — Это неукоснительное требование Пэм.

Я уже могу предсказать, когда меня уволят. Это произойдет, когда Пэм Винс вернется из отпуска. Меня никто уже не упрекает за отсутствие устроенных на работу клиентов, и никто не проверяет мои текущие записи.

Больше всего мне хочется уйти в сиянии славы — совершить что-нибудь такое, что оставит несмываемое пятно на репутации компании. Может, подыскать работку для себя самого? Порекомендовать клиенту инженера, а потом пойти на собеседование, выдать себя за специалиста, которого я сам же расхвалил, и получить работу? Это сильно подпортит репутацию фирме: «„Монтонс" докатился до того, что его служащие вместо устройства на работу других пытаются пристроиться сами». Могу себе представить выражение лица Бриджит, когда ей это станет известно.

8 часов вечера

Возможно, мне надо поселить своего героя в Лондоне. Может ли современный бунтарь проживать в спальном пригороде? Холден Колфилд жил в Нью-Йорке, в самом центре метрополии. А мой Пижон — выходец из провинциального городка. Вот в чем суть.

Мистер Гатли считает, что я должен писать о том, что знаю. Сегодня я получил письмо, где он пишет, что, возможно, мои проблемы с романом заключаются именно в этом: «Мы с вами незнакомы, но вы не производите впечатление человека, который занимается физическим трудом». Это замечание вызвало у меня легкое раздражение. То он утверждает, что воображение — это огромный пес, которого надо спустить с поводка, то требует, чтобы я писал о том, что знаю. Было бы неплохо, чтобы он определился. И о чем, интересно, мне тогда писать, если я ничего не знаю?

Похоже, все упомянутые в сборнике «Книги и литераторы» писатели занимались куда как более интересными вещами, нежели я, и это тоже начинает меня беспокоить. Лермонтова, написавшего первый русский психологический роман, убили на дуэли в возрасте двадцати семи лет. Я тоже хочу, чтобы меня застрелили на дуэли.

2 часа ночи

Ходил в ночной клуб «Прожектор», общался с друзьями Джеммы Марком и Кейт. Шон выглядел подавленным, жаловался на официальность атмосферы и все время обсуждал с Джеммой Рутгера Хауэра и других чуваков, которые, на его взгляд, ей нравятся. Потом он зажимал рот рукой и, хихикая, извинялся: «Ой, прости, Джей. Наверное, мне не стоило упоминать Пола, Рода и Рутгера».

У меня была с собой папина записная книжка, и когда нам с Джеммой надоело выслушивать подколы Шона, мы отправились в вестибюль звонить по телефону-автомату разным знаменитостям. Дза-Дза Габору мне дозвониться не удалось, зато я связался с Зои Болл. Джемма сообщила ей, где мы находимся, и пригласила присоединиться к нам, но в этот момент дверь распахнулась, и шум ворвавшихся людей заглушил ответ Зои. Впрочем, мне показалось, что наше приглашение не привело ее в особый восторг. На часах было уже начало второго, а она по утрам ведет «Шоу за завтраком».

Мы с Джеммой ушли довольно рано и еще около часа играли в фургоне в трик-трак, обсуждая, какой бы мы организовали ночной клуб, если бы у нас были деньги. Мы решили, что назовем его «Эксперт», и первая буква будет изображена в виде очков, а на дверях вместо обычного кода будет стоять код на эрудицию. Костюмы и воротнички не будут иметь никакого значения. Пропуском будет служить коэффициент интеллекта, который станут проверять электронные вышибалы, задающие посетителям вопросы по тригонометрии. Классно: балбесы в своих рубашечках фирмы «Некст» с обиженным видом будут толпиться на улице и писать в переулках. («Простите, сэр, но правильный ответ — косинус угла в 45°. Заходите еще».)

Поцелуи с Джеммой приводят меня в какое-то летаргическое состояние. Мне хочется заниматься этим до бесконечности. Джемму это смешит. Я тоже пытаюсь смеяться, чтобы не попасть в неловкое положение, — девочкам не нравится, когда на них смотрят слишком пристально. Но на самом деле мне хочется только одного — смотреть на нее и целоваться.

Среда, 3 марта

Бриджит весь день на выезде, и поэтому, когда Линда уходит обедать, мы с Мартином устраиваем небольшую развлекуху: рассылаем несколько дурацких писем с выдуманными расценками и отвечаем мычанием на телефонные звонки, пока наконец не нарываемся на управляющего Клайва Харта. Он спрашивает, на месте ли Бриджит, и я отвечаю, что не знаю, но сейчас соединю его со знающим человеком, и передаю трубку Мартину. Клайв спрашивает Мартина, нет ли поблизости Бриджит, тот тоже говорит, что не знает, и передает трубку мне. Клайв снова просит позвать к телефону Бриджит, при этом в его голосе начинают звучать нетерпеливые нотки. Я опять говорю, что не знаю, на месте ли она, и тогда Клайв спрашивает: «Я ведь только что разговаривал с вами?» Я говорю, что скорее всего он ошибается, предлагаю связать его с человеком, который наверняка все знает, и сую трубку Мартину. Клайв Харт еще раз интересуется, на месте ли Бриджит, и Мартин снова говорит, что ему это неизвестно. Тогда Харт спрашивает, не с ним ли он только что беседовал, и Мартин заявляет, что навряд ли, так как он только что вошел.

— Вы уже четвертый человек, которому меня переадресовывают. Что там у вас происходит? Может, вы разберетесь? — произносит Харт, и Мартин поспешно бросает трубку. Это доводит меня до настоящего приступа хохота, так что я сижу, схватившись за живот, и не могу разогнуться. Потом в дверях появляется Линда, которая

говорит, что я веду себя «крайне непрофессионально», и это вызывает у меня новый приступ
хохота. Действительно, пора уже отсюда сматы-
ваться. Лермонтов ни за что не стал бы работать
в фирме «Монтонс». Он бы уволился еще несколько недель тому назад.

Мартин и его друзья нашли помещение для
своего юмористического журнала. Он сообщает
мне об этом, когда мы отправляемся с ним выпить
после работы. Мартин объясняет, что сейчас раз-
рабатывается общая концепция журнала, и скорей всего он будет походить на «Виделикет», хотя
названия они еще не придумали. Мартин говорит, что считает меня занятным человеком, но хочет убедиться в том, что я умею столь же занятно
писать. Я отвечаю, что писать я умею еще забав-
нее, и напоминаю ему о письмах, которые рассы-
лал клиентам. Он предлагает встретиться через
пару дней и просит подготовить к этому времени
какие-нибудь наброски.

Я не сообщаю об этом папе. Я не собираюсь
никому об этом говорить, пока не будет опубликована моя первая статья. Я спокоен как танк.
Я наверстаю свое, когда выйдет моя первая пуб-
ликация. Я дождусь того момента, когда папа снова обрушится на меня со своими упреками. Он
опять начнет мне рассказывать, какой у него был
сумасшедший день, и тогда я отвечу, что у меня
день был не легче. Он начнет издеваться, и я пре-
доставлю ему эту возможность — не стану объяснять, что к чему. А потом, по прошествии часа, он
поинтересуется саркастическим тоном, чем же
таким я, собственно, занимался. И тогда я доста-

ну журнал, раскрытый на моей статье, и небрежно замечу: «Да, совсем забыл сказать тебе, меня теперь называют новым Вилли Раштоном».

9 часов вечера

Чарли сегодня принес записку из школы, которая адресована папе. Мистер Ватсон сообщал, что Чарли ударил по голове маленькую девочку, но раскаивается в содеянном и понимает, что в школе нельзя играть в черепашек-ниндзя. Папа пришел в ярость и отослал его в кровать, даже не покормив куриным карри.

— А можно я тоже ударю маленькую девочку по голове, чтобы не есть твое карри? — поинтересовался я. Но папа сказал, что это не смешно, и снова намекнул на школу-интернат. На этой неделе Чарли снова должен посетить доктора Робертса, на этот раз у него дома в Химеле. За ним заедет Роб.

Я не могу поверить в то, что папа серьезно говорит об интернате. Я точно знаю, что произойдет с Чарли, если он туда попадет, — он станет таким же эмоционально неполноценным человеком, как папа. Он станет сдержанным и закрытым и никогда никого не сможет искренне обнять, пока не напьется, потому что будет считать, что это его компрометирует. По крайней мере, для папы выпивка — это единственный способ избавиться от брони. Все, кто закончил интернат, похожи друг на друга как две капли воды. Все они становятся надутыми и самодовольными типами и начинают водить дружбу со всякими длинноволосыми. У Джеммы есть пара таких друзей. Они делают вид, что не считают себя лучше всех из-за того, что ходили в элитные школы, но при этом с таким усердием подчеркивают свое равенство с окружающими, что их превосходство становится самоочевидным.

Сегодня вечером мы говорили с Джеммой о Чарли, и она сказала, что он производит впечатление сформировавшейся личности. Так оно и есть. Он гораздо умнее, чем я был в его возрасте. Чарли много читает, и, если во время фильма я выхожу за чем-нибудь, он исчерпывающе пересказывает развитие сюжета: «Майкл обнаруживает, что Крестный отец лежит в палате один-одинешенек, хотя считается, что она должна охраняться полицией, и понимает, что это подстава, организованная Салаццо. Он звонит Сонни и обеспечивает безопасность, хотя лично я все равно не доверяю Гамбини».

Мне очень хочется познакомить Джемму с Чарли. Я думаю, он ей понравится, а она должна понравиться ему. Беда только в том, что я не хочу знакомить Джемму с папой. Он всегда очень странно ведет себя, когда я привожу в дом девочек. Тут же начинает меня в чем-то подозревать и непрерывно заходит ко мне в комнату под разными предлогами. Последнюю девушку, с которой я встречался, звали Софи, и она как-то пришла ко мне с загипсованными ногами, так как ей делали операцию по корректировке стоп. Папа входил в мою комнату через каждые несколько минут, так как полагал, что Софи не имеет права лежать на моей кровати. Несмотря на то что она мало на что была способна со своим гипсом, он заставил ее сесть на пол, после чего принес свою спасительную головоломку с земным шаром и полчаса сидел вместе с нами, пытаясь сложить Гренландию.

Неудивительно, что Софи послала меня к черту. Меня уже трижды посылали девушки, впрочем, и я сам бросил двоих. Расставаясь, Софи привела самый немыслимый довод, который я когда-либо слышал: ее мама сказала, что у нее разовьется опухоль мозга, если ее дочь продолжит со мной встречаться. Доподлинно произнесенный ею текст звучал следующим образом: «Я должна сделать выбор между тобой и мамой. Ты — мой бойфренд, но с мамой я связана на всю жизнь». Обычно я плохо лажу с родителями друзей. Пока родители Джеммы относятся ко мне вполне прилично, но я не сомневаюсь, что и с ними все будет как всегда: «какой хороший мальчик, какой смешной мальчик, давай подарим ему портрет Наполеона; какой отвратительный мальчик, какой эгоистичный мальчик, давай пригрозим ему опухолью мозга».

Четверг, 4 марта

Совершил еще одну профессиональную ошибку, которая пару недель тому назад могла бы повергнуть меня в ужас. Отправил безграмотного индийского штукатура мистера Периса в Лондон на должность старшего прораба.

Не успел я вернуться после ланча, как меня вызывает Бриджит. Я догадываюсь, что речь пойдет о мистере Перисе, так как у меня на столе лежит его карточка, которую Бриджит отрыла в моих ящиках.

— Мистер Перис, — произносит она, когда мы садимся.

— Мистер Перис, — повторяю за ней я. — У него сегодня было собеседование. — Я стараюсь вести себя как ни в чем не бывало. — Ну и... как он его прошел?

— Не слишком... э-э-э... удачно. — И на лице у Бриджит появляется ироническая гримаска.

— А в чем дело? — Я пытаюсь изобразить полное недоумение.

— Понимаешь, Джей, он абсолютно не разбирается в геодезии, что, собственно, неудивительно, учитывая, что он вообще-то штукатур. Клиент в ярости. Он впервые воспользовался нашими услугами и теперь говорит, что больше никогда этого не сделает, и я его понимаю. Ты меня очень разочаровал, Джей.

Мартина уволили. Бриджит не может смириться с его сарказмом и не может забыть ему историю с Клайвом Хартом. Однако нашу встречу в связи с юмористическим журналом еще никто не отменял. Я уже кое-что написал. По-моему, один набросок исключительно забавен — это о человеке по прозвищу Барти Ванный, который принимает ванны в самых неподобающих ситуациях. Прошлой ночью мне даже приснилось, что мы с Мартином выпивали за то, что тираж журнала перевалил за миллион. «За изобретательность», — сказал он, поднимая стакан. «За тебя», — ответил я. Чувство юмора помогает даже во сне.

10 часов вечера

Сегодня к нам приезжала Джемма и познакомилась с Чарли. Они друг другу понравились, но папа, как всегда, был невыносим. Он не сомневается в том, что любые отношения могут быть усовершенствованы с помощью совместного просмотра вечерних новостей и комедийного сериала с участием Билли Кристала. Похоже, Джемма разочарована: «Ты говорил, что он — настоящее чудовище. Но на самом деле он очень симпатичный». Неужели папе так нравится все время подыскивать новые способы для того, чтобы меня дискредитировать? Мог бы пойти и напиться.

Джемма приносит с собой карты Таро и расшифровывает мне значение выпавшей комбинации. По ее словам, я нахожусь в третьей четверти своего жизненного цикла и меня любят женщины. Меня ждет карьера в сфере искусства (что неудивительно), хотя я должен быть готов ко многим разочарованиям; я лишь единожды вступлю в брак, и у меня будет трое детей (все мальчики). Я должен с осторожностью общаться с неким человеком, для которого очень важно мнение окружающих, — как считает Джемма, с ее отцом, — и тогда мне удастся преодолеть период разногласий и пожать в будущем богатые плоды. Кроме этого, у меня есть незначительные проблемы со здоровьем, которому я должен уделить некоторое внимание.

Там было и про Шона. Похоже, он катится в пропасть. «Он влюбится и все отдаст за это» — это как раз про него. Я всегда ощущал в нем какую-то обреченность.

Когда, отвезя Джемму, я возвращаюсь домой, папа шутливо замечает, что, похоже, Сарина свадьба будет не последней. Я представляю себе свадьбу с Джеммой, и мне это кажется довольно забавным. Когда Сара выйдет замуж, я даже позволю себе помечтать об этом: папа в роли свидетеля, Чарли, читающий Писание, плачущая Сара и я, благодарящий родителей Джеммы за то, что они не угрожали мне опухолью мозга.

Я чувствую себя довольно странно, поскольку занимаюсь тем, что еще недавно казалось мне пошлостью. Но я не могу удержаться. Мы с Джеммой спрашиваем друг друга, кто о чем думает, целуемся при встречах и расставаниях, молчим, когда нам хочется, не ощущая при этом неловкости, и, судя по всему, скоро начнем обедать в «Пицце-Хат».

Тем не менее я отчасти жалею, что рассказал ей о маме. Теперь она постоянно провоцирует меня на дальнейшие рассказы. Намереваясь вернуться в Шеффилд, Джемма читает психологическое исследование, посвященное проблемам тяжелых утрат, и постоянно утверждает, что я не умею горевать. Она говорит, что надо пройти несколько стадий — гнев, отрицание, понимание и что-то там еще — и говорить о своей потере, потому что это помогает. Я не могу с ней согласиться. В прошлый раз, когда мы говорили с ней об этом, меня посетил мой старый кошмар: я в больнице встречаюсь со стариком, похожим на папу, но по ощущению это — мама. Старика рвет. Из его рта непрерывно вылетают какие-то оранжевые сгустки, и своими морщинистыми пальцами он извлекает из таза непереваренные кусочки пищи. Он заталкивает их обратно в рот между спазмами и проглатывает. А медсестра шепчет мне на ухо: «У него недостаток белка». Мама умерла не от рака. В официальном заключении написано «смерть от истощения». Когда опухоль захватила печень, она перестала есть.

Пятница, 5 марта

Мне захотелось провести с Джеммой целый день, поэтому я позвонил на работу и сказался больным. Сказал, что у меня распух язычок. Отличное заболевание — звучит внушительно, а без помощи опытного врача, отработавшего по меньшей мере пять лет на отделении отоларингологии, не определишь.

Бриджит спрашивает, не является ли это заболевание психосоматическим, явно имея в виду мистера Периса. А папа кричит, что единственное, что у меня распухло, так это самомнение.

Однако мои усилия не напрасны. Сначала мы с Джеммой идем в кино, а на обратном пути у Амершам-Хилл она поднимает рычаг поворотника и бросает на меня странный взгляд, показывая, чтобы я свернул налево. У следующего поворота она поднимает его вверх, и я сворачиваю направо. Так продолжается до тех пор, пока мы не оказываемся в грязном тупике на Астон-Клинтон, который заканчивается воротами, ведущими на фермерское поле. Когда я останавливаю фургон, Джемма перебирается назад, снимает с себя верхнюю одежду и манит меня согнутым пальцем. Я ставлю фургон на тормоз, гашу фары, закрываю окно спальником, и мы впервые занимаемся с ней сексом. Это оказывается очень весело и приятно. Мы занимаемся этим почти пятнадцать минут. Мне кажется, что Джемма достигает оргазма. Или делает вид, что достигла.

11 часов вечера

Вечером звонит Шон, чтобы сообщить об очередном совпадении. Он отыскивает их повсюду с тех пор, как провалил экзамены, и это — дурной признак.

«Вот еще одно, Джей», — говорит он. Он всегда так начинает: «За сегодняшний день парочка, Джей» или «Сегодня только одно, пацан».

— Я кормил эту чертову Сеффи, — говорит Шон, — и заметил, что на крышке чертовой банки написано «Дикси». — Когда Шон начинает говорить о своих совпадениях, он так возбуждается, что утрачивает все свое красноречие и постоянно употребляет слово «чертов». — А мама хочет назвать новый дом в Шотландии Дикси. К тому же я сегодня был в фирме «Диксон», где покупал крышку для чайника. Чертовски странно. Как ты думаешь, это все связано? И почему это со мной происходит?

Я говорю, что, видимо, он обладает какими-то особыми способностями. Джемма считает, что Шон — шизофреник и его надо показать врачу, но я думаю, все дело в том, что он слишком много времени проводит в своей спальне, не занимаясь ничем конкретным.

Сегодня Шон сообщает, что за последующие два года собирается прочитать всю «Британнику». Потом он опять начинает говорить странные вещи о Джемме и произносит свою прощальную речь, что делает всякий раз, когда у меня появляется девушка: «Да, думаю, нам будет о чем вспомнить». Он даже спрашивает, не собираемся ли мы с Джеммой пожениться. Вероятно, на это указывает ряд каких-то совпадений.

— Ты имеешь в виду то, что мы проводим вместе свободное время? — спрашиваю я.

Шон говорит, что дело не только в этом, и рассказывает, как нашел металлическое кольцо на стоянке у Центра занятости, а потом случайно посмотрел сцену из чертова фильма, где священник ехал мимо церкви Святой Девы Марии.

Суббота, 6 марта

Чарли сегодня устроил скандал из-за куриного карри. Сара приехала поздно из-за репетиции свадьбы, поэтому у нас сегодня опять не было ростбифа. Мы уже три дня подряд едим куриное карри. Сегодня мясо оказалось особенно жилистым, Чарли не вытерпел, швырнул тарелку на пол и снова перешел на речь черепашек-ниндзя. Я попытался объяснить папе, что Чарли прав и пора уже сменить ассортимент блюд. В результате дело чуть было не закончилось сценой из тюремных драм, когда заключенные переворачивают столы и поднимают бунт, но папа пообещал купить что-нибудь вкусненькое и тем самым несколько разрядил обстановку.

Днем я очень нервничал, ожидая возвращения Чарли. Сара с Робом повезли его на консультацию к доктору Робертсу. Мы с папой расхаживали по саду, и он повторял, что надо что-то делать, а это я и без него знаю.

— Он становится все хуже и хуже. Ты знаешь, что он попытался сбежать с урока, притворившись, что у него началась сенная лихорадка? Он совершенно отбился от рук. У тебя же с ним самые близкие отношения, и ты должен понимать, что так дальше продолжаться не может. Почему ты не хочешь с ним поговорить?

Вернувшись, Сара, прежде чем сообщить мне, как Чарли, спрашивает, как папа. Судя по всему, он уже успел ей нажаловаться на то, что я слишком много времени провожу в ванной. Он считает, что это из-за меня мы получили такой большой счет за очистку выгребной ямы. Я говорю Саре, что провожу в ванной ровно столько времени, сколько и все остальные, дело в том, что папа просто не привык заниматься счетами. Он не оплачивал счета в течение двадцати лет — это делала мама, — и вполне естественно, что теперь они кажутся ему слишком большими.

— А почему ты не можешь читать у себя в комнате, как все нормальные люди? — спрашивает Сара. — Все дело в том, что ты по два часа лежишь в ванне и читаешь.

— Наверное, придется мыться в тазу, чтобы экономить деньги, — говорю я.

Сара просит, чтобы я не вел себя как идиот. Хотя, по-моему, ничего идиотского я еще не сказал. Я не виноват в том, что мы не подключены к главному трубопроводу. Ванна — это просто какое-то яблоко раздора между мной и папой. Как земли Эльзас-Лотарингии между Францией и Германией.

Перед отъездом Сара говорит, чтобы я взял себя в руки, так как, похоже, Чарли все-таки отправится в интернат.

— Папа встает на рассвете, чтобы забросить Чарли к Анджеле, которая отводит его в школу. Не забывай — он теперь управляется за двоих. Ему приходится готовить, заниматься уборкой, оплачивать счета, ходить по магазинам и делать все, что раньше делала мама. Он просто не справляется со всем этим. Ему надо помочь. Я тоже сначала возражала, но теперь не вижу другого выхода. Пока еще ничего не решено, но, думаю, доктор Робертс поддержит это предложение.

Совершенно упав духом, я забрал свое пуховое одеяло и перетащил его в комнату к Чарли. Забравшись на свою бывшую верхнюю полку, я попробовал побеседовать с ним о школе, его проблемах и о том, что может произойти дальше. Однако на полуслове заметил в щель между кроватью и матрацем, что он что-то стирает со стены.

— Эй, я все вижу. Это опять твои домовые?

Чарли отвечает «нет», но когда я поднимаю край матраца, то вижу, как он выдалбливает в красном квадратике, нарисованном на стене, очередного домового. У него там уже целая фреска.

— А папа видел, что ты этим занимаешься? — спрашиваю я. Чарли молчит — он слишком поглощен своим занятием. — Эй, ты, Микеланджело, папа знает, что ты этим занимаешься?

— Нет, — отвечает Чарли и с беспечным видом указывает на еще одного домового, работа над которым уже завершена.

— Чарли, ты хоть знаешь, что папа собирается отправить тебя в интернат? Он только что отремонтировал твою комнату. И что это за история с сенной лихорадкой?

Чарли смотрит на меня с непроницаемым видом и продолжает осторожно выцарапывать следующий кусок стены. Он настолько сосредоточен, что языком выпирает щеку.

— Чарли, все это необходимо привести в порядок. Или хотя бы чем-нибудь закрыть. Ты ведь не хочешь, чтобы тебя отправили в интернат?

Он сидит на кровати, скрестив ноги, и соскабливает ногтем ту часть домового, которая выступает за линию, проведенную карандашом. Я не могу не восхититься его аккуратностью.

— Чарли, — говорю я, — если папа это обнаружит, он тебя убьет. Это новые обои. И почему ты прикинулся больным и начал симулировать сенную лихорадку?

— У меня уже три раза шла кровь из носа, — гордо заявляет Чарли. — Два раза из-за этого и один раз из-за другого.

— Чарли, я с тобой разговариваю.

— Их надо протирать, пока они еще не подсохли.

— Чарли!

— Иначе могут отвалиться.

— Чарли, пообещай мне, что утром ты все приведешь здесь в порядок. Обещаешь?

— Ладно, — с усталым видом говорит он.

— Чарли, — снова начинаю я, потому что мне кажется, что он уже засыпает, а мне еще надо кое о чем его спросить.

— Что? Я ничего не делаю.

— Чарли, ты когда чаще вспоминаешь маму — дома или в школе? Папа считает, что дома. Это так, Чарли?

Чарли трижды бьется головой о подушку, а потом с напевными интонациями отвечает:

— Иногда дома, иногда в школе, но она с Богом, ангелами и бабушкой и больше никогда не вернется... глупая ты башка, — после чего выключает свет.

Воскресенье, 7 марта

Сегодня утром смотрел у Джеммы фильм об английском парне по имени Чарльз, который в один прекрасный день бросил работу, продал дом, оставил жену и отправился в Африку жить в глиняной хижине, потому что ему надоел Запад. Потом этот Чарльз влюбился в чернокожую прачку по имени Бобан, которая лишилась ноги, подорвавшись на пехотной мине. Фильм нам показался очень смешным, хотя ничего смешного в нем не было, и мы с Джеммой то и дело отпускали разные шуточки. Например, когда герои встречаются у водоема, и Бобан показывает Чарльзу, как надо стирать штаны. А потом они вместе отправляются на романтические прогулки, и Чарльз поет колыбельные деревенским ребятишкам, которых они вроде как усыновили.

Большей пошлятины я еще не видел, но самое ужасное заключалось в том, что фильм меня почему-то тронул. Женщина-инвалид, плетни и мазанки, а также несколько колыбельных — все это представляется мне гораздо более привлекательным, чем клиенты и борьба за премиальные. Если бы я мог забыть об этом, я бы с радостью женился на одноногой женщине по имени Бобан. Думаю, до увольнения мне осталось не больше недели.

После того, как мы снова занимаемся с Джеммой сексом, я начинаю делать вид, что я — Чарльз, а она — Бобан. Я начинаю копировать акцент, с которым говорил герой фильма, ремнем подвязываю Джемме ногу, сажаю ее в машину и вожу по Чешемскому парку до тех пор, пока она не начинает икать от смеха. Вернувшись в фургон, мы распечатываем свежую колоду карт и каждый раз на перекрестке вытаскиваем по одной штуке, чтобы решить, куда поворачивать — налево или направо.

У торгового центра «Сарра-гарден» мы снова вытаскиваем карту, чтобы решить, не забраться ли нам назад и не пообниматься ли. Но только мы приступаем к этому занятию, как в заднее окошко начинает стучать охранник стоянки, который интересуется, в своем ли мы уме и понимаем ли, что делаем. Терпеть не могу людей, которые задают такие вопросы, как будто главное — это понимать, что ты делаешь, поэтому я снова начинаю говорить голосом Чарльза и отвечаю, что мы ждем своего шофера, который пошел покупать электрические лампочки. Охранник теряется и не знает, что ответить.

— У моей жены Бобан нет ноги, — продолжаю я. — Мы познакомились с ней у водоема, а потом все утро я катал ее на машине, очень устал и прилег отдохнуть.

Охранник заглядывает в фургон, видит подвязанную ногу Джеммы и начинает оправдываться, что-то объясняя про киоск, который был украден неделю назад. Как только он отходит в сторону, мы тут же разражаемся хохотом.

Когда мы возвращаемся к Джемме, она дает мне почитать свой дневник, вернее, не очень возражает, когда я запираюсь с ним в ванной. Я узнаю из него много интересного, включая то, что она меня любит. Джемма начинает смущаться, и остаток вечера я трачу на то, чтобы заставить ее произнести это вслух. У нее уже были мальчики, но она говорит, что никогда не испытывала ничего подобного, поэтому я чувствую себя польщенным. Мы очень медленно подходим к ее признанию, так как Джемма слишком горда для того, чтобы сразу уступить. Сначала я заставляю ее повторить за мной «Кошка любит своих котят» и только после этого «Я люблю тебя, Джей».

Меня очень радует то, что у нас все как у людей. Мы уже начали ссориться из-за мелочей. Мы боремся за верховенство и постоянно решаем, кто из нас главнее. Например, когда мы сегодня играли в трик-трак, я отказался расставлять ее фишки, когда она ушла в туалет, и расставил только свои. А Джемма в отместку не стала наливать мне чай и принесла его только себе. Однако все это мы делаем совершенно беззлобно, и это лишь добавляет остроты нашим отношениям.

9 часов вечера

Вечером еще раз попробовал поговорить с Чарли, когда он чистил зубы. Когда Чарли чистит зубы, он размазывает пасту по всему лицу, а потом снимает ее зубной щеткой, делая вид, что бреется опасной бритвой. Считается, что к нему нельзя обращаться, когда он это делает, иначе он может порезаться.

— Чарли, что это за история с сенной лихорадкой? У тебя же нет никакой сенной лихорадки, — говорю я, когда он заканчивает.

— Есть, — отвечает он. Он смотрится в зеркало и массирует себе подбородок, проверяя, чисто ли он выбрит, так что я не могу удержаться от смеха.

— Чарли, я прекрасно знаю, что у тебя нет никакой сенной лихорадки.

— Нет, есть, — повторяет он снова. Он хватает полотенце, резко поворачивается ко мне спиной, что-то делает со своим лицом и, повернувшись обратно, трижды чихает. — Видишь?

— Как ты это делаешь? — спрашиваю я.

На этот раз Чарли уже не отворачивается.

— Для того чтобы заработать сенную лихорадку, нужно запихать палец в нос, — и он запихивает его в нос. — Мне это показал Колин Хиггинс. — Лицо у Чарли искажается, и он снова чихает. — У Колина сенная лихорадка уже два года.

В пятницу на день рождения Чарли должна прийти Джемма, которая хочет с ним поговорить. Надеюсь, это не произведет на него слишком сильное впечатление, потому что лично мне нравятся его выходки. Я не хочу, чтобы он превратился в бродягу, как Пижон, или еще во что-нибудь такое, но его поведение доказывает, что у него есть воображение. По-моему, нет ничего хуже, чем ребенок, лишенный фантазии. У Чарли есть несколько таких одноклассников — кажется, что это куклы, лишенные индивидуальности, и можно не сомневаться, что со временем они станут взрослыми людьми, которые будут сообщать окружающим: «От этого может пострадать репутация фирмы».

Понедельник, 8 марта

Как только я приезжаю на работу, меня вызывает Бриджит, и я следую за ней в одну из комнат, предназначенных для собеседований. Я подозреваю, что речь пойдет о мистере Перисе, но Бриджит меня ошарашивает.

— Мне тут одна птичка напела, что ты занимаешься какими-то глупостями с прейскурантами, — заявляет она.

Я не знаю, что ответить, и поэтому говорю, намекая на Линду:

— Похоже, на тебя работает не одна птичка.

— Нет, только одна, — отвечает Бриджит, подтверждая тем самым мои подозрения. — Хотя это неважно. У меня замечательный нюх, Джей, и я чувствую, когда человек собирается опустить поводья.

Я напрягаюсь, с вялым видом глядя в пол, и Бриджит выдерживает паузу, выжидая, когда я выдам себя кивком или улыбкой. И я понимаю, что не уступить ей будет по меньшей мере невежливо.

— Но ведь не обязательно верить всему, что тебе говорят, — произношу я с загадочным видом и задумываюсь, а не пора ли произнести речь об отречении. Но потом мне приходит в голову, что можно воспользоваться случаем и спровоцировать Линду, сообщив ей заведомо ложные сведения, чтобы проверить степень ее лояльности. — Иногда люди говорят не то, что думают.

Но Бриджит меня опережает.

— У меня есть одно из писем, направленное тобой в строительную компанию «АМКА». Я знакома с их заместителем директора по административно-хозяйственной части, — произносит она.

Я не могу удержаться от легкого смешка, и мы встречаемся глазами — в моих написано добродушное признание, а в ее — не менее добродушное торжество.

— Если бы только это... — вздыхает Бриджит. — Но я читала твои записи в книге по учету рабочих, к тому же истории с мистером Арнольдом и мистером Перисом. Да и твоя исполнительность и пунктуальность тоже оставляют желать лучшего... Джей, я не знаю, что мне делать. Только честно — как бы ты поступил на моем месте?

— Уволил бы меня, — отвечаю я.

После этого мы еще некоторое время болтаем, и Бриджит говорит, что мы могли бы стать с ней близкими друзьями. Я не очень понимаю, что в данном случае имеется в виду под словом «близкий». Потом мы пожимаем друг другу руки, и я выхожу из комнаты, гадая по дороге, а не надо ли было ее поцеловать.

Папа спрашивает, почему я так рано вернулся. Я совсем забыл, что он работает дома. Он стоит, бескомпромиссно сложив на груди руки. Я говорю, что уволился, чтобы посвятить себя самообразованию, и отправляюсь к себе читать роман Мопассана, а он мне вслед кричит «Бездельник».

Мне кажется, что на этот раз я вышел сухим из воды, но позднее, когда мы усаживаемся смотреть футбол, я допускаю глупейшую ошибку и вступаю с ним в разговор. Я говорю что-то о ленивых игроках типа Дэвида Джинолы, которые позволяют ослам выполнять за себя всю тяжелую работу, чтобы потом блеснуть своей изобретательностью и талантом. Вероятно, папа решает, что я намекаю на наши отношения и мою книгу, потому что моментально выходит из себя и начинает трясти головой с такой силой, словно ему в ухо залетела оса. Сначала я даже не понимаю, что происходит, поскольку мое замечание было абсолютно невинным, и даже собираюсь предложить влить ему в ухо кипятка, чтобы избавиться от зловредного насекомого, но тут он набрасывается на меня, так ожесточенно мотая головой, как это делает Рик Парфитт в шоу «Рок во всем мире».

— Тебе восемнадцать лет! Во-сем-над-цать! А ты мыслишь как младенец! Ты доведешь меня до инфаркта. Смерти моей хочешь, да? — По его словам, даже Чарли ведет себя более ответственно. И при таком отношении к жизни мне ничего не светит. И когда я начну платить за квартиру? Или, может, я хочу превратиться в бродягу и ночевать на улице? Знаю ли я, как огорчал маму постоянный бардак в моей комнате? Неужели я не видел синяков, которые она набила себе, поскользнувшись на бумажных обрывках, которые валялись у меня на полу? Вряд ли человек, серьезно относящийся к своей работе, станет так себя вести. Я — умный мальчик, но пора взять себя в руки.

Все это было крайне некстати, потому что мне приходилось смотреть в его сторону, и в результате я пропустил отличный удар левой, который был нанесен французским полузащитником «Арсенала» Патриком Виера.

Поездки в метро, сетования на плохую работу светофоров на Чалфонт Латимер, посещение корпоративных вечеринок для того, чтобы тебя начали узнавать, и поедание куриных чипсов — неужели это и есть жизнь? Я все равно хочу стать великим писателем. И больше мне ничего не надо. Я хочу жить вне общества, за загородкой, как дикое животное с острыми когтями.

— Понятно, — отвечает папа. — И кто, интересно, будет обеспечивать эту жизнь за загородкой? Полагаю, я?

И я говорю, что скорее стану вором, если мне потребуется себя обеспечить. Папа заявляет, что я уже им стал, и напоминает мне о пяти фунтах, которые я взял у него на метро и не отметил в календаре.

На шум спускается Чарли, чтобы узнать, что происходит. Папа не отвечает, и Чарли поворачивается ко мне.

— Ничего особенного, — говорю я.

— Да-да, — подхватывает папа, — ничего особенного. Просто твой брат в очередной раз лишился работы. Но он считает, что в этом нет ничего особенного. Зато для меня это кое-что значит. Это очень важно для его отца, который скоро окончательно облысеет.

Когда Чарли удаляется, папа снова подходит ко мне. И мне кажется, что он собирается приступить ко второму раунду, но вместо этого он обрушивает на меня собственные новости. Думаю, он получает большое удовольствие от того, что делает это именно в данный момент.

— Полагаю, тебе следует знать, что я разговаривал с доктором Робертсом, — говорит он.

На кухонном столе лежит распечатанное письмо от доктора Робертса. Он пишет, что, на его взгляд, выходки Чарли являются «попыткой каким-то образом влиять на неконтролируемые события внешнего мира», что вполне объяснимо, учитывая то, что произошло с нашей мамой. Затем следует какая-то профессиональная тарабарщина о смене обстановки и роковая фраза: доктор Робертс считает, что «переезд на новое место жительства» может принести пользу.

2 часа ночи

Теперь подъем поворотника стал означать для нас с Джеммой предложение заняться любовью. Я поднял его, когда мы возвращались из паба, хотя впереди и не было видно никаких перекрестков. И Джемма меня сразу же поняла.

Странно, раньше я всегда очень осторожно обращался с женской грудью, как будто это маленькие хрупкие котята, — я только гладил ее и подавлял в себе желание сжимать ее в руках. Но с Джеммой все иначе. Она очень пылкая и в разгар страсти позволяет мне делать все что угодно с самыми существенными частями своего тела. Поэтому я мну, тискаю и сжимаю ее грудь так, словно я домохозяйка, вступившая в схватку с тестом. Сегодня вечером мы занимались сексом четыре раза — для меня это рекорд. Джемма говорит, что абсолютно улетает, когда занимается со мной сексом. И я улетаю тоже.

Потом она пытается подбодрить меня в связи с Чарли. Она говорит, что вряд ли его отправят в интернат раньше сентября следующего года, а к этому времени он может исправиться. Кроме того, Джемма считает, что я испытываю абсолютно необоснованную ненависть к интернатам. Она говорит, что один из ее сокурсников, Род, закончил школу-интернат и при этом остался совершенно нормальным парнем.

28 сентября: Поразительно, насколько быстро восстанавливаются люди. Сначала, когда думаешь о приближающейся трагедии, кажется, что она тебя сломает. Но потом жизнь продолжается практически в нормальном русле. Просто вместо того, чтобы думать о мелочах — о творчестве, о том, что ты начал набирать лишний вес и у тебя до сих пор нет подружки, — начинаешь заботиться о вещах более существенных.

Как будто на все остальное у тебя в голове просто не остается места. И что бы ни происходило, выясняется, что невозможно превысить предел, установленный для твоих переживаний. Это как с папиным ноутбуком — нельзя занять оперативную память из других программ и залезть в Word или Agenda. Человек по-прежнему продолжает есть, когда голоден, и пить, когда испытывает жажду.

Сегодня днем был у мамы в больнице. Не прошло и недели, как нам сообщили о диагнозе, а ее состояние уже заметно ухудшилось. Мышцы из-за отсутствия движений обмякли, и когда на обед приносят утку, мне приходится ее разрезать, так как маме в кровати не на что опереться. А потом ее начинает пучить, и нам с одной сестер приходится приподнимать ее, чтобы она выпустила газы. Все это доводит меня практически до слез, и я, чтобы удержаться, целую ее в лоб. Тело мамы внезапно оказывается таким легким и невесомым, словно самодельный столик, который того и гляди рассыплется, когда его берешь в руки.

Мы с папой отвозим Чарли в «Макдоналдс» в надежде, что это его отвлечет, а также потому, что папа все равно не в состоянии что бы то ни было приготовить. В зале для некурящих я замечаю пожилую даму с палкой, которая, судя по всему, встречается там со своим сыном. Дама плохо видит, и сын вынужден читать для нее меню. А я при виде этого думаю о том, что хотел бы, чтобы моя мать состарилась. Тогда бы я тоже читал ей меню.

Папа говорит, что я должен философски смотреть на происходящее. Он утверждает, что все мы прожили невероятно счастливую жизнь и теперь пришла пора расплачиваться.

Это еще одна идея Джеммы — она считает, что я должен перечитывать свой старый дневник, хотя я в этом сильно сомневаюсь. Она полагает, что если я не хочу говорить, то должен это перечитывать. Однако делать это непросто. Потому что всякий раз при этом я не могу понять, почему рядом больше нет мамы. Порой у меня это вообще не укладывается в голове. Иногда мне кажется, что она просто вышла за продуктами и сейчас вернется с корзиной белья под мышкой. Все в этом доме напоминает о ней: в шкафах по-прежнему лежит ее одежда, на кухне все так же висит штифт, на который она вешала выглаженные рубашки, из гардероба до сих пор не убраны ее пальто, а в фургоне болтается одна из ее перчаток, которую я никак не могу выкинуть. Такое ощущение, что она повсюду оставила легкий налет своей личности, и иногда мне кажется, что я смогу воссоздать ее, если соберу все воедино.

Вторник, 9 марта

Когда папа неожиданно рано возвращается домой и застает меня за просмотром «Обратного отсчета», он реагирует на это так, словно поймал меня на краже в королевском казначействе.

— Наверное, это непросто — быть диким животным с острыми когтями, — замечает он. — Все эти творческие муки над рукописью. Я просто восхищаюсь твоей целеустремленностью, старичок. Теперь я понимаю, почему ты не можешь удержаться ни на одной работе и не желаешь помогать мне по дому.

Я объясняю, что мне просто надо перестроиться, так как я собираюсь написать фельетон для юмористического журнала Мартина, на что папа отвечает:

— Еще один бездельник, — и выключает телевизор.

Для того чтобы показать ему, как он меня унизил, я отправляюсь устраиваться на работу в «Макдоналдс». Менеджеры им не требуются, но директор, впечатленный тем, что я два месяца проработал в «Золотых кебабах» Большого Эла, предлагает мне временную работу и говорит, что я могу приступить к ней в четверг. Когда я говорю папе, что буду зарабатывать на жизнь с помощью биг-маков, и спрашиваю, радует ли это его, он говорит: «Ну понятно, очередная халтура. Чрезвычайно умное и зрелое решение, но можешь не надеяться, я не передумаю, и Чарли все равно отправится в интернат. А теперь пойди и сотри всю эту пакость со стены в его комнате.

Остаток вечера папа проводит, расхаживая по комнате и репетируя речь, которую ему предстоит произнести на следующей неделе перед национальным секретарем по культурному наследию: «За весь широкий диапазон предоставляемой информации — от новостей до развлекательных, обучающих и музыкальных программ — Би-би-си взимает беспрецедентную плату, составляющую менее тридцати пенсов в день. И публика считает это выгодным для себя. Это выгодно и для самой студии... ля-ля-ля».

В какой-то момент я упоминаю маму и говорю, что она никогда бы не отправила Чарли в интернат, если бы умер папа, но он снова возвращается к своей работе:

— Да благословит ее Господь. Маму никогда не интересовали звания и титулы. Думаю, она даже не знала, кто такой национальный секретарь по культурному наследию. Когда я познакомил ее со своим другом-раввином... ля-ля-ля...

Папа не выносит, когда кто-нибудь другой говорит о маме, и меня это просто бесит. Сам он может говорить о ней сколько угодно, но стоит другому открыть рот, и он тут же пытается его заткнуть. Все наши воспоминания о маме должны совпадать с его представлениями, которые абсолютно непоследовательны и служат для него не более чем самооправданием. В данный момент он больше всего озабочен получением рыцарского звания, которое будет ему гарантировано в случае переизбрания на следующий срок. Он утверждает, что делает это исключительно ради памяти мамы и что она была бы счастлива стать леди. Однако на самом деле ей это было бы совершенно безразлично, потому что, как он сам говорит, титулы и звания ничего для нее не значили. И это тоже выводит меня из себя.

11 часов вечера

Мне нравится кафе Дебби, но там всегда слишком шумно. Как можно написать великий роман под ее постоянные крики: «Два чая, один с сахаром, другой без! Кто заказывал сосиску с фасолью и чипсами?!»

Когда Хемингуэй ходил в кафе Клозери де Лила, он общался там с выдающимися литераторами вроде Эзры Паунда и обсуждал смысл литературного творчества и последние выставки в Лувре, а не выслушивал шоферню, обсуждающую сиськи и количество голов, забитых «Челси» в последней игре.

С юмористическим журналом тоже ничего не получается. Сегодня вечером встретил Мартина, и мне очень не понравилось его поведение. Похоже, он считает, что его текст гораздо смешнее, чем мой. Он не сказал ничего определенного, но, судя по тому, как он меня слушал, он считает именно так.

— Берти Ванный — его прозвали так, потому что он постоянно принимает ванны в самое неподходящее время, — говорю я.

Молчание.

— Он принимает их всякий раз, когда испытывает стресс.

Молчание.

Он намекает на отсутствие сатирического начала.

— Все это хорошо, но слишком заумно, — говорит он.

Я спрашиваю его о дальнейших планах, словно общая концепция журнала для меня гораздо важнее, чем мой фельетон, и Мартин говорит, что они ведут переговоры об аренде помещения, а сам он придумал отличное название для журнала.

— Какое? — спрашиваю я.

— Он будет называться «Чушь собакина», — отвечает он.

Я говорю, что идея неплохая. И так понятно, что журнал будет направлен против истеблишмента, но «собакина» вместо «собачья» придает всему оттенок игры и делает название более приемлемым.

— Коротко, иронично и по-свойски. Мне нравится, — говорю я.

И только вернувшись домой, я понимаю, что Мартин своей «чушью собакиной» намекал на качество моего рассказа. Ну и сука же он после этого.

Среда, 10 марта

Сегодня Сара привезла подарок Чарли ко дню рождения — в пятницу ему исполнится семь — и я сообщил ей, что наш папа — чудовище. Однако она считает, что он строг со мной только потому, что беспокоится обо мне.

— Ему не нравится твоя работа в «Макдоналдсе». Он считает, что там ты тоже долго не удержишься, — говорит Сара. — Продавец видеокассет, бармен, официант, консультант по трудоустройству, теперь еще и «Макдоналдс»... Папа считает, что ты просто ленишься и пытаешься отсрочить неизбежный выбор, и в чем-то он прав. Например, я понимаю, что он не слишком обрадовался, когда вернулся домой и застал тебя перед телевизором в пижаме.

Несмотря на то что я набрал семь баллов для поступления в университет и знаю химический символ железа, у меня есть веские основания, чтобы работать в «Макдоналдсе».

— Я делаю это для того, чтобы понять, что такое жизненные трудности, — объясняю я Саре. И это соответствует действительности, — если я хочу написать великий роман, я должен знать, что такое страдания. В энциклопедии «Книги и литераторы» нет ни одного писателя, который бы не страдал. Толстой страдал — он написал «Войну и мир» после участия в Крымской войне, где люди умирали как мухи. Сэлинджер тоже страдал и написал «Над пропастью во ржи», поработав на траулерах в Исландии.

— Предел же моих страданий заключается в недостаточно нагретой ванне, — говорю я. — Душераздирающий рассказ Джея Голдена «Невовремя принятая ванна». Увы, Сара, это не та книга, о которой я мечтаю.

Сара говорит, что папа совершенно не собирается мне мешать.

— Его очень радует твое заочное обучение. Иначе зачем бы он стал за него платить? Он хочет, чтобы ты добился успеха. И мы тоже. Просто папа хочет, чтобы ты шел ему навстречу. Вот ты упомянул ванну, давай поговорим о ванне. Он очень разозлился, когда вчера ты просидел в ней два часа кряду. Тебе не нравится, что он хлопнул дверью и потребовал, чтобы ты выметался. Почему бы тебе не ограничиться одним часом в следующий раз? Ведь ты же интеллигентный человек. Почему именно я должна заниматься поисками компромисса? И перестань с ним спорить из-за Чарли. Это не приведет ни к чему хорошему. Главное, и Чарли от этого не будет лучше. Возможно, ничего бы этого не случилось, если бы он мог брать с тебя пример. Тебе это не приходило в голову?

Я чувствую себя несколько виноватым после этого разговора и пытаюсь рассказать папе о своей книге, чтобы он понял, насколько серьезно я к ней отношусь, а также для того, чтобы попробовать изменить его взгляд на поведение Чарли. Мы все втроем смотрим телевизор, и я говорю, что мне очень трудно заставить своих персонажей действовать, что они чувствуют себя гораздо более уютно, когда просто сидят и разглагольствуют.

— Только не говори, что твои персонажи еще ленивее, чем ты сам, — отвечает папа, и они с Сарой разражаются смехом.

Вечером звоню Шону, и миссис Ф. снимает трубку параллельного аппарата.

— Это Джей? — спрашивает она Шона, а потом обращается ко мне вкрадчивым голосом: — Джей, вы что, поссорились?

Шон просит ее заткнуться.

— Куда ты пропал, Джей? — спрашивает она.

Я говорю, что был занят.

— Со своей новой подружкой? — хихикает миссис Ф.

— Ма-а-ам... — вмешивается Шон.

— Ему тебя очень не хватает. Он не хочет переезжать с нами в Шотландию, Джей.

— Мама, черт побери! — снова влезает Шон.

— А что я сказала не так? — изумляется миссис Ф. — Ты действительно скучал по Джею и действительно не хочешь ехать в Шотландию. От него одни неприятности, Джей. Сначала эта идиотская модель Залива, через которую мне приходилось перелезать, чтобы добраться до холодильника, а теперь... ты ведь еще не знаешь?

— Не знает! — Шон швыряет трубку и отправляется вырубать параллельный телефон.

— Ты в курсе этой идиотской затеи с энциклопедией? — продолжает миссис Ф. — Мы надеялись, что он станет офицером, как его дедушка. Но если он не хочет — бог с ней, с армией, но мы не хотим оставлять его на милость Благотворительного фонда — все эти бомжи... Джефф хочет поговорить с ним сегодня, правда, Джефф? Мы предложили ему, что оплатим пересдачу экзаме-

123

нов, но он и слышать об этом не хочет. Понимаешь, я надеюсь, что в Шотландии он изменится, Джей. Встретит какую-нибудь хорошую девушку, как ты. Если он все равно целыми днями сидит у себя в комнате, почему бы ему не заняться изучением чего-нибудь полезного? Почему бы ему не пересдать экзамены и не получить какую-нибудь приличную профессию? Он тебе ничего не говорил об энциклопедии, Джей?

Когда Шон добирается до параллельной трубки, до меня доносятся звуки возни и пререканий. Миссис Ф. переходит на визгливые интонации: «Шон!.. Положи на место! Это не смешно! — добавляет она со смехом. — Джефф, ну скажи ему! Джефф! Джей, у него кочерга!» Миссис Ф. смеется настолько заразительно, что я сам не могу удержаться от смеха. «Шон, ну перестань дурить! Шон! У нее рукоятка болтается! Ты... О-о-о-о! Больно же, Шон! Ты меня перепачкал сажей... Прекрати!» Потом до меня доносятся оглушительный грохот, взрывы хохота и наконец короткие гудки. Я еще некоторое время сижу у телефона в надежде на то, что Шон перезвонит, а потом мы с Джеммой отправляемся к нему домой, чтобы забрать его прогуляться. Шон всю дорогу ведет себя очень странно, возможно из-за присутствия Джеммы: он все время почесывается и совершенно не слушает, что ему говорят. Он непрестанно повторяет, что ничем не напоминает гея, хотя никто и не заводит об этом речь, или пересказывает почерпнутые из «Британники» сведения об акациях.

Четверг, 11 марта

Первый день работы в «Макдоналдсе». У меня возникли серьезные сомнения относительно страданий. Все сотрудники ходят со значками, определяющими их статус. Чем больше на значке звездочек, тем более высокопоставленным является тот или иной сотрудник. У моего наставника Криса их целых четыре. Это означает, что он специалист по микроволновкам, тостерам и по приему посетителей, а кроме того, еще и является «хорошим человеком».

Он может командовать всеми, у кого на значке меньшее количество звездочек. Поскольку у меня нет ни одной, я должен у всех быть на побегушках. Это очень утомительно, особенно когда речь идет о выносе отходов. Папа ведет себя абсолютно отчужденно. Стоило мне сегодня пожаловаться, как он тут же на меня набросился: «Добро пожаловать в действительность, сынок. Что, не по нутру?»

Я делаю вид, что его вопрос относится к куриному карри.

— Да, ты прав, на редкость отвратительная пища, — отвечаю я, но отделаться от папы не так-то просто, и он требует, чтобы я пропылесосил переднюю. Он считает, что это я принес грязь на ботинках, хотя на самом деле это Чарли. Поэтому я отказываюсь.

— Природе чужды пылесосы. Поэтому и я их не приемлю, — говорю я и отправляюсь к себе в комнату читать Стриндберга.

Мы снова поссорились с Джеммой из-за того, кто главнее, и на этот раз ситуация чуть было не вышла из-под контроля. Мне никак не удавалось взять себя в руки. Мы сидели у меня, когда она что-то сказала о Роде, этом парне из Шеффилдского университета, который, как мне кажется, раньше ей нравился. Меня это вывело из себя, но Джемма отказалась извиняться и заявила, что не говорила ничего для меня обидного. Дело кончилось тем, что я сказал, что отвезу ее домой, в надежде, что она извинится и исключит повторение подобных ситуаций в дальнейшем.

Она извиняется лишь тогда, когда мы доезжаем до Хайвингз-Хилл. Но когда я поворачиваю обратно, заявляет, что все это по меньшей мере глупо.

— Это кто здесь глупый? — угрожающим тоном спрашиваю я, притормаживая машину.

— Ты, — с вызовом отвечает она. Естественно, я тут же разворачиваюсь снова и требую нового извинения. Позднее, когда все утрясается и мы уже сидим на диване, Джемма намекает на то, что была неправа, прикасаясь своей ногой к моей.

Думаю, теперь я могу считать себя главным и надеяться на то, что она не уедет в Шеффилд.

Пятница, 12 марта

Жуткий день! Я поджарил стограммовые булочки не в том тостере. Еще по ошибке положил приправу к обычным бургерам, уронил на пол мясо и не мог вспомнить, какие бургеры с каким со-усом подаются. Через два часа Джейн заявила менеджеру Эдди: «Я знаю, к чему его приспосо-бить — пусть надевает куртку и идет подметать вестибюль». Она произнесла это прямо при мне, совершенно не стесняясь, и последующие пять часов я занимался уборкой вестибюля. А в конце смены Крис меня спросил: «Ну и как тебе это по-нравилось?»

— Очень увлекательно, — с сарказмом отве-тил я.

— Это точно. У нас не соскучишься. «Макдо-налдс» — отличное место, — ответил он, доба-вив, что мне еще повезло, что рядом не было ме-неджера Марии. — А Эдди — нормальный па-рень. Он никогда не возражает против того, чтобы народ повеселился.

Собственно, главное веселье началось во вре-мя двухчасового перерыва между половиной вто-рого и половиной четвертого, когда Джейн, Крис и Эдди спрятались за мусорные бачки и стали иг-рать в «Хороший, плохой, злой», поливая друг друга из баллончика с дезинфекцией.

Я не стал к ним присоединяться, во-первых, потому что дезинфицирующие средства вызыва-ют кожные раздражения, а во-вторых, потому что у них было всего три баллончика и никто из них не собирался со мной делиться, поскольку я ношу желтый значок.

Вечером на день рождения Чарли пришло не-сколько его друзей. Я подарил ему прибор по за-мене живых органов электронными устройствами, которое изготовил сегодня в «Макдоналд-се» из серебряной фольги и бутылочных крышек. Его можно прикреплять в руке и изображать Ли Мейджорса из «Человека за шесть миллионов долларов» — еще одного ретрогероя, к которому Чарли пристрастился после того, как я за пятерку купил ему первые серии, включая пилотную. Джемма подарила ему детскую саблю, папа — термостат для его террариума с черепахой, а Сара — комплект формы «Манчестер Юнайтед». Я чувствовал себя несколько неловко, когда вручал свой подарок, но у меня нет денег на то, чтобы купить ему футбольные бутсы «Сан-Марино», о которых он мечтает, а в долг у папы я больше просить не могу.

Крышки от бутылок являются тумблерами, с помощью которых можно регулировать бионические функции: крышка от бутылки с зубным бальзамом «Колгейт» компенсирует недостаток жидкости в организме, крышка от «Гермолина» обеспечивает кровоснабжение, а крышка от «Доместоса» регулирует систему наказаний. Чарли медленно поворачивает два последних тумблера, подражая Ли Мейджорсу, и резко откручивает первый.

Когда вечером мы с Джеммой забираем двоих его приятелей, чтобы отвезти их домой, Чарли отправляется вместе с нами, и по дороге Джемма пытается объяснить ему, что он должен лучше себя вести. Чарли все время кивает, но, думаю, на самом деле ее не слушает, так как вертит регулятор кондиционера на приборной доске, а когда я говорю ему, чтобы он прекратил, он заявляет, что у него дурные предчувствия и я должен остановиться у информационного агентства Мартина и купить ему эскимо. «Иначе Джемму задавит грузовик», — добавляет он.

11.30 вечера

Еще мне очень нравится подбородок Джеммы. Он покатый и прекрасно сочетается с ее постоянно потрескавшимися губами, напоминающими штукатурку с каменной крошкой. Я уж молчу о ямочках на ее щеках. Они такие симпатичные, что, думаю, все ее прежние приятели должны были сходить от них с ума. Но я не хочу им уподобляться даже в столь тривиальных вопросах.

Так здорово было сегодня наблюдать за Джеммой, когда она заворачивала подарок для Чарли. Я чуть не расплакался — она была такой красивой в этот момент и делала все с такой заботой... Она разрезала оберточную бумагу на длинные полосы и тщательно обернула ими эфес сабли. Когда мне что-то надо завернуть, я делаю это на скорую руку, потому что не могу избавиться от ощущения, что важна не обертка, а содержимое. Но вероятно, я не прав — подарок нужно оценивать по обертке. Только так можно определить, насколько ты дорог другому человеку. Можно купить очень ценную вещь, но если она плохо завернута, значит, на самом деле человеку на тебя наплевать. Пока Джемма занималась оберткой, я с благоговейным видом подносил ей скотч, и каждый раз, беря его из моих рук, она внимательно на меня смотрела. Впрочем, мой благоговейный вид ей был до лампочки, она была полностью поглощена своим делом. Она вкладывала в него всю душу. Никогда в жизни не видел человека, который заворачивал бы подарок с такой заботой. Подарок предназначался Чарли, и хотя Чарли нравится Джемме, она делала это не для него, а для меня. Когда человек тратит столько времени на заворачивание подарка, все начинаешь видеть в несколько ином свете. Похоже, мне пора прекратить ссориться с ней из-за того, кто главнее.

Что с нами будет, если Джемму возьмут обратно в Шеффилд? Ей придется пройти подготовительный курс, так как она завалила экзамены, а занятия там начинаются уже в апреле. Сегодня я спросил ее, поедет ли она в Шеффилд, если ее примут. Этот прямой вопрос застал ее врасплох, и она сказала, что вряд ли ее восстановят, после того как она запорола первый курс. Я сказал, что тоже сомневаюсь в этом и тем не менее. Тогда она взяла меня за руку и, не отрывая взгляда от моего макдоналдовского значка, сказала:

— Меня не восстановят, Джей. Но как бы там ни было, все равно кто-то из нас должен сделать карьеру.

Неужели она презирает меня за то, что я работаю в «Макдоналдсе»? Тут на днях она назвала меня Макромео.

Суббота, 13 марта

Сегодня нам показывали новый ролик, посвященный найму и подготовке персонала в «Макдоналдсе». В нем снимался боксер Фрэнк Бруно. Президент компании Боб Прескот водил его по ресторану, демонстрируя свое дружелюбие и заботу о персонале, а потом Фрэнк смаковал двойной чизбургер с беконом и, подняв вверх большие пальцы, говорил: «Какой у вас коллектив!»

Я попробовал спародировать это, когда Крис отказался выдать мне баллончик с дезинфекцией для участия в их ежедневном развлечении.

«Какой у нас коллектив!» — произнес я и опустил большие пальцы вниз.

Но, похоже, Крис меня не понял и начал орать: «Джей — Ли Ван Клиф!», после чего мне запузырили в глаз струей из баллончика, а потом забросали кружочками репчатого лука.

9.30 вечера

— Он просто запихивал себе в нос палец, — говорю я вечером папе. — Он думал, что если человек чихает, значит, он болен сенной лихорадкой. Он обещал больше этого не делать.

Папа благодарит меня за то, что я поговорил с Чарли, и я пытаюсь снова вернуться к вопросу об интернате. Я спрашиваю, не изменит ли папа своего решения, если Чарли начнет вести себя лучше. Но увы, я совершенно упускаю из виду, что папина реорганизация Би-би-си-2 была подвергнута сокрушительной критике в прессе.

— В данный момент меня интересуют гораздо более важные вещи, — говорит он и швыряет мне «Дэйли мэйл», на пятой странице которой размещен текст о кампании, направленной против переноса вечерних новостей, а внизу опубликована папина фотография с подписью: «Глава Би-би-си Морис Голден, самый непопулярный начальник за последние тридцать лет».

— Не уверен, что в данный момент я нуждаюсь в подобной рекламе, — добавляет он.

Пытаясь его умаслить, я говорю, что все это очень странно, и, изменив тактику, рассказываю ему, что маме Джеммы очень нравится новая реклама еды и выпивки, а в «Макдоналдсе» только что обсуждали уже надоевший формат вечерних новостей.

— Не то чтобы я был против закрытой школы, — говорю я. — Я много об этом думал. И согласен с тобой. Но зачем Чарли оставаться там на ночь? Я буду работать в утреннюю смену и смогу забирать его. А если он будет учиться в Харроу, то отвозить его туда сможет Сара.

— Я уже принял решение, Джей, — произносит папа, поднимая руку как регулировщик. — Поэтому, если у тебя нет других сомнительных предложений, нам больше не о чем разговаривать, — добавляет он с нетерпеливым видом. — Я целый день сегодня был на ногах и очень устал.

Мне не нравится, что он отказывается даже обсуждать эту проблему, и, когда начинаются новости, я высказываю критические замечания относительно новой заставки. Вероятно, по дороге домой папа уже кое-что принял, потому что не успеваю я и рот открыть, как он тут же на меня набрасывается:

— А чего ты хочешь? Чтобы вся студия оказалась на бирже труда?! Наше учреждение — одно из самых уважаемых во всей стране, возможно самое уважаемое! И ты хочешь, чтобы все мы оказались на помойке? Чтобы закрылись обучающие программы, «Всемирная служба», «Панорама»... Чтобы были расформированы все силы, которые способствуют укреплению демократии... Тебе это надо? Да ты просто какой-то лейборист! — И он вздрагивает, задохнувшись от негодования.

— Значит, то, что мне не нравится новая заставка к новостям, угрожает существованию Би-би-си и мировой демократии? — спрашиваю я.

После чего папа называет меня высокомерным кретином и отправляется погулять, чтобы немного остыть.

11 часов вечера

Вечер мы проводим с Джеммой на нашей любимой грунтовой дороге в Астон-Клинтоне, и она ни с того ни с сего заявляет, что больше не хочет ссориться со мной из-за того, кто главнее, и если я хочу, то могу считать себя боссом.

— На самом деле я совершенно не возражаю против того, чтобы ты командовал, — говорит она. — Мне нравится делать для тебя разные вещи.

А я и вправду в последнее время постоянно командую. Наверное, я просто боюсь, что она меня бросит. Она спрашивает, что я буду есть, и кормит меня на деньги своего отца. Она предоставляет мне возможность выбирать фильмы, которые мы смотрим по вечерам, и решать, чем мы будем заниматься. Я чувствую себя императором Нероном. Еще немного, и она начнет кормить меня с рук, от чего будет довольно сложно отказаться. Однако в присутствии посторонних я чувствую себя несколько неловко, особенно когда рядом с нами оказывается ее отец. Я все жду, когда он развернется и спросит: «Это по какому праву ты так обращаешься с моей дочерью? Оставь его в покое, Джемма! Он не безрукий».

Воскресенье, 14 марта

Отработал кухонную смену с семи утра до часа дня. Все плиты, печи и тостеры снабжены сигнализацией, которая включается, когда положенное в них блюдо достигает степени готовности. Сигнал у каждого прибора свой, и это страшно дезориентирует. У тостера для булочек резкое стаккато, напоминающее звук заводской сирены. Печи для бургеров пищат. Агрегат для маринования издает звук как дверной звонок, а жаровня — глухой металлический стук. Джейн утверждает, что я привыкну, но я что-то сомневаюсь. А после того как я кладу корнишон в сэндвич с курицей, меня снова отправляют мыть пол. Честно говоря, меня смешит их серьезное отношение к промашкам.

— В следующий раз будешь внимательнее, — заявляет Джейн.

— Да, извини. Просто я только что сделал биг-мак и отвлекся, — отвечаю я.

— Вообще в первый месяц работы людям обычно не поручают готовить сэндвичи с курицей, — доверительно сообщает мне Джейн.

7 часов вечера

Сегодня вечером папа конфисковал у Чарли мою электронную панель управления и довел его до слез. Он слишком медленно раздевался в ванной и постоянно икал из-за того, что слишком быстро пил сок. Я было попробовал возразить, но папа был непреклонен.

— Так больше продолжаться не может. Я и так целый день занят и не обязан ждать по полчаса, пока наш Герой за шесть миллионов долларов снимет свою куртку, — заявил он.

После чего мы в очередной раз с ним поругались. Я спросил, насколько его решение отправить Чарли в интернат объясняется его заботой о сыне и в какой мере оно продиктовано его неспособностью выполнять свои родительские функции.

Папа уставился на меня с возмущенным видом и заявил, что даже представить не мог, что я позволю себе задавать такие вопросы. Однако, судя по всему, это уже приходило ему в голову, потому что позднее он поднимается ко мне в комнату и спрашивает, думаю ли я об образовании Чарли или полностью поглощен самим собой.

— Во-первых, он будет избавлен от всех дурных знакомств, — говорит он, загибая пальцы. — Во-вторых, получит хорошее образование, так как профессиональные педагоги смогут проводить с ним больше времени, в-третьих, с Чарли постоянно будет работать психолог, в-четвертых, там замечательный спортзал, и, наконец, — папа устремляет на меня ненавидящий взгляд, — он не будет брать пример с тебя.

10 часов вечера

Вечером звоню Шону, но он не снимает трубку. Его мама говорит, что Шон велел передать, что занят чтением статьи о Босфоре.

Кроме этого, сегодня получил отказ из «Звезды щеголя», куда посылал свой юмористический рассказ о ваннах. Редактор, некая мисс Анжела Тернер, пишет, что они «не „Таймс"», а я использую слишком сложные слова, которые могут поставить в тупик читателя. Как отвратительно быть вынужденным писать для быдла. Я чувствую себя, как Роберт де Ниро в «Разъяренном быке», когда ему приходится делать бросок для того, чтобы ублажить промоутеров схватки. К тому же еще и мистер Гатли прислал мне письмо с сообщением, что больше не сможет быть моим наставником из-за состояния здоровья и передаст меня другому педагогу. Но я ответил, чтобы он не утруждал себя. Без его звериных аналогий все уже будет по-другому.

Все это повергло меня в уныние. Обычно когда слышишь о писателях, сломленных обстоятельствами, думаешь: «Это не про меня. Главное — вперед, главное — к публикации книги». И вот я сижу в темноте, слушаю «Угрей» и смотрю в окно. Упорство — это миф. Ни один человек не станет браться за дело, зная, что его ждет неудача. Всем необходим успех. Если человек предвидит возможность поражения, он и пальцем и пошевелит, чтобы что-нибудь сделать. Для того чтобы преуспеть, нужно не упорство, а избирательная память, позволяющая забыть о том, что тебе сказали в «Звездах щеголя» о твоем юмористическом рассказе.

Я перечитываю начало своего романа. Что могло случиться с текстом за одну ночь? Он скис, как молоко, не поставленное в холодильник. Еще вчера я не сомневался в том, что он смешной и в то же время глубокий, но сегодня я уже не нахожу в нем ни юмора, ни глубины. Сегодня я особенно остро ощущаю, как мне не хватает мамы. Как бы я хотел, чтобы она сидела внизу на диване в своем желтом халате и вязала. Как бы я хотел спуститься к ней и сказать, что абсолютно запутался. Как бы я хотел обнять ее и увидеть, как она оттопыривает щеку языком, что она всегда делала, когда напрягалась и о чем-то сосредоточенно думала. Мне необходимо, чтобы меня кто-нибудь подбодрил и сказал, что все образуется. Мама всегда считала, что в результате все будет хорошо. И ей всегда нравилось то, что я пишу. Всякий раз, когда я ей что-нибудь показывал, она обязательно звала папу, словно была потрясена тем, насколько это хорошо. «Ты это видел?» — спрашивала она, и папа был вынужден тоже прочесть мой текст и сказать что-нибудь комплиментарное, даже если ему и не хотелось это делать.

Мама считала, что и с ней все будет в порядке. Она надеялась до последней минуты. Каждое очередное лекарство должно было привести к чудесному исцелению, химиотерапия должна была подействовать со дня на день, или кто-то должен был изобрести новое волшебное средство. Перед последней госпитализацией она сказала мне: «К выходным я уже буду дома».

Как было бы здорово, если бы мне удалось стать писателем. Мама была бы очень рада. Согласно энциклопедии «Книги и литераторы», Роберт Льюис Стивенсон, Джон Китс, Альбер Камю и сестры Бронте страдали туберкулезом и грозящая смерть вдохновляла их на творчество. Я читаю об этом, перед тем как лечь спать. Они работали не покладая рук, так как знали, что им отпущено мало времени. Болезнь подпитывала их гениальность. В школе об этом никогда не рассказывают, когда всех отправляют делать БЦЖ. Так может, дело как раз в том, что мне сделали прививку от гениальности?

4 ноября: Мы с папой и Чарли ездили сегодня обедать в «Розу и Корону». Мама с нами не поехала. Ей трудно ходить, так как ноги и живот у нее снова распухли. «У меня выросло такое пузо, что вчера в ванной я не смогла увидеть собственную пипку, — говорит она, стараясь выглядеть бодрой. — Может, вы мне привезете кусочек дыньки?»

Мы не говорим о маме, но во время десерта нас замечает одна из ее клиенток, миссис Мортон, и подходит к нам, чтобы спросить, как она себя чувствует. Миссис Мортон уже много лет, и, похоже, она немного выжила из ума, так как начинает рассказывать нам о своем муже, умершем от рака горла «после дли-ительной борьбы». Думаю, она собиралась нам посочувствовать, но все это оказывается крайне некстати и абсолютно выводит из строя Чарли. Никто ему еще не говорил о том, что мама умирает.

— Какая идиотка, — замечает папа, глядя вслед миссис Мортон, когда она от нас отходит.

Я сжимаю под столом колено Чарли, и мы с папой принимаемся убеждать его в том, что все будет в порядке. Но когда Чарли уже начинает успокаиваться, папу вдруг охватывает приступ ярости, он перегибается через стол, крепко хватает Чарли за голову и начинает громко шептать: «Неужели ты хочешь, чтобы эта миссис Мортон видела, как тебе больно? Никогда», — отвечает он на собственный вопрос и плюхается обратно в кресло.

— Но ведь мама... не умрет? — спрашивает Чарли, потрясенный папиной выходкой.

— Никто не умрет, — отвечает папа и игриво треплет Чарли по щеке. — У тебя крепкая мама... Ну так ты будешь есть мороженое, за которое я уже заплатил?

Перед домом папа останавливается, поворачивается к нам и произносит:

— И еще, мальчики, я хочу, чтобы вы запомнили: лучшим лекарством для вашей мамы является позитивное настроение. Вы меня поняли? Никаких отрицательных эмоций. — Он смотрит на Чарли и передразнивает его выражение лица. Чарли смеется, и папа снова возвращается к серьезному тону. — В каком-то смысле все зависит от вас, мальчики. Я делаю все, что могу, и только вы сейчас можете изменить ситуацию. А теперь пошли домой, и вы расскажете ей, как мы здорово пообедали. Чарли, дыня у тебя?

Всякий раз, когда я перечитываю свои записи о маме, мою грудь начинает что-то сдавливать, как это происходит с помойными бачками, поступающими под гидравлический пресс в «Макдоналдсе». Душа моя сжимается и становится плотнее. В основном это болезненные воспоминания, как, например, канун маминой смерти, когда я навещаю ее в больнице и режу ей мясо, потому что у нее уже нет на это сил. Или через день после ее смерти, когда я выливаю в раковину сок лайма, который она пила, а Чарли говорит мне: «Джей, когда мама вернется, она тебе всыплет. Она только что купила эту упаковку». Я спрессовываю эти воспоминания все плотнее и плотнее, и иногда мне начинает казаться, что в какой-то момент я сойду от этого с ума. Более того, иногда мне даже этого хочется. Мне кажется, что, сойдя с ума, я выполню свой долг перед мамой. Я всегда считал, что не перенесу ее смерти — брошусь в разверстую могилу или стану бродягой и буду ночевать в подъездах на Оксфорд-стрит, устремив на мир непонимающий мутный взор.

Однако ничего не изменилось. Когда у Холдена Кофилда умер брат, он порезал себе руки, разбив все окна в гараже. Но я оказался неспособен даже на это. Мне не удалось себе разбить даже костяшки пальцев. Максимум, на что я оказался способен, это наорать на Чарли, после того как случайно наступил босиком на одну из деталей его конструктора «Лего».

Понедельник, 15 марта

Сегодня я обратил внимание на то, что Эдди обращается с персоналом, как полицейские с преступниками в сериалах. Сначала он выставляет Криса вон за то, что тот уронил на пол пирожок с мясом, а потом игриво тычет его в живот и заявляет: «Прости, приятель, у меня бекон подгорал».

Когда Эдди пытается наказать меня за то, что я перед закрытием оставил грязные следы на полу, я пытаюсь применить к нему ту же тактику. Но когда я игриво тычу его в живот, он отталкивает меня и заявляет: «У тебя не вымыто еще с полдюжины столов, а мы все сегодня, между прочим, хотим попасть домой».

Потом я забываю повесить табличку «Осторожно, мокрый пол», и один из посетителей, поскользнувшись, падает и разбивает себе колено о детский стульчик.

Эдди вызывает меня к себе в кабинет. «Тебе не приходило в голову, Джей, что если ты вымыл пол, то на дверь нужно повесить предупреждающую табличку? И прекрати заливать все вокруг водой. Занимайся уборкой аккуратно, а то устраиваешь какую-то Темзу».

Я почтительно киваю и сдерживаю желание сообщить ему, что у меня набрано семь баллов для поступления в университет и я знаю химический символ железа.

10 часов вечера

Когда я жалуюсь на то, что весь пропах корнишонами, папа предлагает позвонить по поводу работы его приятелю в Сити. Стоит проявить малейшую слабость, и он тут же готов прийти на помощь.

— Ты пытался написать книгу. Это очень важный поступок, — произносит он, меняя свою обычную тактику. — Мало кто готов пойти на такой риск, и ты заслуживаешь похвалы. Но пора стать реалистом. Тебе еще жить и жить, и нужно научиться себя обеспечивать. Что пока тебе плохо удается. А уже пора бы. Ты получил необходимое образование и должен им воспользоваться. Позвони ему. Тебе ведь не нравится то, чем ты сейчас занимаешься, и от тебя действительно несет корнишонами. Давай, старичок. Я даже сам готов ему позвонить, если хочешь.

Все это очень здорово, но... снова нажимать на кнопки? Что это за жизнь для человека, который прочел с полдюжины классических произведений и считает фильмы Вуди Аллена вершиной кинематографа? Это не жизнь. Я говорю, что подумаю, если папа, в свою очередь, рассмотрит мое предложение лишь о дневном пребывании Чарли в интернате. Однако он снова приходит в ярость и говорит, чтобы я убирался и не мешал ему резать ветчину.

11.30 вечера

Сегодня мы с Джеммой уже не ссоримся из-за того, кто главный. Мы сидим у камина в «Белом лебеде» и слушаем гипнотическое шипение и потрескивание дров, что действует очень умиротворяюще. Потом в паб заходят какие-то ребята, и один из них, самый младший, с такими же светлыми волосами, как у меня, постоянно допускает всякие оплошности. Когда он в очередной раз опрокидывает стакан, Джемма говорит: «Вот и ты точно такой же». Я понимаю, что она думает о том времени, когда у нас будут дети, и перед самым уходом она с очень серьезным видом спрашивает, люблю ли я ее. Я так же серьезно отвечаю, что люблю. И почему-то после этого мы оба погружаемся в задумчивость. Мы останавливаемся у кинотеатра «Вайком Сикс» и смотрим, как в темноте проносятся машины. Я прошу Джемму, чтобы она представила, что ей звонят ночью и говорят, что я умер, и она начинает плакать, а у меня на глазах выступают слезы, потому что Джемма никогда не сможет познакомиться с моей мамой, которой она наверняка бы понравилась, и еще я представляю себе Чарли, завалившего экзамены в школе и вынужденного устраиваться на работу в «Дольчис».

Вечером снова звоню Шону, но его мама говорит, что он не хочет подходить к телефону. Но прежде чем я успеваю повесить трубку, миссис Ф. понижает голос и говорит, что очень рада, что я позвонил, так как она хотела со мной поговорить. Она на мгновение кладет трубку, и я слышу, как она закрывает дверь на кухню. Вернувшись, она сообщает, что ее очень беспокоит Шон.

— Только ничего не говори ему... не рассказывай, что я с тобой говорила... но тут намедни он заявил... он сказал, что собирается стать премьер-министром, — говорит она.

Она умолкает, и я не знаю, что ей ответить. Неужели она воспринимает Шона всерьез? Родители у Шона уже пожилые. Его отцу почти столько же, сколько моему деду, а его матери, которая наполовину испанка, шестьдесят. Они не слишком сообразительные и верят всему, что им говорит Шон.

— Он сказал, что сначала превратится в куколку, а потом из нее выпорхнет прекрасная бабочка, — говорит миссис Ф. — Да, кажется, он сказал — бабочка.

— Джефф, Джефф, пойди сюда, — зовет она мужа, — Шон сказал, что из него получится бабочка или мотылек? — Я слышу, как они спорят, а потом к телефону подходит отец Шона.

— Привет, Джей, — с властными интонациями в голосе говорит он. — Дорин уже сказала тебе, что нас очень тревожит Шон. Да, он всегда был неуправляемым, это обычное дело, и мы с этим смирились, но вчера в гараже он заявил мне, что достиг завершения личиночной стадии.

144

Именно так он и сказал — конец личиночной стадии. Он сказал, что теперь запрется в своей комнате и позднее возродится уже в виде мотылька. Хотя Дорин утверждает, что в виде бабочки.

Мне нравится эта полемика: интересно, какая разница — в виде мотылька или бабочки?

— Он сказал, что будет читать «Британнику» и не выйдет, пока не доберется до конца, — добавляет мистер Ф. — Похоже, он считает, что выйдет из своей комнаты готовым премьер-министром. Но это ведь глупость! Он ничего тебе не говорил, Джей? Или это очередная выдумка, чтобы не ехать с нами в Шотландию?

Вторник, 16 марта

Я всерьез начинаю ненавидеть «Макдоналдс». Сегодня протирал жаровню, и меня опять выгнали с кухни. И всегда все происходит из-за какой-нибудь ерунды — то забудешь повесить вывеску, то уронишь пирожок, то не закроешь дверь холодильника. Стоит мне заметить пристальный взгляд Эдди или Криса, как в ожидании очередных упреков я тут же запихиваю себе в рот кубик льда. Хороший способ — громкое посасывание льда отлично передает вызывающее и наплевательское отношение.

— Не забудь протереть пол, Джей. — Бульк! — Это ты оставил тряпки в зале? — Бульк! — Вытащи эту хреновину изо рта! — Бульк!

Днем приезжает Энн из отдела кадров. Не успев появиться, она тут же вызывает меня в кабинет менеджера на пару слов. Когда человека собираются уволить, его всегда сначала вызывают на пару слов.

— Привет, Джей, — говорит она, — ты мне нужен совсем ненадолго. — И открывает книжку в черном переплете, которая лежит перед ней на столе. — Служащий Джей Голден, — зачитывает она вслух, — во-первых, ты не... во-вторых, твое отношение не... в-третьих, мы бы рекомендовали тебе... — И, дойдя до конца, она спрашивает: — Тебе есть что сказать в свое оправдание?

Я интересуюсь, откуда у нее такие сведения, и она отвечает, что вообще знает гораздо больше и ей не нужны осведомители. «В мои обязанности входит управление людьми, — сообщает она. — Я контролирую двенадцать ресторанов, Джей... то есть сто пятьдесят человек. И я знаю, что происходит в подотчетных мне заведениях».

Я даю ей какое-то время поразглагольствовать о ее ресторанах и лишь киваю, показывая, что все это вызывает у меня глубочайшее почтение, но потом пытаюсь сказать кое-что в собственное оправдание. Я обвиняю других сотрудников в доносительстве и настаиваю на том, что мне ничего не было известно о поступающих жалобах. Энн снова повторяет, что у нее нет осведомителей. А я утверждаю, что есть. Энн заявляет, что я не умею слушать окружающих, и в конце концов, словно идя на какой-то немыслимый компромисс, произносит: «Я поступлю следующим образом, Джей. Возможно, в ближайшие две недели ты сможешь исправиться, — она смотрит на меня с жалостливым видом, словно добродушная хозяйка, которая готова бросить кость непослушной собаке, — и тогда я вычеркну все те замечания, которые у меня уже записаны».

Вероятно, она ждет, что на глазах у меня выступят слезы облегчения. Но единственное, что меня интересует, это могу ли я идти, поскольку беседа наша затянулась и она отнимает у меня обеденное время.

9 часов вечера

Папа сегодня опять очень раздражен из-за того, что я отказался звонить его приятелю мистеру Гриффитсу в Сити. Папа связался с ним сам, но, когда мистер Гриффитс перезвонил, меня не было дома.

— В чем тебе не откажешь, так это в последовательности, — говорит папа, ерзая в кресле с таким видом, словно пытается вытереть об обивку голую задницу. У эскимосов есть сто одно слово для обозначения снега, у папы — ровно столько же для выражения недовольства мною. — По крайней мере, твоя необязательность распространяется на всех без исключения.

Я молчу, но краем глаза вижу, что еще немного, и у него на заднице образуется потертость.

Чарли лежит перед камином со своей погремушкой в виде боксерской перчатки. Я спрашиваю, как прошло его выступление. Он изображал капитана Синюю Бороду. Он говорит, что отлично, только его приятель Колин Хиггинс весь издергался, пока он рассказывал о «Манчестер Юнайтед».

— Воспитанные люди перезванивают, когда им звонят, — замечает папа, не поворачивая ко мне голову.

Он начинает напоминать мне Линду из фирмы «Монтонс». Еще пара минут, и он начнет обвинять меня в том, что я непрофессионален.

Чарли объясняет, что сам во всем виноват, так как еще до выступления почувствовал, что обязательно надо постучать по дереву, но он не смог это сделать, поскольку ничего деревянного рядом не было, а миссис Виллис не позволила бы ему доставать пенал посреди урока.

— Не знаю, где мы с мамой ошиблись, — говорит папа. — Ведь у тебя нет элементарных представлений о приличии. Ты не умеешь общаться с людьми. Может, все дело в том, что ты не можешь найти себе хорошую работу? Но с другой стороны, тебя никто не возьмет менеджером. Если бы я вел себя так, как ты... Если бы я так относился к студии... Куда делось все то, чему мы тебя учили?!

Все заканчивается тем, что у Чарли возникает очередная идея фикс.

— Роб и отвертка, — объясняет он, вставая и направляясь за очередным стаканом сока.

— Что у тебя с локтями! — кричит папа, когда он проходит мимо.

— Я их не трогал, — отвечает Чарли.

— Нет, трогал!

— Но они чешутся, — говорит Чарли.

— Неудивительно... — откликается папа. — Просто туши свет! Ну что, ты доволен? — обращается он ко мне, когда Чарли выходит. — Этого ты хотел?!

Джемма сегодня выглядит очень подавленной. Мы занимаемся сексом, а потом весь вечер проводим в фургоне, но перед сном с ней вдруг начинается истерика: она начинает рыдать и говорить, как она несчастна. Каждую фразу она начинает со слов «Моя жизнь....», а заканчивает ее нецензурными ругательствами. И чем дольше она говорит, тем в большее отчаяние впадает. Она заявляет, что скорее всего ее не восстановят в университете, потому что оттуда ни звука, и что она завидует мне, потому что я, по крайней мере, знаю, чего хочу. Я пытаюсь ее подбодрить и высказываю предположение, что администрация просто не спешит с ответом. Уже не говоря о том, что мою целеустремленность можно сравнить разве что с проколотым шариком, который шарахается из стороны в сторону.

Отец Джеммы возглавляет кондитерскую фабрику, которая рассылает свою продукцию во все части света. И Джемма говорит, что когда придет в себя, то устроится к нему на работу. Она считает, что мой папа тоже должен помочь мне.

— Наверняка он знаком с какими-нибудь известными писателями, — говорит она. Я отвечаю, что не сомневаюсь в этом, но скорее всего я уже успел всех их обзвонить и они меня послали на хуй.

Я начинаю ощущать себя пожилым человеком. Скорее всего, это связано с тем, что мне ничего не удается достичь. Когда Александру Македонскому было столько, сколько мне, он завоевывал мир. А что успел сделать я? Получил новый значок в «Макдоналдсе», свидетельствующий о том, что я умею готовить сэндвичи с курицей.

Среда, 17 марта

Весь день провел, помогая Джемме заполнять заявки для службы занятости. Когда вечером к нам приезжают Сара с Робом, я сообщаю им, в какое отчаяние меня повергли отказы, полученные из редакций, намекая, что мне нечего надеяться на литературную карьеру, если кто-нибудь мне не поможет.

Однако папа пропускает мой намек мимо ушей и громогласно произносит: «Талант всегда пробьется, сын мой», после чего кладет себе в тарелку пастернак, давая понять, что вопрос исчерпан.

Естественно, это выводит меня из себя, и когда я говорю, что он просто не знает, как делаются дела в литературном мире, он приходит в бешенство и заявляет с еще более авторитарным видом: «Не волнуйся, тебя заметят, если ты действительно будешь хорошо писать. Я убежден, что истинный талант никогда не остается незамеченным». Он произносит это с таким видом, словно отвечает на вопросы в программе «Точка зрения».

Когда позднее я сообщаю ему о том, что собираюсь бросить литературные курсы, он игриво обнимает меня за голову и произносит: «Надеюсь, это свидетельствует о том, что ты повзрослел».

Это еще унизительнее, чем если бы он пришел в ярость. Конечно же, он просто насмехается надо мной и считает, что у меня нет никакого таланта.

Кажется, вокруг Чарли и школы-интерната заваривается какая-то каша. Во время обеда никто и словом не упоминает об этом, а потом папа с Сарой исчезают для конфиденциального разговора. Меня это страшно раздражает. Они постоянно обсуждают меня и Чарли, а потом появляются и делают заявления типа: «Отныне пылесос будет находиться в буфете под лестницей, а не в кладовке — вы слышали, мальчики? Отныне совок и швабру надо будет вешать на крючок — так что, пожалуйста, не забудьте». Прямо какой-то Пол Пот, истребляющий прошлое. Еще немного, и они пересмотрят календарную систему и объявят, что в Беллингдоне наступил нулевой год.

11 часов вечера

Вечером ходил выпить с Шоном, Марком, Кейт и Джеммой. Это была официальная отвальная Шона. Не то чтобы он собирался переезжать в Дамфрис, просто с завтрашнего дня Шон намерен окончательно запереться в своей комнате, чтобы читать энциклопедию.

После того как Джемма приносит всем выпивку, он заявляет:

— И больше вы меня не увидите до тех пор, пока я не выпорхну в виде прекрасной бабочки, которой известно все на свете.

Марк интересуется, сколько времени должно уйти на эту метаморфозу.

— Два года, — отвечает Шон, поглаживая подбородок. — Это займет ровно два года.

— И все это время ты собираешься провести в своей комнате? — поднимая брови, спрашивает Кейт.

Шон кивает и с раздраженным видом начинает оправдываться:

— Вот вы, например, знаете, как работает холодильник? Нет, я не о том, что его надо включать в розетку. Как он на самом деле функционирует? — И Шон с высокомерным видом поворачивается ко мне в ожидании поддержки.

Я говорю, что он прав и никто из нас не знает, как работает холодильник, а это именно то, что жизненно необходимо знать мировым лидерам.

После этого Шон обретает уверенность и с удовлетворенным видом откидывается на спинку кресла.

— Кроме этого, я, как Борис Ельцин, собираюсь ограничить время сна до четырех часов в сутки.

Потом Джемма набрасывается на меня из-за того, что я отнесся к этому недостаточно серьезно. Она говорит, что я лучший друг Шона и поэтому должен что-то сделать. Я пытаюсь объяснить ей, что Шон просто шутил и это его обычный способ привлекать к себе внимание, но Джемма говорит с такой страстью, что я почти начинаю ей верить. Неужели Шон действительно съехал с катушек?

Когда я возвращаюсь, папа еще не спит, и, чтобы напугать его, я рассказываю о Шоне — пусть задумается о том, что и со мной такое может случиться. «И в каком-то смысле он прав, — говорю я, — ведь это действительно ужасно — не знать, как работает холодильник».

Он явно что-то замышляет относительно Чарли и поэтому не проявляет никакого раздражения по отношению ко мне.

11 ноября: Когда я прихожу домой, мама сидит перед телевизором и вяжет Чарли свитер. Ее ноги лежат на низкой скамеечке. Из-за отеков они похожи на огромные сардельки. Папа на вечеринке, организованной Би-биси, а мама сегодня впервые отказалась от своих клиентов и слишком расстроена этим, чтобы поехать вместе с ним.

— Но кое на что я еще способна, — говорит она, приподнимая локти и показывая мне спицы. — Хотя на самом деле я чувствую себя такой беспомощной и ненужной.

Я ухожу на кухню, чтобы принести ей сок лайма.

— Знаешь, меня очень беспокоит Чарли, — говорит она, когда я возвращаюсь. — Что его ждет в ближайшие несколько... — Из-за распухших ног она не может дотянуться до кофейного столика, чтобы поставить на него стакан. — Черт побери! — произносит она и оглядывается. Я беру у нее стакан и ставлю его на столик. — Я хотела сказать, как он будет справляться в ближайшие несколько лет.

Как вы... — Подбородок у нее начинает трястись. Она закрывает лицо пожелтевшими, как марципан, руками, и вязанье падает ей на колени. — Джей, еще пара лет, и меня рядом с вами не будет, — говорит она и через секунду повторяет испуганным шепотом: — Не будет.

Я сажусь рядом, обнимаю ее за худые плечи и говорю, что и через десять лет она будет все еще довязывать Чарли свитер, если не продолжит это делать сейчас.

Мама пытается улыбнуться, но губы у нее начинают кривиться, и, уткнувшись мне в плечо, она разражается рыданиями.

— Я до сих пор не могу в это поверить, — приглушенным голосом произносит она. — Такое ощущение, будто все происходит не со мной. Я сегодня стояла в саду и думала — все это как во сне.

Я настраиваюсь на формальный тон и говорю, что главное — сохранять позитивное отношение, что скоро ей предстоит новый сеанс химиотерапии и вообще все не так уж страшно.

— Да, я понимаю, понимаю, но все это так тяжело. Всего неделя. Меня отделяла всего неделя от полного исцеления. — Она поднимает голову, глубоко вздыхает и снова берет свое вязанье. — Меня это все уже достало! — с внезапным высокомерием произносит она и снова возвращается к своему обычному состоянию.

Четверг, 18 марта

У меня просто в голове не укладывается. В Роксбурге готовы принять Чарли уже через пару недель! Через четырнадцать дней! Обычно надо
ждать до начала нового учебного года. Однако директор отступает от обычной процедуры, вероятно учитывая «особые обстоятельства», под которыми имеется в виду мама, хотя на самом деле
это папа мобилизовал своих старых сокурсников
и призвал на помощь деятелей Би-би-си.

Папа чувствует себя чрезвычайно счастливым и, выйдя в сад, вслух зачитывает абзацы из
школьного проспекта, обращаясь к кустам роз.
Он утверждает, что мама будет рада услышать,
что думают старые выпускники об этой школе.

— «Трудно даже себе представить место, где
можно получить более качественное образование. Я бы все отдал только за то, чтобы снова оказаться в Роксбурге» — это утверждает сэр Клайв
Данли, кавалер ордена Британской империи чет-
вертой степени, художник и активный борец за
охрану природы. По-моему, он сделал неплохую
карьеру, а? — кричит папа, обращаясь ко мне через окно. — «В Роксбурге подростков учат углуб-
ленно мыслить, чтобы они думали не только о себе, но и об окружающих» — Пол Хетерингтон.

Через некоторое время папа поднимается ко
мне в комнату и снова начинает распростра-
няться о том, какой неквалифицированной ра-
ботой я занимаюсь.

— Кавалеры орденов Британской империи,
директора, лорды, члены парламента, председа-

тели общественных компаний, семеро награжденных Крестом Виктории... После окончания этой школы люди не работают в «Макдоналдсе».

Более отвратительного вечера у меня еще не было. «Симпатяга», — скучными голосами замечают подвыпившие девицы, когда я прохожу мимо в своих лоснящихся черных брюках с зашитыми карманами, что делается компанией из тех соображений, чтобы ты, не дай бог, чего-нибудь не упер. Потом какая-то дама опускает жалобу в ящик для рекомендаций, высказывая свое недовольство состоянием зала для посетителей. Эдди изначально находится в дурном расположении духа, так как опасается, что нам не завоевать звание лучшего ресторана. Плюс ко всему мне не удается сдать экзамен на получение следующего значка. Я не набираю ни одного балла по разделу «Деятельность». Потому что считается, что даже тогда, когда делать абсолютно нечего, человек должен выглядеть занятым. Мне это явно не по уму. Это бессмысленно и унижает человека. Если каждый раз бросаться к шейкеру для молочных коктейлей с таким видом, словно там находятся радиоактивные отходы, тебя сочтут человеком, для которого нет удовольствия выше, чем работа, и ты не можешь дождаться того момента, когда надо будет что-нибудь вытереть.

Раньше я несколько преувеличивал папины недостатки, но сегодня он проявил себя в полную меру. Он сообщает, что ездил в интернат и не ощутил там ничего тлетворного. Меня это не удивляет. Не сомневаюсь, что его чопорность обусловлена исключительно тем, что все свое детство он провел в викторианских работных домах.

— Ему там будет чем заняться, — говорит папа, когда я возвращаюсь домой и обрушиваюсь на него с упреками. — Спортивные занятия и система аттестаций. Уже не говоря о том внимании, которое будут уделять лично ему. А он нуждается во внимании. Ты же видишь, что с ним стало за последние несколько месяцев. Я знаю, что ты думаешь. Я понимаю, что ты хочешь, чтобы он был рядом. Я тоже хочу этого. Мне нравится, когда он рядом, но...

— Когда он рядом! Да ты говоришь о нем, как о собаке! — восклицаю я.

Папа заявляет, что не станет со мной разговаривать, если я буду на него кричать, хотя я даже голос не успел повысить.

Чарли на все это реагирует совершенно спокойно, словно его это не касается. Думаю, папа уже устроил ему промывание мозгов, потому что единственное, что его интересует, — сможет ли он взять с собой Медлюшку-Зеленушку.

Вечером я обнимаю Джемму, ощущая полное отчаяние. Что с нами будет?! Для того, чтобы стать хиппи, надо иметь деньги. Я бы хотел увидеть мир. Беллингдон для меня слишком мал. Люди ездят на сафари и потом жалуются, что у зверей там слишком мало жизненного пространства. А как обстоят дела с жизненным пространством Джея Голдена? Естественным местом обитания человека является весь земной шар, а меня запирают в одном микрорайоне.

Мы сидим в гостиной у Джеммы, и она говорит, что очень надеется, что в Шеффилде ей откажут, потому что не может себе представить, как будет жить без меня.

— Иди сюда, обнии еня, — говорит она. Джемма всегда глотает букву «м», когда у нее слезливое настроение.

— Я здесь. И ты еня обнии. — Похоже, мне тоже передалось это свойство.

— Я так счастлива со своим ежом. — Джемма считает, что я похож на ежа.

— И я страшно счастлив со своей Джем-Джем. — Я называю ее Джем-Джем, потому что она похожа на гигантскую панду.

Пятница, 19 марта

Позвонил в «Макдоналдс» и сказал, что у меня болит живот. Эдди сообщает, что, когда я вернусь, придется принести справку от врача. «Если это пищевое отравление, я не хочу, чтобы ты заразил весь ресторан», — говорит он. Папа тоже спрашивает, что со мной случилось, и когда я ему отвечаю, его, наверное, посещает чувство вины, потому что он даже не набрасывается на меня.

— Да ладно, это еще не конец света, — говорит он. — Ты же знал, что рано или поздно это все равно произойдет. А чем скорее, тем лучше. Роксбург действительно очень хорошая школа. Хочешь, сыграем в бильярд? Я ведь еще никуда не делся.

Я отвечаю ему, что бильярд — это алкоголь XX века, поскольку он притупляет как подвижность мускулов, так и сознание, и вообще эту игру пора уже обложить налогом. Я поднимаюсь к себе, чтобы нахамить всем знаменитостям, но не могу придумать ничего остроумного, поэтому просто обзваниваю по папиному справочнику всех на «А» и «Б» и называю их пиздами. Потом ложусь и начинаю начинаю читать «Обнаженных и мертвых» Нормана Майлера, что погружает меня в еще большую депрессию. Это честный рассказ о жизни, смерти и хрупкости человеческого организма, который был написан Майлером, когда ему было двадцать три года. Всего двадцать три! Это нечестно! Я тоже хочу ползти через японские заграждения на тихоокеанском острове, пить вместе с боевыми товарищами на вымытом дождями бивуаке изюмную водку и думать, хватит ли мне сил выдержать следующее сражение. Меня уже тошнит от «Макдоналдса». Там нет боевых товарищей, а самое крутое, что мне приходится там делать, так это отдирать ногтями от пола засохшие корнишоны, которые невозможно отмыть тряпкой.

Теперь для того, чтобы отомстить, я собираюсь устроить своего Пижона на работу в «Макдоналдс». Он обезумеет, совершит вооруженный налет и из автомата расстреляет через окно раздачи моих коллег, которые посмели упрекать его в использовании не того соуса к рыбному филе.

Но с другой стороны, неужто я действительно должен проживать жизнь как какой-то умственно отсталый? Похоже, все катится в тартарары, и с этим надо что-то делать.

Что такое происходит с нашими отцами? Папа Джеммы оказывается ничуть не лучше моего. Сегодня он устроил немыслимую сцену из-за пары капель масла, которые я оставил на его подъездной дорожке, когда подвозил Джемму домой. Я даже представить себе такого не мог. Он носился туда и обратно с ведром мыльной воды и повторял: «Это же масло! Само оно никуда не денется».

Похоже, его совершенно не волновало, что как раз в этот момент мы с Джеммой обсуждали перспективу превращения в изгоев общества. Сначала я старался не обращать на него внимание и сочувственно смотрел ему вслед, что, в сущности, не имело особого смысла, так как он каждый раз закрывал за собой дверь. Но чем дольше он причитал, тем труднее становилось сохранять невозмутимость, потому что я считаю невежливым проявлять безучастие к чужим переживаниям. Поэтому для того, чтобы его успокоить, я спросил: «Ну как там?»

— Это масло, его невозможно отмыть, — ответил он, с агрессивным видом снова наполняя водой ведро. Не успев выйти, он вылил его на дорожку и тут же вернулся за следующим. Я не мог позволить себе повториться, так как прошло всего несколько секунд со времени его последнего появления, но и не реагировать на происходящее было невозможно, поэтому я, вместо того чтобы выразить ему сочувствие, просто улыбнулся с обреченным видом.

Но отец Джеммы, видимо, неверно истолковывал мою улыбку и, повернув краны гораздо резче, чем это необходимо, угрожающе спросил: «Что это тебя так развеселило?»

Мы явно переходим на ножи. Отец Джеммы обещал купить дочери новую машину, если она восстановится в Шеффилде.

Позднее ко мне заходит мой собственный папа. Он все еще злится после предыдущего разговора и говорит, что меня тоже не мешало бы отправить в интернат, чтобы потом я смог подыскать себе работу получше, чем в «Макдоналдсе».

— Ты об этом не думал? — язвительно интересуется он и заявляет, что, видимо, сам меня испортил и никогда себе этого не простит. Наверное, он прав. Отец Ричарда Брэнсона запрещал сыну в детстве читать, считая, что тот должен учиться заниматься делом, а не читать о том, как этим делом занимаются другие. Конечно, в том, каким я стал, виноват только папа. Если бы на мои девять лет он не подарил бы мне «Джеймса и волшебный персик», я бы уже летал на воздушном шаре вместе с Пером Линдстрандом и у меня была бы собственная компания по производству кока-колы.

11 часов вечера

Взял записную книжку папы, обозвал всех знаменитостей от «В» до «Д» суками и лег спать.

Суббота, 20 марта

Папа спрашивает, что со мной происходит.

— Ты весь вечер слоняешься по дому, как будто тебе нечем заняться, — замечает он.

Я отвечаю, что мне все надоело и я собираюсь уволиться. Папа испытывает явное облегчение от того, что это не связано с Чарли, говорит, что ему меня жалко, и через некоторое время поднимается ко мне в комнату, чтобы обрисовать новые жизненные перспективы. Он говорит, что все нормальные люди стремятся лишь к тому, чтобы качественно выполнять свою работу. Его взгляд на «Макдоналдс» в корне меняется, словно он приходит к выводу, что это единственное, на что я способен. Он рассказывает, что когда ему было столько, сколько мне, он специально ходил в бар на Ковент-Гарден, чтобы посмотреть, как работают официанты. Он говорит, что их обязанности мало чем отличались от моих, но они умудрялись превращать свою работу в настоящее искусство.

— Особенно двое, — вспоминает папа. — Раз, два, три — хватают бутылку вермута, перекидывают ее через голову, подхватывают за спиной и наливают. Не глядя, подкидывают кубики льда, ловят их в стаканы, и вся процедура завершается дружным «оп-ля». Это было фантастическое зрелище.

Он говорит, что любую работу можно превратить в искусство, если человек ее хорошо выполняет.

— Стань самым лучшим помощником администратора, который когда-либо у них работал, — говорит папа. — А когда получишь повышение, сделайся лучшим в новой области. И так каждый раз. Главное — не задумываться, а просто выполнять свои обязанности. Я на «Бибе» делаю именно это. И тебя обязательно заметят. Я всегда утверждал, что талант пробьется. Я говорил это и Питеру Аллену, когда он пришел к нам работать. Ему все отказывали… а посмотри, как он сейчас ведет «Авторалли» на пятом канале.

После школы папа получил стипендию в Оксфорде, а потом сразу устроился на Би-би-си. Он даже не представляет себе, что такое работа в «Макдоналдсе». Хотелось бы мне знать, как работу уборщика можно превратить в искусство! Интересно, что он имеет в виду? Размахивать тряпкой над головой и завершать каждое движение выкриком «оп-ля»?

8 часов вечера

Сегодня заезжала Сара с Робом, чтобы обсудить приготовления к свадьбе. Похоже, Сара хочет устроить прием на корабле, который будет плавать по Темзе, и украсить все в мандариновых тонах. Я спрашиваю ее о Чарли, и она говорит, что ничего не может сделать. Потом она интересуется, говорил ли мне папа о вечере памяти мамы и что я сам думаю по этому поводу. Судя по всему, он собирается его устроить в апреле, в годовщину со дня ее смерти. Я отвечаю, что он мне ничего не говорил, и лично я считаю, что это глупая мысль. Но Сара заявляет, что все можно устроить «очень миленько», пригласить маминых друзей, и тогда этот вечер «сможет стать для всех нас новой вехой».

— И Чарли обязательно на него приедет, — добавляет она, пользуясь приемом откровенного шантажа.

Мама терпеть не могла папины приемы, на которые он приглашал своих знаменитостей, и я их тоже ненавижу. Я всегда чувствую себя законченным неудачником, когда какое-нибудь светило пытается вступить со мной в беседу. «Значит, ты работаешь в «Макдоналдсе»! А чем именно ты там занимаешься?»

«Мою пол и подливаю татарский соус к рыбному филе».

«Как интересно! Мне было приятно с тобой побеседовать, но теперь мне надо перемолвиться парой слов с Анной Форд».

10 часов вечера

Шон дошел в энциклопедии до буквы «Г». Теперь он считает, что знает обо всем, что начинается на предшествующие буквы. Я позвонил ему и предложил встретиться, но он не стал меня слушать и начал объяснять, как ему трудно придерживаться режима с четырехчасовым сном. Даже с таблетками «Про-Плюс» меньше семи никак не выходит.

— Однако все изменится, когда я приду к власти и передо мной будут стоять по-настоящему серьезные проблемы, например связанные с внешней политикой. Когда читаешь о гусеницах — это мало вдохновляет.

С ним стало совершенно невозможно разговаривать, и это выводит меня из себя. В разгар моего рассказа о Чарли он меня обрывает и начинает талдычить о каких-то видах бамбука, которые за день вырастают более чем на три фута.

— Ты слышал, что я сейчас сказал о Чарли? — раздраженно переспрашиваю я, но он даже не улавливает намека.

— И знаешь, бамбук — ведь даже не дерево, это растение считается травой, — говорит он.

Воскресенье, 21 марта

Оп-ля! Позвонил в «Макдоналдс» и распростился со своей униформой. Уволен! Возвращая свой желтый значок Эдди, я ощущаю себя американским полицейским, бросающим вызов обществу. Прощайте, Маккретины!

Естественно, папа впадает в ярость. Неужели он не в состоянии пробиться к моей совести? Он говорит, что беседовал со своим приятелем Майклом Берком на церемонии вручения Национальной премии по радиовещанию. И когда тот поинтересовался, как идут у меня дела в «Золотых кебабах», папа был вынужден сказать, что я давно оттуда уволился и за это время сменил уже три места работы. «Мне пришлось краснеть из-за тебя. Его дети младше тебя, и все прекрасно работают».

— Я уволился, чтобы сохранить чувство собственного достоинства, — отвечаю я, и папа разражается саркастическим смехом.

— Чувство собственного достоинства! — восклицает он. — Это что-то новенькое. Однако правда заключается в том, что ты просто не хочешь работать. Я тоже могу придумать сто пятьдесят причин для того, чтобы не ходить на службу и не сражаться каждый день за «Биб», но мне надо платить по закладным и кормить вас. Все должны зарабатывать себе на жизнь. Так происходит во всем мире. Ты прожил уже почти четверть жизни, и пора бы понять эту простую истину. Я не могу больше тебя обеспечивать. Я — маленький человек, ростом всего пять футов два дюйма, и эта ноша мне не по силам.

Съездил с Джеммой к Элли. Процитировал ей папино высказывание о том, что он — маленький человек, ростом всего пять футов два дюйма и ему не по силам эта ноша, после чего мы оба хорошо посмеялись.

11 часов вечера

Когда я приезжаю домой, папа заводит разговор о вечере памяти мамы. Он говорит, что соберется около сотни «самых простых людей» (это значит — опять всякие знаменитости и никаких маминых друзей), и интересуется моими планами, поскольку надо будет многое организовать и он хочет, чтобы я оказал ему помощь. Я спрашиваю, нет ли у него ощущения, что все это несколько неуместно, и он проявляет полное непонимание.

— Никаких черных повязок на рукавах и скорбных лиц, — говорит он. — Лично я намереваюсь надеть свой радужный свитер.

Разговор заканчивается еще одной неприятной прогулкой по саду.

— Ты помнишь день, когда ей делали операцию? Господи, такое ощущение, что это было сто лет тому назад, — произносит он, потирая затылок и глядя на луну.

Этот вечер уже стал частью семейной легенды. Он состоялся через пару недель после того, как ей был поставлен диагноз. Мама лежала в Чилтернской больнице, где ей должны были удалить желудок. А мы все сидели дома и ждали звонка доктора Мейтланда, чтобы узнать, успешно ли прошла операция.

— Мейтланд тогда сказал, что удалил все метастазы, и мы бросились звонить ей. Ты помнишь? Лично я никогда не забуду этот вечер, — говорит папа с возмущенным смешком. — После шестичасовой операции, во время которой ей удалили весь желудок, о чем она говорила? Твоя мать заявила, как ей хочется поскорее вернуться к глажке белья! Это была потрясающая женщина. И как она трудилась ради вас.

Я подхожу к нему и обнимаю его за плечи. Папа не реагирует, но я не убираю руку. Мне стыдно за то, что я уволился, и за то, что мы с Джеммой над ним смеялись, и я пытаюсь ему сказать, что тоже думаю о маме, но он меня перебивает.

— И вот теперь она здесь, — он высвобождается из моих объятий. — Правда, старушка? — Он делает движение рукой, проливая половину стакана на траву, и поворачивается ко мне. Он закрывает глаза, выпячивает подбородок, и веки его начинают трепетать, словно он пытается подыскать верные слова.

— Твоя мать была для меня точкой опоры, — произносит он со сдержанным достоинством. — Мы состояли с ней в браке двадцать лет. Двадцать лет! Ты когда-нибудь думал об этом? — И он, снова разозлившись, брезгливо от меня отворачивается. — Сомневаюсь. Вряд ли твои куриные мозги в состоянии осмыслить это. Мне бы очень хотелось знать, волнует тебя хоть чья-нибудь жизнь, кроме собственной?

На его лице застывает лукавая улыбка, словно речь идет о чем-то неопровержимом, что он готов подтвердить вескими доказательствами, которые я не смогу опровергнуть.

— Ну давай, старичок, я ведь твой отец, — ответь мне, ты думаешь о ком-нибудь, кроме себя? Или о чем-нибудь еще, кроме своей несчастной книги?

Я чувствую, как меня охватывает гнев. Я пытался понять его, обнять его, я ни слова не сказал о Чарли, и вот он снова на меня набрасывается. Я чувствую, как лицо заливает краска, и, глядя ему в глаза, отвечаю:

— Конечно нет! Ты что, забыл? Я ведь недоразвитая горилла.

Папа от неожиданности моргает и тут же отворачивается с равнодушным видом. С секунду мы оба молчим, а затем он резко оборачивается, словно пытаясь заглянуть мне в мозг через ноздри.

— Можешь продолжать в том же духе, ты, мелкая...

И в этот момент я испытываю к нему настоящую ненависть. Он что, считает, что мы должны сидеть и выслушивать его пьяные бредни о маме, когда он накачается своим «Куантро»?! А когда кто-нибудь другой говорит, он будет затыкать уши? Целых одиннадцать месяцев я и словом не мог обмолвиться о маме, потому что он немедленно переводил разговор на другую тему и заявлял: «Мы сделали все, что было в наших силах» — или же заводил речь о себе и начинал сетовать на то, как ему плохо. Уже не говоря о том, что он все время использовал память мамы в своих интересах, заявляя, что она бы не одобрила то или это, хотя на самом деле выражал лишь свое личное мнение. Неудивительно, что он довел Чарли до ручки. Ведь Чарли — ребенок, а дети плачут даже тогда, когда расшибают коленку, и тем не менее считалось, что он должен молчать, когда умерла его родная мама!

Я бы очень хотел, чтобы меня убили на войне и папа оказался на моих похоронах. Хотя, возможно, и это не произведет на него никакого впечатления. Скорее всего он снова наденет свой радужный свитер. Бедная Сара. Хотя, вероятно, ее тоже будет волновать исключительно общий колорит мероприятия — «Думаю, папа, все должно быть выдержано в траурных тонах».

Понедельник, 22 марта

Папа отказался дать своей секретарше печатать мое резюме. Он говорит, что не хочет участвовать в моей лжи. Ну и что мне делать? Если я буду оставлять свое резюме повсюду, где работал, то количество экземпляров моей биографии скоро превысит тираж «Желтых страниц».

Я спрашиваю, не является ли это местью за предыдущий вечер, и он заявляет, что просто хочет мне объяснить, что такое принципиальность. Он превращается в настоящего викторианского отца. Еще немного, и он начнет прикрывать ножки банкетки у рояля. Ну что ж, теперь ему придется выбирать, какой сын ему больше нравится — законченный бездельник или вдохновенный лжец, так как третьего не дано.

Прошел собеседование в Консультативном центре занятости. Дама, беседовавшая со мной, порекомендовала заняться внешним видом и сообщила, что мне не хватает целеустремленности. Я согласился с ней и сказал, что собираюсь стать знаменитым писателем. Она рассмеялась, словно приняла это за шутку, и дала мне заполнить бланк, содержащий около сотни вопросов. Ответы потом помещаются в компьютер, и он выдает информацию о наиболее подходящей работе. Мне компьютер порекомендовал должность администратора. Это работа для глуповатых людей с ограниченным кругозором, которые разбираются в сортах чая. Дама выдала мне несколько формуляров для отправки в страховые компании, но я выбросил все в урну, как только вышел на улицу.

Я зарегистрировался в отделе по безработным, посетил Центр занятости и прошел собеседование на вакансию помощника продавца в магазине Карри Чешема. К сожалению, в Центре занятости нашлась дама по имени Хлоя, которой мое имя уже кое-что говорило. Мне было бы очень приятно встретить старую знакомую в пабе, но в Центре занятости это выглядело по меньшей мере неуместно. Я не успеваю войти, как она начинает кричать: «Дже-е-ей, неужели у тебя ничего не получилось ни в „Видео-Плюсе“, ни в винном магазине, ни в «Макдоналдсе», ни в таверне „Плуг“, ни в „Золотых кебабах“? Как это прискорбно». (Это наводит меня на мысль о том, что, если «Омнибус» когда-нибудь решит опубликовать обо мне статью и свяжется с Большим Элом, я обвиню его в мошенничестве и заявлю, что он ни разу не предупреждал меня о том, как опасно подавать кебабы на шампурах. Я же не ясновидящий. Он был обязан предупредить меня об этом.)

Короче, я решаю стать продавцом газонокосилок. И Хлоя договаривается, что я пройду собеседование в магазине по продаже газонокосилок. Я собираюсь овладеть секретами этого бизнеса и создать целую сеть всемирно известных центров по продаже садовой техники, нечто вроде ресторанов «Макдоналдса». Таков мой план. К тридцати пяти годам я стану миллионером и смогу сосредоточить свое внимание на более приятном времяпрепровождении: побью рекорд скорости на суше, буду сидеть у бассейна в форме фасолины и потягивать вермут через соломинку.

И тогда Чарли будет не о чем беспокоиться, и ему не придется работать в «Дольчис». Он будет жить со мной, и мы станем Беном и Джерри от садоводства. Мы будем разгуливать по своим апартаментам на Сейшельских островах в шелковых пижамах с монограммами, трахаться с крашеными блондинками по имени Фифи и Трикси, и с нами можно будет связываться только в случае крайней необходимости. «Мне говорят: «Джей, ты зарабатываешь кучу денег». А я отвечаю: «Мистер, я и трачу не меньше».

Кроме этого, я посылаю заявку на подготовительное отделение факультета журналистики. Папа терпеть не может журналистов, хотя многие знаменитые писатели начинали как репортеры. К тому же занятия будут проходить в Шеффилде, что будет очень кстати, если там восстановят Джемму.

10 часов вечера

Сегодня вечером Шон отказался пойти выпить. Он слишком поглощен чтением статьи о карибу.

— Надеюсь, ты занимаешься этим не потому, что считаешь себя геем? — спрашиваю я. — Ты ведь не из-за этого хочешь провести взаперти ближайшие два года? Не потому, что тебя волнует эта проблема? Послушай, ну давай встретимся, и я тебя с кем-нибудь познакомлю.

Шон говорит, что педерастия здесь ни при чем, и читает мне целую лекцию о том, что надо конструктивно подходить к собственной жизни и не тратить ее на фантастические мечты, которые никогда не сбудутся. Он считает, что мне никогда не удастся сделать карьеру с помощью газонокосилок. Но он ошибается, и я ему это докажу. Я прочитал уже пять брошюр и знаю, какими из них надо пользоваться при сухой погоде.

Вторник, 23 марта

— Здесь сказано, что последний год вы путешествовали, — говорит тип в магазине по продаже садовой техники.

И я отвечаю, что последние двенадцать месяцев действительно провел на яхте, участвовавшей в кругосветном плавании, поскольку хотел забыть о прошлом и завоевать себе репутацию энергичного человека.

— Но удастся ли вам вернуться к тихой обыденной жизни после таких приключений? — спрашивает он.

На что я говорю, что много об этом думал и все-таки решил направить свои усилия на продажу садовой техники.

— Мы тоже не хотим брать людей, только что закончивших школу, нас интересуют сформировавшиеся личности, уже успевшие повидать мир, — вежливо отвечает он.

Готовясь к собеседованию, я успел прочитать несколько брошюр.

— Да, думаю из таких людей могут получиться более успешные коммивояжеры, — говорю я. — Объехав полсвета, я приобрел умение общаться с самыми разными людьми, и теперь я знаю, как объяснить им, что не надо покупать «Маунтфилд-16ХП», а вместо этого приобрести «Хонду-450» с присадкой для сбора скошенной травы.

Доехав до дому, я узнаю, что принят на работу.

— Примите мои поздравления, — сообщает мне по телефону директор магазина Осси. — Вам так повезло, что вы будете заниматься именно этим бизнесом. — И я еле сдерживаюсь, чтобы не рассмеяться.

На Джемму мое новое место службы не производит никакого впечатления.

— Газонокосилки... — произносит она, как будто в магазине садовой техники можно продавать что-нибудь более выдающееся.

— Я нашел новую работу, — с торжествующим видом сообщаю я папе, глядя, как он отскребает нашу подъездную дорожку.

— Очень хорошо, — отвечает он, — значит, ты сможешь оплатить мытье дорожки. Потому что из твоего фургона течет масло. И пока ты его не починишь, паркуйся, пожалуйста, на общей стоянке. Ну а поскольку ты уже дома, докончи отчищать дорожку сам. Мне уже надоело убирать за тобой. — И где он только этого поднабрался? Думаю, в каком-нибудь журнале для родителей.

А потом еще и Роб внес свою лепту. Он заезжает якобы для того, чтобы заказать каюты для свадебного путешествия, но на самом деле это лишь повод провести со мной воспитательную беседу. Терпеть не могу этой покровительственной манеры. Он старше меня всего на пару лет.

— Ты же не собираешься снова становиться официантом? — спрашивает он. — Почему бы тебе не прислушаться к отцу и не позвонить его приятелю? Это же будет здорово — снимешь себе квартиру, будешь жить вместе с Джеммой, устраивать вечеринки.

Удивительно, как это у них все правдоподобно звучит, у этих ответственных людей. Все сломленные люди мечтают только о том, чтобы другие тоже сломались. Тогда их собственная ноша начинает казаться им более легкой. Тогда у них возникает иллюзия, что все справедливо. Но беда в том, что ответственность поделить нельзя. Это будет означать лишь то, что кто-то другой будет возмущаться растущими ценами на детскую обувь. Я никогда не буду брать на себя ответственность за что бы то ни было. Скорее я захлебнусь в собственной блевотине, чем куплю себе пресс для брюк.

Перед тем как я ложусь, папа показывает мне предварительный список гостей, которых он собирается пригласить на вечер памяти мамы. И я замечаю, что он отпечатан его секретаршей. Папа гордо заявляет, что в этот вечер у нас соберется членов парламента больше, чем на пресс-конференции у премьер-министра, уже не говоря о других знаменитостях. Он говорит, что собирается нанять в ресторане выездное обслуживание, так как Саре одной не справиться. Он говорит, что все будет организовано в саду, чтобы гости не затоптали ковры, что он обязательно договорится о приезде Чарли, и даже упоминает, что пригласил симфонический оркестр Би-би-си. Думаю, к апрелю он договорится еще и о трансляции по радио.

Среда, 24 марта

Первый день работы в магазине садовой техники. Единственное, что я могу сказать, — хорошо, что я не попал туда раньше. Я подмел демонстрационный зал, поднял наверх семикилограммовую вывеску, протер десять газонокосилок и привинтил к трактору аккумулятор, на боку которого было написано «1000 вольт». Опасаясь быть убитым током, я поинтересовался у Осси, где расположены положительные и отрицательные клеммы.

— Какая разница? Поставь его на место, и все, — ответил он.

А когда я осторожно начал привинчивать первое соединение, он изо всех сил заорал: «Ба-бах!» Я так подскочил, что оказался посередине демонстрационного зала и рухнул на полку, а все присутствующие разразились хохотом. Судя по всему, они так забавляются со всеми новичками, что было бы небезынтересно узнать инспектору по безопасности.

Потом Осси объясняет мне, что такое карточки и товарные накладные, и я усиленно киваю, хотя мысли мои блуждают очень далеко.

— Ну ладно, а теперь повтори, — закончив, говорит он, и мне приходится попросить его объяснить все еще раз с начала.

— Надеюсь, теперь ты будешь слушать внимательнее, — замечает он.

До чего же он отвратительный. Толстый, и глаза посажены так близко, словно его лицо является диаграммой Венна.

Когда я возвращаюсь домой, мне звонит парень из «Чешем карри» и интересуется, куда я делся. Я совсем забыл, что должен был выйти к ним сегодня на работу. Я говорю, что передумал и решил заняться продажей электрооборудования.

— Это очень непрофессионально, — говорит он.

— Всего доброго, — отвечаю я и вешаю трубку.

Вечером опять ходил к Шону. Весь их дом забит ящиками — родители уже начали перевозить вещи в Шотландию.

— Он у себя, — говорит миссис Ф., — но я бы на твоем месте не стала туда заходить — там такая вонь! Даже грузчики отказались туда заходить, правда, Джефф?

Но отец Шона даже не поднимает головы от газеты.

— Там действительно здорово воняет, Джей. Постарайся убедить его открыть окно. У него такой запах, словно в комнате кто-то сдох, — говорит он.

Шон лежит в кровати и читает статью о Дарданеллах. Я сажусь у него в ногах и принимаюсь перелистывать распечатки. Кое-какие не очень понятные места Шон выделяет, чтобы потом еще раз их перечесть. Зато очевидно, что он отлично усвоил статью о моли, а также о заготовке леса в Центральной Америке.

— Почему я такой? — тягучим голосом спрашивает он, откладывая энциклопедию. Наверное, он и вправду много читает, потому что глаза у него покраснели от напряжения. К тому же у него очень усталый вид. — Почему мне никак не удается приспособиться к жизни? Почему так происходит? — Шон поднимает на меня взгляд, и я пожимаю плечами. — Вот именно, — говорит он. — Я отреагировал точно так же, когда меня сегодня спросил об этом папа. Ну и сука же он! Наверное, он тебе уже натрындел про запах в моей комнате.

— Да, он считает, что у тебя кто-то сдох.

— Сдохло мое уважение к нему! — кричит Шон так, чтобы сквозь тонкую перегородку его слышали родители.

— Но самое интересное, что, когда я окажусь в кабинете министров, — продолжает он, глядя на меня с диким видом, — он первый ко мне прибежит. Первый! — И он принимается изображать отца: «Ой, Шон, а можно я пойду с тобой на обед, который устраивает Конфедерация британской промышленности? А можно мы с мамой придем на прием к послу Израиля?» — Шон почти полностью распластался на полу и кричит изо всех сил, чтобы его отец наверняка слышал это в гостиной. — И если он думает, что я буду ему помогать, когда войду в правительство, то он сильно ошибается. Скорей всего я попрошу, чтобы на месте его вонючего дома устроили транспортную развязку, — говорит Шон.

— Дом воняет только из-за того, что в нем находишься ты, — раздается снизу приглушенный голос его отца.

— Шон, почему бы тебе не сходить к врачу? — спрашиваю я, когда он немного успокаивается. — К какому-нибудь специалисту по мозгам. (Мне не хочется произносить вслух слово «психиатр».)

— Ты имеешь в виду академика?

— Нет, медика. Я могу все это организовать. Что скажешь?

— Значит, ты действительно счастлив с Джеммой? — спрашивает он, меняя тему разговора.

— Очень многие люди обращаются к специалистам, Шон. Это помогает разобраться в себе. Тогда ты сможешь найти работу и остаться здесь. Ведь ты не хочешь ехать в эту несчастную Шотландию? — Мне грустно думать о том, что он может уехать в Шотландию.

— Теперь тебе не надо тратить время на то, чтобы клеиться к другим. А если Джемма уедет в Шеффилд, может, поживешь у меня? Будем лежать и читать «Британнику». Можем даже устраивать соревнования.

— Шон, вы скоро уезжаете, и ты и так уже провел у себя в комнате полгода.

— Неужели твой отец не позволит мне пожить в комнате Чарли?

— Шон, Чарли еще даже не уехал. Представь, что он подумает, когда вернется и застанет тебя в своей комнате? Послушай, я знаю кучу людей, которые обращались к специалистам.

— Да брось ты, давай лучше устроим соревнование. Я даже дам тебе фору. Можешь начинать читать с буквы «Г».

— Шон, тебе надо устроиться на работу. Ты должен прийти в себя. Меня тревожит твое состояние. Мне кажется...

— Что?

— Мне кажется, что с тобой что-то происходит.

Шон отворачивается и принимается расчесывать собственную физиономию.

— Ну ладно. Не хочешь начинать с «Г», начнешь с «Д».

Четверг, 25 марта

Я заметил, что, когда Осси рассказывает о газонокосилках, он постоянно пинает их ногой, словно говоря: «Вот видите, в каких я с ними приятельских отношениях». Я тоже попробовал это проделать, когда рядом никого не было, а Осси проверял в кабинете товарные накладные, однако поскользнулся на только что вымытом мною же полу и оставил след собственного ботинка на контейнере для сбора травы.

Днем в Чалфонте — обучающий курс по продаже комплектующих. Мы с Осси представляем магазин газонокосилок. На всех присутствующих ботинки на каучуковой подошве и пиджаки с блестками, я уже не говорю о разговорах: «"Вестленд" губит вибрация. Даже новая аудиовизуальная система не спасет его». «Все дело в масляных каналах. Продуй их, и все будет тип-топ». «А ты когда-нибудь ездил на „Кадете-750"? Вот классная машина». «А у четыреста пятьдесят восьмого улучшенная коробка передач, но слабая передняя ось, так что толку от нее никакого». Я с ужасом жду конца недели, когда будет проводиться тестирование на знание товаров. Что, интересно, я еще должен о них знать?

Я чувствую себя очень уставшим, когда добираюсь до дома, и тут папа снова начинает меня пичкать своим куриным карри. Я занимаюсь физическим трудом, и мне необходимо полноценное питание, а не какая-то безвкусная пища, которой досыта не накормишь и воробья. Может, он хочет, чтобы я окончательно ослаб и попал под резаки трактора в двести лошадиных сил? Однако, когда я открываю рот, папа требует, чтобы я заткнулся, так как он встал на четыре часа раньше меня, и в сотый раз напоминает, чтобы я ничего не планировал на 24 апреля, когда состоится вечер памяти мамы. Это настолько выводит меня из себя, что, когда звонит Сара, я спрашиваю, нельзя ли мне будет отмазаться от этого мероприятия.

— Но ведь это папины друзья, Джей, — говорит она. — Это люди, с которыми он постоянно общается. Как мы можем запретить ему их приглашать?

Я объясняю, что тогда весь вечер памяти превратится в повод для того, чтобы папа пофотографировался с разными знаменитостями.

Но Сара заявляет, что я несправедлив к нему.

— Не смеши меня, — говорит она. — Ты постоянно издеваешься над папиными знаменитыми друзьями, а сам только и мечтаешь о том, чтобы прославиться. Ты ведь именно для этого решил стать писателем? Ну давай, говори — так или не так?

Я отвечаю, что это полная чушь, но вдруг Сара права? Может, я действительно хочу стать писателем только для того, чтобы выбиться в люди? Ведь слава — это единственное, что обладает ценностью в папиных глазах. И уж точно меня не станут кормить куриным карри, если мое имя окажется в «Знаменитых современниках» Дебре.

10 часов вечера

Джемма даже не собирается искать работу. Сегодня утром она получила письмо из Шеффилда, в котором сообщается, что ее восстановили.

Когда она сообщает мне об этом, я стараюсь выглядеть счастливым и говорю, что это здорово, но голос мой звучит отчужденно и вяло. Чтобы меня подбодрить, Джемма предлагает летом отправиться вместе путешествовать. Однако потом мы снова ссоримся из-за ее бывшего сокурсника Рода, который звонит, чтобы ее поздравить. Я слышу, как она смеется и говорит: «Серьезно, ты собираешься летом работать в кибуце? Вот здорово. Я тоже хочу».

И дело не в том, что Род ей когда-то нравился, а в том, что она знает, что мне об этом известно. Стоит случайно его упомянуть, и она тут же бросает на меня косой взгляд, смысл которого мне до сих пор неясен. Или она провоцирует меня на очередную шутку, или хочет сказать: «Ха-ха, а ведь ты меня ревнуешь».

— Ну и катись со своим верзилой Родом! — кричу я перед тем, как выбежать из дома (и с чего я взял, что Род — верзила?). — Пусть эта жердь таскает на себе твой рюкзак.

Когда я добираюсь до дому, задняя дверь у нас открыта, и из розовых кустов доносится характерное звяканье стакана. Я и так доведен до предела и совершенно не склонен проводить еще один промозглый вечер в спорах с папой о том, в какой мере я напоминаю приматов, поэтому я пытаюсь незаметно прошмыгнуть мимо него. Однако, вероятно, он успел заметить свет моих фар, так как не успеваю я зайти в ванную, как он тут же входит туда вслед за мной.

— Ну что, старичок, моемся в темноте? — пьяно растягивая слова, осведомляется он.

И выталкивает меня на улицу. Однако, похоже, события предыдущего вечера полностью стерлись из его памяти, и он ведет себя вполне приемлемо.

— С лестницы всегда можно спрыгнуть, если ты на нее забрался, — замечает он, видимо объясняя мое подавленное состояние первым днем работы. — Мой добрый друг Алан Прайс писал песни для «Энималз», а для того, чтобы обеспечить себя, целых пять лет работал налоговым инспектором. Вот как живут настоящие писатели — они зарабатывают себе на жизнь для того, чтобы заниматься творчеством. А не наоборот.

Меня это слегка подбадривает. Мне нравится эта фраза о настоящих писателях. Он это так произнес, словно и меня к ним причисляет.

Он похлопывает меня по спине и произносит:

— Ради мамы позвони моему приятелю из Сити. — После чего разворачивается и уходит в дом, откуда доносятся позывные таймера.

Я чувствую себя довольно неловко. Я совершенно не собираюсь звонить его приятелю из Сити, но мне вдруг становится стыдно за то, как я себя веду. Однако эта неловкость длится ровно до того момента, пока я не обнаруживаю, что означал писк таймера. Ибо на кухонном столе лежит пятнадцать упаковок, завернутых в фольгу, а стоящий над ними папа с видом человека, разливающего на свадьбе шампанское, раскладывает порции своего несчастного куриного карри.

Я как-то читал об одном чуваке, у которого выросла грудь из-за того, что он постоянно питался курицей. Я не хочу, чтобы у меня выросла грудь.

Только что позвонила Джемма спросить, все ли у меня в порядке. Я ответил, что все отлично, и она сказала, что все это — полная ерунда и наши отношения все равно не изменятся.

— Я весь вечер думала о тебе, — говорит она. Я отвечаю, что тоже думал о ней, и извиняюсь, при этом мне кажется, что лицо у меня начинает походить на маску клоуна — так усиленно я стараюсь улыбнуться.

Не помню, когда я в последний раз был собой доволен. Это обстоятельство тоже меня очень огорчает. Я не хочу быть неудачником, я хочу что-нибудь сделать, но вот что? Может, действительно заняться журналистикой? Но я хочу стать писателем и не понимаю, зачем для этого нужно заниматься чем-то другим. Хотя, с другой стороны, кто сказал, что я им стану? Мой юмористический рассказ о ваннах был отвергнут даже приходским журналом.

Вся беда в том, что меня не волнует, где я работаю, в отличие от папы и его Би-би-си. Младенец, появляющийся на свет, жаждет знания — он обучается самому сложному языку, объясняющему, как координировать свои движения и общаться с окружающими. Потом он вырастает, идет в школу и изучает историю, литературу, философию, экономику, географию и естественные науки. А потом огромный компьютер, расположенный в нашем мозгу, вдруг издает пронзительный сигнал, сообщая нам, что у него есть ответ: смысл жизни заключается в том... чтобы обновить десятилетнюю программу общественного вещания Би-би-си. Или в том, чтобы организовать самый чистый и продуктивный филиал фирмы «Монтонс». Или в том, чтобы продать сотню газонокосилок. Но все это полная фигня. Одно из двух: или нам требуется более объемный мозг, для того чтобы воспринять всю картину мироздания, или, наоборот, более мелкий, как у животных, чтобы нас ничто не интересовало, кроме пищи — типа «Кто это там в кустах? А не съесть ли мне его?».

Пятница, 26 марта

Утро сегодня выдалось спокойное и тихое. Продал нож для «Маунтфилда-М1336» и три воздушных фильтра, нашел микрофишу с «Хондой» и уехал в Стоу-на-Пустоши на курсы повышения квалификации. Зарегистрировался в гостинице и тут же отправился на ферму, где проводилась демонстрация газонокосилки 512-й модели с комплектующими для вспашки земли. Мик, представитель филиала в Уилхорсе, предупредил меня, что я просто влюблюсь в эту газонокосилку. Возмутившись его высокомерным чванством, я заявил, что время покажет, и добавил, что мне не свойственна любовь с первого взгляда.

Пришлось на пробу вспахать одну полосу, что оказалось довольно скучным занятием, хотя все остальные радовались как дети, что заставило меня осознать, что я не гожусь для этого занятия.

Чтобы утешиться и отвлечь внимание окружающих от того, что я не участвую в обсуждении процесса скашивания растительности, начал собирать самые вкусные печенья с разных тарелок во время небольшого фуршета в гостинице. В финале Мик встает на стул и объявляет, что следует лечь спать пораньше, так как завтра встаем в семь утра и отправляемся смотреть новый двусторонний плуг «Ридел», который является «настоящим красавцем».

Я решаю не ходить на ужин и вместо этого делаю себе сэндвичи с чеддером на гладильном аппарате, после чего остаток вечера провожу в своем номере, поглощая бесплатный алкоголь из миниатюрных бутылочек, изображая из себя великого импрессарио и заставляя администратора связывать меня с разными знаменитостями. «Да, я бы хотел, чтобы вы меня соединили в Алеком Болдуином. Да, тем самым Алеком. И еще не наберете ли вы мне номер Роуэна? Роуэна Аткинсона. Не знаете номера? Сейчас я вам скажу».

Перед тем как лечь, звоню Джемме, чтобы извиниться за предыдущий вечер, и говорю, что мы должны стать не изгоями, а охотниками и собирателями, я только что посмотрел про них программу по телевидению. У этих людей потрясающе интересная жизнь. Никаких курсов повышения квалификации в собирании ягод. Никто никому ничего не приказывает. В понедельник убил карибу, во вторник собрал пару-тройку яблок, и спи-отдыхай. Никто не знает, что охотники и собиратели делают в оставшееся время. Возможно, занимаются сексом и играют в чехарду. И уж точно их не интересуют новые марки «пежо», двусторонние плуги и вся остальная дребедень, от которой нынче нет прохода.

Чтобы избавить меня от чувства ревности, Джемма говорит, что рост у Рода всего пять футов три дюйма, и еще у него острый кадык.

— Насколько острый? — спрашиваю я.

— Очень острый, — отвечает она.

— Настолько острый, что он не может носить шарф?

— Да.

Мы оба разражаемся смехом, и перед тем, как повесить трубку, я называю ее Джем-Джем, а она меня Ежом.

Хорошо бы, чтобы все население земного шара объявило столетние выходные. Что такое сто лет по сравнению со всем тем временем, которое люди трудятся, начиная с Великого взрыва? За сто лет мы сможем прочитать все хорошие книги и посмотреть все классные фильмы. Сто лет полного безделья. Чтобы прокормиться, нам хватит замороженной в Исландии пищи. Никто не будет голодать. Никакого экономического роста, никаких стиральных машин и новых «фордов», обладающих более совершенными аэродинамическими свойствами по сравнению с предыдущими моделями. Человечество нуждается в столетней передышке, для того чтобы понять, что жизнь не исчерпывается саморегулирующимися чайниками, все уменьшающимися компьютерами, личными органайзерами и «Пежо-206».

18 ноября: Мама сегодня очень подавлена. Говорит, что ей приснилось, что она делит между Сарой, Чарли и мной содержимое холодильника — каждому по упаковке жаркого. Еще она говорит, что ей не хотелось бы, чтобы в доме появилась другая женщина, и спрашивает меня, что я думаю по этому поводу. Я ничего не отвечаю и просто обнимаю ее за плечи.

Вчера ей снова делали прокол и выкачали из нее семь пинт жидкости. Но уже через несколько дней отеки снова начинают нарастать. Вечером мы с папой отправляемся ужинать в «Полную луну», а мама, воспользовавшись кратковременным улучшением состояния, вместе с Чарли едет развозить выглаженное белье. Папа пытается объяснить мне целый ряд практических проблем.

— Через некоторое время нам придется пригласить сестру-сиделку, так как вряд ли мама захочет поехать в хоспис, — говорит он. Еще он объясняет, что, возможно, нам придется продать дом, если мама потеряет способность двигаться. — А еще я буду вынужден перевести все имущество на свое имя. — В свое время из-за налогов, а также потому, что он считал, что умрет первым, папа все записал на мамино имя.

Вернувшись домой, мы усаживаемся смотреть «Пушки острова Наваррон». Для того чтобы забыться и отвлечь меня от вопросов, связанных с мамой, он постоянно все комментирует — технические детали съемок каждой сцены и революционные открытия в кинематографии, как, например, показ происходящего через окуляры бинокля. Я бы предпочел, чтобы он просто расплакался, тогда бы и я мог дать волю слезам.

Суббота, 27 марта

Сегодня ночью мне приснился на редкость странный и символический сон. Это было действительно потрясающе. В этом сне слава не являлась прерогативой одних лишь писателей, художников и музыкантов, а равномерно разделялась между представителями всех профессий. Одну неделю самыми знаменитыми считались мусорщики, вторую — ассенизаторы, третью — представители еще какой-нибудь профессии. Например, в моем сне слава распространялась исключительно на торговцев газонокосилками. Это было что-то фантастическое. Я получал огромные деньги за то, что привинчивал рукоятки к газонокосилкам фирмы «Вебб», а представители «Паркинсона» раболепно интересовались у меня, как работает новая марка «Маунтфилда» на сырой траве. Даже папа повесил мою фотографию в бильярдной. Естественно, проснувшись, я почувствовал себя крайне неуютно, когда понял, что я по-прежнему никто.

Однако на самом деле в этом мире все должно быть устроено именно так, как в моем сне. Я должен приезжать в магазин в «порше» с тонированными стеклами, меня должна встречать толпа энтузиастов садоводства — они подбрасывают в воздух шарики, я оставляю автографы на их ведрах для сбора травы, и они скандируют сказанную мною фразу: «Принесите свой „Флимо-ТХ1“, и я обменяю вам его на „Хонду-345“, добавив к ней набор секаторов».

Честолюбивые подростки встречаются после уроков и объединяются в команды по продаже газонокосилок, надеясь, что их заметят представители маркетинга и они смогут пробиться к вершинам славы. Вот как все это должно быть устроено.

Майкл Бэрримор. И когда вы впервые почувствовали желание стать продавцом газонокосилок, Джей?

Я. Видите ли, Майкл, когда мне было пять лет, папа купил газонокосилку, и это произвело на меня огромное впечатление.

Весь день провел в гостиничном номере, названивая разным знаменитостям, чтобы забыть о том, какой я неудачник, а также чтобы не думать о полоске пригоревшего сыра на гладильном аппарате, которую не отскрести никакими силами. Может, у меня отсутствует какой-нибудь ген, отвечающий за работу? Может, мне вообще не досталась хромосома, отвечающая за полный рабочий день? Может, все дело именно в этом? И когда я умру, эта вопиющая аномалия будет обнаружена патологоанатомом, и тогда папа поймет, как он был неправ, отравляя мне жизнь: «Если бы мы только знали о том, что у него отсутствует хромосома, отвечающая за полный рабочий день! Как я виноват перед ним!» Хнык-хнык-хнык.

Джемма хочет, чтобы я познакомился с ее бывшими однокурсниками. Она сказала об этом сегодня, когда я вернулся из Стоу-на-Пустоши. Она пытается восстановить с ними контакты. И кое-кто из них должен приехать к ней через пару дней. В том числе Верзила Род, вкрадчивым голосом сообщает она, и Алан, который должен мне понравиться, так как он писал комедийные скетчи для Расса Эбботта.

Но что бы Джемма ни говорила, я все равно не могу отделаться от мысли, что рано или поздно она с кем-нибудь от меня сбежит. Всем известно, что стоит расстаться, и отношения рушатся. Устоят ли наши? Но когда я начинаю говорить об этом, Джемма заявляет, что я веду себя как параноик. Я с трудом переношу даже то, что ей нравится Рутгер Хауэр. Я все время вспоминаю его фильм «Попутчик» и представляю себе, как Джемма подбирает Хауэра по дороге в Шеффилд и сбегает с ним. У меня прямо тошнота к горлу подкатывает: стоит какой-нибудь знаменитости в широком пальто что-нибудь вякнуть, и меня бросят.

Воскресенье, 28 марта

Вместо того чтобы уволить, меня повысили по службе. Осси вызвал меня в свой кабинет и сообщил, что я могу занять половину его стола и пользоваться тремя верхними ящиками стеллажа.

— Мы хотим, чтобы ты чувствовал себя ответственным человеком, — заявляет он.

Вероятно, Осси ничего не знает о курсах повышения квалификации, чему я должен бы радоваться. Но почему-то это погружает меня в глубокое уныние. Единственное, о чем я думаю, так это о том, что рано или поздно Осси обо всем станет известно, и он отберет у меня ящики. Почему-то это меня волнует. Всего три ржавых ящика — не какая-нибудь ядерная кнопка, — а я уже начинаю ощущать себя ответственным человеком. Ящики начинают меня привлекать.

9 часов вечера

Сегодня мы с Джеммой, чтобы не возвращаться к теме Шеффилда, сочиняем эскапистский сценарий, в котором мы исполняем роли героев-изгоев. Меня звали Рэй Дуди, и я был этаким ковбоем в духе Берта Рейнолдса, который постоянно повторял: «А вот хрен тебе!», а Джемма была моей подружкой в духе Салли Филд. Вся история заключалась в том, что мы играли на гитаре у костра, ели мясные консервы и колесили по Америке в старом фургоне под названием «Сестренка», который то и дело перегревался, и тогда мы хлопали его по приборной доске и повторяли: «Ну же, Сестренка».

Сценарий получился идиотский — если не считать скрытой рекламы мясных консервов, — однако настроение у меня улучшается, и перед уходом я даже впадаю в сентиментальность. Мы

обмениваемся свитерами, чтобы они напомина-
ли нам о запахе друг друга. Свитер Джеммы сла-
бо пахнет женским дезодорантом «Шуэ», а мой
наверняка соусом макриб.

11 часов вечера

Когда я возвращаюсь домой, меня встречает папа, который тут же берется обучать меня именам
всех министров, чтобы я подготовился к вступи-
тельному тесту на отделение журналистики, который должен состояться на следующей неделе.
Затем он органично переходит и к остальным
знаменитостям. Ему это доставляет особое удовольствие, так как большинство этих знамените-
стей находится с ним в приятельских отношениях, что он и не забывает подчеркивать.

Я прихожу к выводу, что собиратели и охотники ничуть не лучше сегодняшних карьеристов,
мечтающих о «Пежо-206». Скорей всего, они никогда не играют в чехарду. Наверняка большую
часть времени эти люди проводят в спорах, у кого
острее палка и кто собрал больше ягод. Думаю,
и у них есть свои знаменитости — какой-нибудь
парень, который лучше всех разводит костер или
дальше всех бросает копье. И у него наверняка
имеются поклонники, которые изображают себя
в обнимку с ним на стенах своих пещер. Как это
прискорбно. Но такова человеческая природа: люди всегда будут стремиться к знаменитостям,
и ничего с этим не поделаешь.

Понедельник, 29 марта

Получил взбучку от Осси за то, что промотал занятия по повышению квалификации. Он назвал меня «долбаной жопой». Как ни странно, но это нас каким-то образом сближает, и я начинаю испытывать к нему чуть ли не сыновние чувства. Поэтому я извиняюсь совершенно искренне. Днем я удваиваю свои усилия и продаю две газонокосилки и пару секаторов, а после того, как я нахожу разъем сцепления на микрофише, менеджер запихивает мне за ухо карандаш и называет меня гением. «Смотри-ка, а ты растешь», — замечает он, и я ощущаю невероятный прилив гордости. В «Высокой чапарели» есть место, где толстяк по имени Бен Какой-то говорит Новичку, что труднее всего обуздать дикого мустанга, но если сделать это, то лучше него лошади не найти. Может, это как раз про меня? Может, я — дикий мустанг?

Отвратительный вечер с университетскими друзьями Джеммы. Его даже вечеринкой не назовешь. Какой-то торжественный обед. Все изображают собственных родителей и обмениваются репликами типа: «Вам подлить вина?» — «Ах да, самую чуточку». Все уверяют Джемму, что очень счастливы, что она возвращается, и рассказывают о разных тусовках, которые планируются в ближайшее время, типа Великих Скачек в Пижамах в центре Шеффилда и еще какой-то развлекухи в месте под названием «Лимит». Во время десерта ко мне подсаживается Алан, который говорит, что, как он слышал, я «тоже пописываю», и предлагает встретиться в телецентре с другими писателями. Но я понимаю, что он хочет помочь мне лишь потому, что ему надо выяснить, какой нож лучше подходит для паддока с шероховатой поверхностью. В результате я извиняюсь и ухожу домой, а Джемма обвиняет меня в необщительности. Воистину, я пописываю!

9 часов вечера

Папа принес Чарли большую коробку из-под чая. Она ему понадобится для того, чтобы перевезти в Роксбург свои вещи в конце недели. В прошлом году Чарли играл роль капитана Хука у себя в школе и с тех пор собирает медные и серебряные безделушки, делая вид, что у него есть сундук с сокровищами.

Вечером папа опять на меня набрасывается.

— Я не утверждаю, что все это дело твоих рук. Но неужели ты не можешь, хотя бы ради разнообразия, оказать на него положительное влияние? Я уже устал от того, что на каждом шагу ты ставишь мне подножки. Он все равно уедет в интернат, я уже заплатил за обучение, и дело с концом. Но он равняется на старшего брата... И это налагает на тебя определенную ответственность... Я не возражаю против кочерги и щетки для сажи, но серебряные ложки, которые я получил от деда, — им же сто двадцать лет!

Я обнаруживаю, куда папа спрятал электронную панель управления, подаренную мной Чарли, и до самой темноты мы играем с ним в саду в Человека за Шесть Миллионов Долларов.

Вторник, 30 марта

Сегодня, когда я выдвинул один из своих ящиков, Осси закричал: «Что?!», и я сразу понял, что это вызвано какой-то моей оплошностью, и отправился в зал под тем предлогом, что мне туда надо отнести набор рукояток.

Однако не прошло и нескольких минут, как он позвал меня в кабинет. Он сидел за столом и держал в руках какую-то бумагу. Это был счет из гостиницы «Единорог» на сто тридцать фунтов стерлингов за телефонные звонки и испорченный гладильный агрегат. Он спрашивает, что это значит, и я говорю, что у меня в кармане брюк случайно оказался кусочек сыра, который и пристал к прессу, когда я их гладил, чтобы аккуратно выглядеть на демонстрации плуга с обоюдоострым резаком.

— Не мог же я пойти на демонстрацию в неопрятном виде... Думаю, мне кто-то специально подсунул этот сыр. Вы же знаете этих торговцев газонокосилками! — И я напоминаю ему о том, что говорят ковбои о диких мустангах.

— Ну и что они говорят? — с саркастическим видом интересуется Осси, подписывая чек и даже не глядя на меня.

— Они говорят, что труднее всего обуздать дикого мустанга, — отвечаю я. — Но если ты его объездил, то лучшей лошади не найти.

Осси прекращает писать и пялится на меня с непонимающим видом.

— Мы здесь занимаемся бизнесом, а не разведением лошадей, — произносит он и рвет чек на двадцать девять фунтов пятьдесят четыре цента (моя зарплата составляет меньше ста тридцати фунтов стерлингов).

Нет, все в этом мире не так. Продажей комплектующих к газонокосилкам должны заниматься роботы. И вечером я сообщаю об этом папе.

— Необходимо внедрять новые технологии. Если у нас в машинах есть саморегулирующиеся окна, почему бы не произвести металлических Микки-Маусов, которые будут выполнять всю тяжелую работу в магазинах по продаже садовой техники?

— Тебя снова уволили? — спрашивает он.

— Вовсе нет. Стоит мне выразить точку зрения, отличающуюся от твоей, и ты тут же считаешь, что меня уволили!

— Так тебя уволили?

— Ну уволили.

Меня не оставляет в покое эта фраза, сказанная приятелем Джеммы о том, что «я пописываю». Неужто то, чем я занимаюсь, так и называется? Толстой прав: писать следует только тогда, когда, каждый раз обмакивая перо в чернильницу, ты оставляешь в ней частицу своей души. А когда пишу я, ничего подобного не происходит. Вечером перечитал начало своего романа. Он весь пронизан полной неспособностью Пижона что бы то ни было сделать. Единственное, что мой герой делает, это бездельничает и ругается. Я начинаю испытывать к нему те же чувства, которые папа испытывает ко мне: «Послушай, я написал про тебя уже три страницы, так сделай же наконец уже что-нибудь!».

Папа считает, что все свои поступки я совершаю специально для того, чтобы потом включить их в свою книгу. Он сообщает мне об этом позднее вечером. Он думает, что я постоянно увольняюсь именно из-за этого.

— Ты просто экспериментируешь надо мной и ждешь, как я отреагирую, — заявляет он. — И не говори, что это не так, потому что я читал твой дневник.

Я отвечаю, что он просто срывает на мне зло из-за того, что я вывел его в рассказе о ваннах в самом неприглядном виде.

Но может, он прав и я действительно законченная жопа? Золотые годы моей жизни завершились семь лет тому назад, когда я закончил школу в Чолсбери. Там у меня все получалось. Мое имя было внесено в справочник Бета по математике, я был капитаном школьной футбольной команды, встречался с единственной девочкой, которая походила на девочку, и обладал полным набором наклеек с футбольными звездами Кубка мира. Тогда было легко понять, насколько хорошо у тебя складывается жизнь, потому что все занимались одним и тем же. Грубо говоря, если ты мог хорошо подать мяч, числился в хорошистах и по-французски целовался с девочкой за стеной библиотеки, то можно было не сомневаться в том, что жизнь у тебя удалась. Но стоило повзрослеть, и все начало усложняться. Поменялись правила. Футбол перестал быть единственным хобби, и в уравнение начали входить такие понятия, как верховая езда, коллекционирование марок, музыкальные пристрастия и прочие формы досуга. А это все несоразмерные вещи. Можно ли сопоставить два гола, забитых левой ногой команде Лей-Хилла, с дипломом пятой степени за игру на гобое? Невозможно.

А когда заканчиваешь школу и устраиваешься на работу, ситуация еще больше осложняется. Что лучше — архитектор, водопроводчик, дилер, агент по недвижимости или продавец? Единственной формой самооценки становятся деньги. Но и этот показатель ненадежен, потому что в разных компаниях платят по-разному, а некоторые профессии представляют больший интерес и обладают большей притягательностью. Не говоря уже о том, что существует множество других переменных, в соответствии с которыми можно оценивать свои успехи. Красота, коммуникабельность, рост, комплекция, количество волос на голове, ум, здоровье, привлекательность. Не пахнет ли от ваших ног? Угрюмы вы или забавны? Атеист или верите в Бога? Может, папа прав и я действительно стану бомжом? Но тогда я постараюсь стать веселым бродягой, и во внутреннем кармане куртки у меня будет жить белая мышка.

10 часов вечера

Еще один нервозный вечер с Джеммой — мы оба избегаем обсуждать ее отъезд в Шеффилд и продолжаем разрабатывать сценарий о Рэе Дуди и Суки Лу. Джемма считает, что нам необходима верная и преданная дворняжка. Она говорит, что в американских фильмах у таких людей всегда есть верный пес.

— Ладно, — соглашаюсь я. — А наша Сестренка не станет ревновать, если у нас появится верная и преданная дворняжка?

— Нет, если собака будет лаять всякий раз, когда мы будем говорить: «Ну давай, Сестренка», — отвечает Джемма.

— Как будто она тоже говорит «Давай, Сестренка»? — переспрашиваю я.

— Вот именно, — подтверждает Джемма. Кроме этого, она хочет заменить мясные консервы на отбивные, так как в отличие от меня не испытывает пристрастия к консервам.

Когда я целую ее на прощанье, она произносит вещь, от которой у меня на душе сразу становится легче. Она говорит, что ночью обнимала мой свитер, представляя себе, что это я. А когда я признаюсь, что то же самое делал с ее свитером, она наклоняется ко мне ближе и сообщает: «И я действительно улетела после этого!», причем произносит это таким сексуальным голосом, что мне приходится скрывать эрекцию дорожным атласом.

Больше всего на свете я хочу оказаться с Джеммой на необитаемом острове. Когда нам никто не мешает, у нас с ней прекрасные отношения. Мы бы ловили гарпунами рыбу, пили сок из кокосовых орехов и спорили, кто главнее, под огромными развесистыми деревьями. И лично я никогда не стал бы раскладывать костры, чтобы подать сигнал спасательному вертолету.

Среда, 31 марта

Съездил в Шеффилд и прошел тест для поступления на журналистику. Я не только знал все имена общественных деятелей в разделе «Общие сведения», но еще и написал в скобках, что трое из упомянутых лиц приглашены папой на наш несчастный вечер памяти.

Потом пошел выпить с одним из абитуриентов. Сначала он вел себя вполне прилично, а потом его заклинило, когда я сообщил ему, что журналистика для меня — это всего лишь определенный этап, а вообще-то я хочу написать великий роман.

— Что? Какую-нибудь чернуху? Да, в свое время я тоже об этом думал, — замечает он со снисходительным видом, явно намекая на то, что пора бы мне уже повзрослеть.

Вечером, когда мы с папой смотрим телевизор, я предпринимаю последнюю отчаянную попытку спасти Чарли. Я обещаю позвонить папиному приятелю из Сити, говорю, что сделаю все, что он захочет, и даже уйду из дома, если он изменит свое решение относительно интерната. Папа отвечает, что предложение, конечно, соблазнительное, но в данной ситуации не работает.

— Ты бы поменьше беспокоился о своем брате и побольше думал о себе, — добавляет он. — Потому что в первую очередь нас волнуешь именно ты. Опять увольнение, Джей. Ты потерял еще одну работу! Теоретически, когда бегуны стоят на старте, победить может любой из них, — продолжает он уже в более сдержанной манере. — Думаю, ты представляешь себе это именно так.

Но на самом деле ситуация изменилась. Из стартового пистолета уже выстрелили. И это произошло довольно давно. Все уже бегут. Я вот смотрю на твоих друзей — Марка, Кейт, а теперь и Джемму. Пора бы и тебе включиться в этот забег. Хорошее место работы не свалится тебе на голову просто так. Надо пробиться, как в свое время это сделал я. Так поступают все. Потому что так устроен этот мир. Ты думаешь, мне нравилось бегать за младшими продюсерами? Но человек должен с чего-то начинать. Ты что, собираешься оставаться безработным и жить в ночлежках? Тогда, боюсь, тебя ждет очень печальный конец. Я уже видел, как это происходит. Сделай первый шаг. Но этот шаг должен быть сделан в правильном направлении. Уже не говоря обо всем остальном, не могу же я тебя содержать! Это просто несправедливо. Если бы твоя мать была жива… Ну ладно, мы оба знаем, что бы она сказала по этому поводу.

Упоминание мамы в этом контексте снова выводит меня из себя.

— Мама знала, что я собираюсь стать писателем, и я им стану! — кричу я. — И она считала, что я должен держаться, пока не добьюсь своего.

— А вот это неправда. Хватит, Джей. Я не хочу, чтобы ты всуе поминал свою мать. Она хотела того же, что и я… чтобы тебе было лучше.

— Для меня лучше всего будет, если ты оставишь меня в покое, — говорю я. — И знаешь, что мне еще говорила мама? Она говорила: «Если папа будет мешать тебе смотреть телевизор, просто пошли его подальше». — Я тут же жалею о том, что сказал это. Но он меня уже достал своими придирками, и я не хочу, чтобы он снова напоминал мне, что его рост составляет всего лишь пять футов два дюйма. Лично мне неприятно, когда мне постоянно напоминают, что мой отец — карлик.

— Что ты сказал? — переспрашивает он, вылезая из кресла и нависая надо мной.

— Ничего, — отвечаю я, выгибая шею и пытаясь продолжать смотреть телевизор. Я надеюсь, что моя невозмутимость способна убедить его в том, что он ослышался.

— Либо в течение двух недель ты устраиваешься на работу, либо, — и со слезами на глазах он указывает пальцем на сад, — ты выметаешься вон из дома. Ты меня слышал? Ты. Будешь. Выгнан. Из. Дома.

Он выходит на кухню и тут же возвращается с еще более угрожающим видом.

— Завтра у нас обедает Дэвид Димблби, так что, надеюсь, ты приведешь свою комнату в порядок. Под порядком я не имею в виду заталкивание своих вещей под кровать.

— А что, Дэвид Димблби будет под нее заглядывать? — интересуюсь я.

Добравшись до Джеммы, я начинаю изображать из себя жалкого и бездомного бродягу. Опережая события, я сообщаю ее родителям, что меня уже выгнали из дома. Мама Джеммы заваривает мне чай, и я, вцепившись обеими руками в кружку, произношу, уставившись в пространство:

— Думаю, мне удастся устроиться в ночлежку. Надеюсь, у них найдется свободная кровать.

В результате мама Джеммы пускает меня на ночь в свободную комнату.

Белую мышь, которая будет жить у меня в кармане, я назову Обнимашкой. Я научу ее карабкаться по моей шее и буду честно ей рассказывать о том, что происходит и где нам предстоит ночевать. И я никогда ее не раздавлю, даже надравшись до полубеспамятства.

23 ноября: Самое страшное — это наблюдать за папой, когда мама рассказывает ему, как готовить куриное карри и другие блюда. Сегодня она объясняла ему, как пользоваться плитой и микроволновкой. Это просто жуткое зрелище. «Нет-нет-нет, генератор сигнала начинает работать только после нажатия красной кнопки, и он относится только к духовке».

Мама объясняет так педантично, и все это так красноречиво свидетельствует о неизбежности смерти, что мне становится худо. Это как розы, которые мама сажает в саду, когда прилично себя чувствует. Они зацветут не раньше июля, а к этому времени, ее, скорее всего, уже не будет в живых.

Как это ни странно, но в данный момент меня волнует не столько мама, сколько папа. Точно так же как во время несчастного случая в Данблейне директор школы обходил тела и отмечал живых и нуждающихся в помощи красным фломастером, я чувствую, что приоритет должен быть отдан ему. Но вся беда в том, что он тут же отстраняется от любой проявляемой по отношению к нему заботы или переводит разговор на конкретные проблемы, чтобы не показать своей слабости.

Апрель

Четверг, 1 апреля

Отец Джеммы оплатил нашу поездку в Бат к ее подруге. Я искренне рад, что мне временно удастся исчезнуть из папиного поля зрения. Теперь всякий раз, когда мы с ним сталкиваемся в доме, он останавливается и с преувеличенной вежливостью ждет, когда я пройду мимо. Тем самым он старается показать мне, что лучше бы нам держаться подальше друг от друга, и это меня жутко раздражает. Надеюсь, хоть на один день мне удастся от него избавиться.

По дороге в Бат мы останавливаемся в Центре коневодства, где нашим экскурсоводом оказывается слащаво-сентиментальная любительница животных. Подходя к каждой лошади, она поглаживает ее по холке и похлопывает по крупу. «Это Герцог, это мой самый лучший друг, правда, Герцог? А здесь живет Джейсон. — Она подходит к следующему стойлу. — Ну разве не красавец?

Вы только посмотрите на него! Кто тут у нас такой красавец? Джейсон — мой любимец. Ты же знаешь, как я тебя люблю, Джей!» Какая фальшь. Думаю, даже лошади должны ее ощущать. Как это ни смешно, но коня по имени Джей только что списали из военного оркестра. Джемма считает, что это гомерически смешно.

Самое интересное — это не сами лошади, а те благодарственные отзывы, которые пишут дети после их посещения. В Центре коневодства один ребенок написал: «Большое спасибо. Надеюсь, я смогу приехать сюда еще раз. Мне было жаль лошадку, которая везла повозку, так как в ней было слишком много народа, я все время старался сесть таким образом, чтобы весить поменьше. Кроме того, я видел кролика, которому столько же лет, сколько мне. Я его сфотографировал, чтобы показать своему кролику. Может, вы думаете, что я живу на ферме? Как ни странно, нет. Искренне вам Том Соут (7 лет)».

Больше всего меня проняла искренняя уверенность Тома Соута, что администрация центра будет удивлена тем, что он живет не на ферме. Это вполне в духе Чарли. А еще больше эта запись тронула меня припиской «искренне вам». Ею завершались все вывешенные на доске послания, испещренные красной ручкой какого-то идиота-педагога. Зачем, интересно, понадобилось исправлять ошибки и почему было не оставить все так, как это написано детьми? Если семилетний ребенок пишет, что ему понравился Центр коневодства, какая разница, с какими орфографическими ошибками он это делает? Чарли уезжает через пять дней.

Днем мы сходили посмотреть римские бани. В этом месте из земной коры каждый день выплескивается до четверти миллиона галлонов горячей воды. Если бы я жил здесь, то, наверное, смог бы прочитать всю «Войну и мир», не вылезая из ванной. Так что, как выясняется, я — жертва географического местоположения.

11 часов вечера

Вечером я здорово надираюсь в пабе и сообщаю подруге Джеммы, что собираюсь умереть в неглаженых брюках, захлебнувшись в собственной блевотине.

— Но ведь рано или поздно ты устроишься на работу, — отвечает она. — Не можешь же ты всю жизнь жить за чужой счет. — А когда я отвечаю на это горьким смехом, подруга Джеммы тоже начинает смеяться и добавляет: — Кажется, моя очередь ставить выпивку. — И направляется к бару.

Я перевожу взгляд на Джемму и вижу, что она как-то странно на меня смотрит. Затем она берет меня за подбородок, и я замечаю, что в глазах у нее стоят слезы.

— Я люблю тебя, Джей Голден, — говорит она. — Правда люблю, но... — И она умолкает, отказываясь договаривать даже после того, как я называю ее Джем-Джем и всячески пытаюсь добиться окончания фразы.

Как ни странно, но где-то в глубине души я почти хочу, чтобы Джемма уехала. Может, хоть это подтолкнет меня к тому, чтобы что-нибудь сделать. Я просыпаюсь по ночам от приступов ужаса, понимая, что качусь в пропасть, но днем, когда она рядом со своей улыбкой и ямочками на щеках, меня перестает что бы то ни было заботить.

Пятница 2 апреля

Когда я утром сворачиваю на подъездную дорожку, то сразу замечаю, что по всему саду заброшены мои вещи. Книги, пленки, CD-диски, одежда — все покрыто росой. Папа завтракает с газетой в руках, словно ни в чем не бывало.

— Хорошо провел вечер с Димблбамом? — спрашиваю я.

— Я тебя предупреждал, чтобы ты привел в порядок свою комнату. Ты этого не сделал, поэтому мне пришлось это делать самому, — не поднимая головы, отвечает папа. — У тебя осталось две недели. И кажется, я просил тебя парковаться на общей стоянке, пока не починишь маслопровод. — Он понижает голос. — И на этот раз я не шучу.

Я трачу целый час, чтобы занести все свои вещи обратно в дом. Надо же быть таким шутом гороховым! Он еще и счетчик на телефон поставил. Я и так в тисках нищеты, а он пытается еще больше усугубить мое положение. Он утверждает, что счетчик поставлен для того, чтобы Би-биси оплачивала его деловые звонки, но я-то знаю, что на самом деле он просто хочет ограничить время моих разговоров. Такое ощущение, что я живу в сталинском концлагере.

— Счет за телефон в прошлом квартале был просто астрономическим. Но там в основном лондонские номера, так что вряд ли это ты звонил, — говорит он. — Правда? — с угрожающим видом повторяет он.

11 часов вечера

Я решил сделать отца Джеммы чудовищем XX века и вывести его в своем романе. Сегодня я спросил у него, не могу ли провести у них еще одну ночь, и эта мелкая тварь мне отказала. А пару дней назад он подложил промокашки под мой картер, чтобы масло не вытекало на его дорожку. В результате мне приходится вернуться домой, извиняться перед папой и соглашаться на это несчастное собеседование с его приятелем из фирмы «Суки и К°», или как ее там. Поработаю пару месяцев, накоплю денег, а потом присоединюсь к какому-нибудь национально-освободительному движению или поселюсь в глинобитной хижине. А может, отыщу Сэлинджера и попрошу его стать моим наставником.

Папа аж лучится от удовольствия и утверждает, что наконец-то я принял зрелое решение. Он разливает по стаканам вино, и мы чокаемся.

— Мир, — говорит он.

— Мир, — повторяю я. После чего он ведет меня в свою комнату и тщательно выбирает для меня один из своих галстуков. Он выдает мне шестьдесят фунтов, чтобы я купил себе новые ботинки, и требует, чтобы я примерил один из его старых костюмов.

— Господи, да ты и вправду неплохо выглядишь! — заявляет он, когда я переоблачаюсь. — Неужто это мой сын? — Он начинает поправлять мне галстук и объяснять, что это подарок его доброго приятеля, великого Рассела Харти.

Кажущиеся перемены, происшедшие в моем сознании и внешнем облике, приводят его в такой восторг, что, уйдя совершенно трезвым на кухню за выпивкой и пробыв там довольно длительное время, он возвращается, едва держась на ногах. Закинув голову и потряхивая стакан, словно проверяя, на месте ли тот, он медленно направляется к своему креслу. Однако посередине комнаты останавливается, устремляет взгляд на лепной потолок и поправляет свои очки. Глаза у него покраснели от слез.

— Ладно-ладно, — говорит он, — я же вижу, что ты стараешься. И если малышу… — он начинает часто моргать, потом снимает очки и щиплет себя за нос, — если ему не понравится там, то после первой четверти мы подумаем…

Он надевает очки, я встаю и прижимаю к себе его голову. Свои очки я так и не снял, и мы сталкиваемся ими, как олени рогами. Папа резко выпрямляется и делает вид, что очки его интересуют гораздо больше, чем мои объятия, но я вижу, что он растроган.

— Ну разве так поступают? — спрашивает он, поправляя мне галстук. Я говорю, что запрос-

то. — Ну ладно, тогда принеси своему отврати-
тельному папаше еще один стаканчик, и давай
посмотрим какое-нибудь кино.

Я приношу ему огромный стакан «Куантро»,
и он говорит, чтобы я сам выбрал, что мы будем
смотреть.

— Единственное, о чем я прошу, чтобы ты не
создавал у него предубеждений, — полушутя-по-
лусерьезно говорит он, когда я возвращаюсь со
«Спартаком». — А вдруг ему понравится? И я тебя очень прошу, постарайся вести себя прилично, когда будешь встречаться с моим приятелем.
Слышишь? Он занимает очень важный пост и
делает нам с тобой огромное одолжение. Не забывай об этом.

Я надеялся, что мы дойдем до реплики «Сул-
ла — да будет проклято его имя и весь его род»
и попрактикуемся в ее произнесении, но уже через десять минут из папиного кресла доносится
мирное посапывание, я выключаю видик и отправляюсь спать. Проходя мимо, я целую его
в лоб, как делал это в детстве.

Он приоткрывает глаза и в приступе чувств
хватает мою голову за виски, словно он голкипер,
а моя голова — футбольный мяч, который он на-
меревается отправить в поле.

— Ты совершенно невыносим, но я люблю тебя, — говорит он, глядя мне в глаза. — Надеюсь,
ты это понимаешь?

Я прошу его доказать свою любовь и снять
счетчик с телефона, но он мне отказывает.

Суббота, 3 апреля

Сегодня приехала Сара, чтобы приготовить жаркое и показать нам свое свадебное платье. Не успев войти, она целует меня в щеку и проникновенно произносит:

— Молодец, Джей. Наконец-то ты повзрослел. Я знала, что так и будет.

За обедом ради разнообразия все со мной разговаривают, а папа разглагольствует о том, как здорово работать в Сити и что он всегда знал, что именно там я и окажусь. Мы с Сарой тоже на редкость ладим и, после того как папа уходит, погружаемся в воспоминания о маме. Сара рассказывает, как обсуждала с ней всякие мелочи, связанные с подготовкой к свадьбе: «Куда посадить дядю Роджера? Не следует ли пригласить струнный квартет?» Она говорит, что, когда ей грустно, она всегда представляет, как мама занимается своими обычными делами в раю — сажает цветы, гладит белье, заставляет окружающих есть помидоры и болтает со своей подругой Хейзел, которая умерла несколько лет тому назад.

А я говорю, что у меня с мамой связаны только грустные воспоминания, и рассказываю ей о кошмаре, который меня постоянно преследует.

Сару это очень огорчает, и она принимается объяснять, как меня любит папа и как она рада, что теперь я буду зарабатывать деньги, нажимая на глупые кнопки на несчастном пульте управления в Сити.

— Ты же знаешь, что папа тебя любит? Если ты думаешь, что это не так, он очень огорчится.

Он всегда рассказывает о том, какой ты сообразительный и остроумный. Просто у него странная манера проявления любви. И потом ты действительно любишь играть у него на нервах. — Она со смехом начинает вспоминать всякие мои выходки и то, как потом по вечерам мама успокаивала папу, а она слышала это через стенку. — Помнишь, как ты уронил в ванну его ноутбук? — спрашивает она. — А он за это заставил тебя прополоть весь сад. И в первый же день ты вырвал всю мамину мяту. Наверное, тебе тяжелее всех, — внезапно посерьезнев, говорит Сара. — Мама любила тебя больше всех, хотя никогда и не говорила об этом. Но я-то знаю.

Я скромно отвечаю, что это не так.

— Она обо всем тебе рассказывала. А потом передавала мне, что она тебе говорила. Она так гордилась тем, что ты с ней откровенен. Ей это ужасно нравилось. И папа это знал. К тому же ты унаследовал от нее светлые волосы и голубые глаза. Но я тебе не завидовала, честное слово, потому что — если уж на то пошло — я всегда была папиной любимицей.

И тут Сара меня поистине удивляет. То, что она говорит дальше, для меня звучит как гром среди ясного неба, поскольку я уже знаю, что на свадьбе будут произносить речи папа и приятель Роба. И теперь она спрашивает, не соглашусь ли выступить и я. Я чувствую, что она оказывает мне большую честь. Она показывает мне сонет из папиного Полного собрания сочинений Шекспира и говорит, что хочет, чтобы я его прочел.

— Правда ведь, ты хорошо это сделаешь, Джей? — спрашивает она. — Это моя идея, потому что Роб боится, что ты что-нибудь выкинешь — начнешь читать с каким-нибудь смешным акцентом или еще что-нибудь. Пообещай, что не сделаешь ничего такого.

Честно говоря, мне уже надоело, что ко мне все время относятся как к сумасшедшему. Разумеется, я не буду делать ничего такого. Чего она, интересно, боится? То, что я дикое животное, живущее вне общества за загородкой, еще не означает, что я стану портить сестре праздник. Я чувствую себя несколько обиженным. Эта непрерывная капель выказываемого мне пренебрежения скоро продолбит во мне дырку.

2 часа дня

После обеда я спрашиваю Чарли, не осталось ли у него еще каких-нибудь дел перед отъездом. И он отвечает, что хотел бы увидеть в Зоологическом музее гигантскую черепаху. Я пытаюсь дать ему пару братских советов, чтобы подготовить к отъезду в Роксбург, но вижу, что он меня совершенно не слушает, и поэтому мы просто отправляемся играть в биороботов в сад, пока папа не обвиняет меня в том, что мы превратили его во вспаханное поле.

Я обещал маме заботиться о Чарли. В последний день мы прощались с ней по очереди. Я зашел первым. Мама уже почти не могла говорить, сестра-сиделка гладко причесала ей волосы, и мама выглядела совсем иначе — глаза глубоко провалились, а передние зубы выступали вперед, как у дикого животного. Время от времени она приходила в себя от уколов морфия, рассеянно смотрела вокруг и что-нибудь произносила. Думаю, она даже не понимала, что с ней происходит, потому что говорила самые обычные вещи: «Милый, съешь, пожалуйста, эти бананы, пока они не испортились», «Милый, не забудь сказать папе, что в кладовке стоит еще целая пачка стирального порошка». Она ничего не говорила мне о Чарли, это я упомянул о нем. Мне казалось, что я должен сказать что-то важное. Ей оставалось жить всего несколько часов, а она говорила о стиральном порошке. И я сказал, что сделаю все от меня зависящее, чтобы Чарли было хорошо. Мама уже провалилась в забытье, но я крепко сжал ее руку и почувствовал, как бешено бьется у меня сердце. Она не ответила на мое пожатие, но слух у человека отключается в последнюю очередь, поэтому, возможно, она слышала то, что я сказал.

Воскресенье, 4 апреля

Сегодня позвонила Сара и попросила, чтобы мы все примерили свои костюмы. Кроме этого, ей надо было узнать у папы, сможет ли дядя Роджер после свадьбы переночевать у нас, так как ему не удалось найти место в гостинице. Она сказала, что так нервничает, что у нее отек правый глаз. Я заверил ее, что все наверняка пройдет, а если нет, то после чтения сонета я произнесу какую-нибудь шутку. Например, скажу: «Все вы знаете о Горбуне из Нотр-Дам, а теперь у нас есть своя Одноглазка из Вестминстера, — а потом добавлю: — «Сара, ты самая лучшая сестра на свете» — и сяду. Но до Сары не доходит, что я шучу, и она обрушивается на меня с проклятиями, говоря, что думала, что я изменился, но, похоже, ошиблась.

— Джей, уже апрель наступил. Чарли уедет во вторник, Джемма отправится в университет. Что ты тогда будешь делать? Денег у тебя нет. Как ты будешь с ними общаться? Папа выставит тебя за дверь, и тебе придется ночевать в ночлежке. Вряд ли это понравится Джемме, особенно когда у нее появятся новые друзья. Мне нравится Джемма, но сколько она может мириться с тем, что ты нигде не работаешь? Может, сейчас ей и не нужна стабильность, но очень скоро все изменится. Это неизбежно. И тогда ваши отношения покатятся под откос. У меня так было с Грегом. — Это Сарин бывший приятель, которого она бросила и который стал курьером. — Я тебя очень люблю, но... Иногда ты доводишь меня до такого бешенства, что я готова наброситься на тебя с кулаками. И не смей прогулять собеседование на следующей неделе. Я тебе не позволю этого сделать. Не позволю!

Я говорю, что просто пошутил, и советую ей успокоиться. Естественно, я не стану говорить в церкви ничего подобного. Голос у нее меняется, и она произносит:

— Господи, я совсем сошла с ума. — После чего начинает рыдать, повторяя, как ей будет не хватать мамы.

7 часов вечера

С утра мы с папой репетируем свои выступления, потом обедаем с дядей Роджером, который будет у нас ночевать, а днем я забираю Чарли, и мы отправляемся с ним в Зоологический музей. Джемма тоже присоединяется к нам. Чарли ведет себя очень забавно и постоянно смешит Джемму тем, что несется вперед и пытается найти зашитые дырки от пуль в чучелах животных («Вон, на шее! А львенку пуля попала в животик. А папе-льву — в голову. Белому медведю тоже в голову. Газели — в голову. А горилле — не вижу: слишком много шерсти»). На этот раз они ладят еще лучше, чем прежде, и Чарли даже вовлекает Джемму в свою суеверную махинацию, хотя обычно с посторонними он этого не делает. Она должна дважды обойти гигантскую черепаху, чтобы в ее семье не случилась трагедия, подробности которой он отказывается нам сообщать.

Все это приводит меня в самое разнеженное состояние. Я сажаю Чарли на плечи, чтобы он смог посмотреть в глаза индийскому слону, а потом на протяжении всей экскурсии, посвященной истории эволюции, пропускаю Джемму вперед, чтобы под предлогом обсуждения ширины клювов зябликов можно было к ней нагибаться и целовать в благоухающую духами шею.

11.30 вечера

Я ночую на верхней полке кровати в комнате Чарли, потому что в моей комнате спит дядя Роджер.

Чарли ведет себя точно так, как вел себя, когда был совсем маленьким: стоит мне войти, он тут же зажигает свет и начинает тыкать меня пальцем через матрац.

— Джей? — шепчет он.

— Что?

— Ёлки-палки, ты что, спишь?

— Нет.

— И я не сплю.

Он выдерживает паузу и снова начинает меня тыкать в ожидании какой-нибудь реакции.

— Что-то ты слишком часто начал говорить «ёлки-палки», — замечаю я.

— Ёлки-палки, елки-палки, елки-палки, — говорит он.

— Не надо так часто это повторять, — говорю я.

Я выключаю верхний свет, зажигаю прикроватную лампочку и лежу, читая старые записи.

Несколько минут подряд Чарли шепотом повторяет «ёлки-палки», чтобы меня спровоцировать, а когда мне начинает казаться, что он уже заснул, снова тыкает меня пальцем из-под матраца.

— Что?

— Ничего.

— Тогда зачем ты меня тыкаешь?

— Джей, — помолчав, спрашивает Чарли, — а в Роксбурге будут скрогги и скригги?

Скрогги и скригги — это невидимые злобные существа, которые строят козни людям. Это я рассказал о них Чарли. И люди не должны считать, что что-то плохое происходит по их вине. Потому что всегда в этом виноваты скрогги и скригги. Кроме этого, еще существуют скрэнджи, которые сотрудничают со скроггами и скриггами и всячески им помогают.

— Нет, но если ты вдруг наткнешься на скрэнджа, то сразу позвони мне, — отвечаю я. Мне приятно, что он до сих пор об этом помнит.

— Еще бы, — говорит Чарли. — Если я наткнусь на скрэнджа, то сразу позвоню в полицию... и в армию, ёлки-палки.

30 ноября: Маме начали курс химиотерапии. Но насколько она действенна, мы узнаем только через два месяца.

Мы с папой сделали сегодня для Чарли песочницу. Мне кажется, папе просто необходимо что-нибудь делать руками, чтобы не думать. Мы передвинули мамино кресло к окну, чтобы она могла наблюдать за нами и звать, если ей что-нибудь понадобится. У папы сегодня приподнятое настроение. («Я просто стараюсь все время чем-нибудь занимать себя».) Папа вырыл яму, я забил в землю рейки, а Чарли бегал вокруг с тачкой, груженной песком.

Папа говорит с акцентом кокни, что он делает только в тех случаях, когда чем-то расстроен и пытается скрыть это: «Твоя мать — настоящий борец, и поэтому она не умрет. Скорее мы умрем, а она будет по-прежнему сажать здесь свои луковицы... Видишь, она смотрит из окна — помаши ей рукой. Твоя мать — душа нашей семьи. И я ей все время повторяю, что она победит рак».

Я откладываю старый дневник и начинаю представлять себе комнату Чарли опустевшей. Каково это будет — не слышать каждые пять секунд его звонкий голос: «Герои в панцирях, вперед!» — и не знать, что он вытворит в следующую минуту?

— Чарли, — говорю я, внезапно испытывая непреодолимое желание поговорить с ним. — Чарли! — Но он уже спит.

Понедельник, 5 апреля

К часу дня папа подвозит нас к Вестминстерскому аббатству. Я даже не подозревал, что все это произведет на меня такое сильное впечатление. Сначала исполняют несколько церковных гимнов, потом папа, со слезами на глазах, прочувствованным голосом произносит речь, и я замечаю, что от переживаний у меня дрожат руки. Я читаю сонет в состоянии полного транса, а когда сажусь рядом с Чарли, то вижу, как мне от алтаря улыбается Сара. А когда я читаю по ее губам фразу, обращенную к Робу: «Как он хорошо прочел», меня охватывает такая буря чувств, что я чуть не разражаюсь рыданиями.

Вступление в брак — одна из самых важных вещей в жизни: человек рождается, вступает в брак и умирает. Еще вчера Сара кормила меня ореховым маслом из игрушечных формочек, а сегодня она стоит перед алтарем в подвенечном платье.

Остальная часть церемонии проходит для меня как в тумане, потому что, сидя рядом с Чарли, я начинаю представлять, что где-то в часовне находится мама, которая смотрит на нас сверху, как мечтала Сара, и это заставляет меня вспомнить о ее похоронах. Мы занимаем места на передней скамье, и все на нас пялятся в ожидании, когда мы начнем плакать, мы с Чарли держим один молитвенник на двоих, и я постоянно вытираю ему нос своим платком, а его слезы капают на страницу, от чего слова увеличиваются, как под дедушкиной лупой; я злюсь на папу за выбранные им для службы тексты, потому что во всех них упоминается Бог, в которого мама не верила, я злюсь на Бога, который незваным гостем явился на мамины похороны, я злюсь на викария, из-за которого это произошло, я злюсь на распорядителя похорон, мистера Твена, похвалившего меня за исполнение гимнов, хотя я и рта не открывал, я злюсь на всех друзей и родственников, которые их пели, и больше всего я злюсь на себя за то, что не участвую в похоронах собственной матери.

— Из тьмы рождается свет и из печали — понимание, — говорит викарий. — Есть время для печали и есть время для радости. Но есть время и для того, чтобы возблагодарить Бога за чудо жизни и милость смерти.

Мне хочется осмеять его, заткнуть, обрушиться на него с нецензурной руганью, двинуть ему по физиономии за фальшивый оптимизм, но вместо этого я просто с ненавистью смотрю ему в глаза в надежде, что он это заметит и все поймет. Чудо жизни, которое всегда заканчивается смертью. Это все равно что продавать распадающиеся на части машины, чтобы потом присуждать им премии «Лучшей машины долбаного года».

А потом эта жуткая тишина на парковке, прерываемая бессмысленными соболезнованиями: «Все прошло отлично, Морис…», «Я всегда считал этот гимн одним из самых лучших». Сара выводит дедушку из часовни и усаживает в машину. Он настолько сломлен происшедшим, что сознание у него полностью мутится и он меня спрашивает: «Ну и куда они собираются поехать на медовый месяц?» Потом мы медленно едем домой с открытыми окнами, и Чарли, в своем черном галстучке играющий на полу за шоферским сиденьем, спрашивает: «Папа, а когда мама вернется из рая?»

— Я же говорила тебе, Чарли, что из рая не возвращаются, — не оборачиваясь, отвечает Сара. — Как бы мама этого ни хотела, это просто невозможно.

— Почему, Сара? Ее что там, связали?

Свадебный прием проходит на барке, которая совершает трехчасовое плавание, завершающееся у Тауэрского моста. Когда все поднимаются на борт, выясняется, что папа подготовил еще один сюрприз — обязанности диджея выполняет его добрая приятельница Зои Болл. Папа изображает радушного хозяина, Сара с Робом разгуливают, как король и королева, а я с Чарли и Джеммой устраиваюсь на носу и слушаю, как он болтает о Бини-бэйбиз и о том, что попытается попасть в Роксбурге в футбольную команду, — я стараюсь держаться подальше от гостей, чтобы не слышать, как они сожалеют о том, что с нами нет мамы, а также, чтобы Зои Болл, не дай бог, не узнала мой голос.

В одиннадцать все встают парами, взявшись за руки, и Сара с Робом проходят по этому коридору, вступая в свою супружескую жизнь. Мы с Чарли стоим последними, и Сара, остановившись, целует нас. Она берет Чарли на руки, желает ему удачи и говорит, что гордится тем, что у нее такой большой брат. Мне она показывает скрещенные пальцы, имея в виду предстоящее собеседование, и замечает: «Хотя ты совершенно в этом не нуждаешься».

Когда мы возвращаемся домой, я снова забираюсь на верхнюю полку к Чарли. Сегодня его последняя ночь дома. Мне грустно. Я бесцельно скитаюсь по океану жизни, и лишь мысли о бесконечно преданном белом грызуне не дают мне пойти ко дну.

7 декабря: Сегодня я заметил у мамы первые признаки отчаяния. Она в больнице, где ей проводят курс химиотерапии, и постоянно говорит о каком-то лекарстве от рака, о котором ей рассказала бывшая клиентка. Как сообщает «Дэйли мэйл», доктор Голд из Сиракузского ракового центра в Нью-Йорке утверждает, что ему удается остановить развитие опухолей с помощью одной-единственной таблетки, изготовленной из ракетного топлива.

Я узнаю номер телефона с помощью Международной справочной службы и набираю его, сидя у маминой кровати, но там никто не отвечает.

Женщина, о которой рассказывается в статье, отказалась от химиотерапии, подавляющей иммунитет, и заменила ее приемом этих таблеток. И теперь мама беспокоится, что уже прошла один курс химиотерапии. Она боится, что это может помешать лечению ракетным топливом.

В разгар обсуждения этой темы она вдруг умолкает и говорит: «Сегодня утром, когда я ела грейпфрут, одна из сестер мне сказала: „Правильно, надо есть, пока вы способны это делать"». У нее на глазах выступают слезы, и она закрывает лицо руками, чтобы скрыть их.

Я подхожу к кровати и обнимаю ее.

— Она хотела сказать — ешьте, пока можете, потому что скоро вы не сможете это делать.

Я подпихиваю руку ей под голову и слегка ее приподнимаю.

— Когда утром открываешь глаза, то кажется, что с тобой все в порядке, а потом вспоминаешь, что нет... И так каждый день.

Когда я прижимаю к себе ее голову, то ощущаю сквозь жесткие волосы все кости черепа. Я не знаю, что ответить, поэтому просто обнимаю ее, а она в своей обычной манере принимается извиняться и говорит, что сказала не подумав.

— Все нормально. Просто время от времени тебя как будто пронзает.

И ради чего все это? — думаю я. Она родилась на свет, вырастила троих детей, отутюжила тысячи воротничков, она подавала к чаю рыбный пирог, любила и была любима. И вот теперь ей предстоит умереть. Какой во всем этом смысл?

Вторник, 6 апреля

Папа поднимает нас в несусветную рань, чтобы не попасть в пробки по дороге в Роксбург. Так что, когда мы туда добираемся, вокруг царит гробовая тишина, потому что все еще спят, что сообщает всему месту атмосферу глухой заброшенности.

Я поднимаю аквариум с черепахой в дормиторий на втором этаже. Хоть мы и вылили из него половину воды, чтобы она не расплескалась на сиденья машины, он все равно весит чуть ли не тонну. Чарли идет следом с затычкой от термостата, чтобы я о него не запнулся. Мы тратим на эту процедуру массу времени, так как Чарли то и дело совершает свои ритуальные действия — заглядывает за повороты лестницы, барабанит пальцами по перилам и шаркает ногами. Когда мы доходим до дормитория, мне кажется, что руки у меня вот-вот отвалятся.

В какой-то момент он мне заявляет: «Трижды прикоснись к голове правой рукой и высуни язык».

— Я не могу, у меня в руках аквариум.

— Трижды прикоснись к голове правой рукой и высуни язык, — повторяет он. — Это срочно.

— Чарли, я не могу.

— Придется.

Я высовываю язык.

— Вот, пожалуйста, — говорю я.

— А теперь остальное. Надо еще сделать все остальное, — произносит он и, наклонившись к моему плечу, шепотом добавляет: — Скрэнджи, — показывая глазами по сторонам. После чего сам трижды прикасается к своей голове и высовывает язык.

— Ладно, — соглашаюсь я, ставя на пол аквариум, — но это в последний раз. У меня при себе детектор скрэнджей, и он ничего не показывает, а эта хреновина весит целую тонну.

— Три раза, а не четыре, и еще раз высуни язык. Предыдущий раз не считается, — заявляет Чарли, оглядываясь по сторонам, словно опасаясь, что на него вот-вот набросится целая банда скрэнджей.

Наконец мы обнаруживаем директора, мистера Мортона, и он спрашивает, не хотим ли мы перед отъездом осмотреть все заведение и познакомиться с его историей. Но папа, хотя часы и показывают всего десять утра, говорит, что нам пора.

На обратном пути мы останавливаемся в «Черной лошади», чтобы перекусить. Хотя лично мне кусок в горло не лезет. Настроение преотвратное. Папа ковыряется в чипсах и разглагольствует о том, как здорово выглядела Сара в подвенечном платье и что теперь они уже, наверное, на Багамах, но даже у него вид подавленный, и говорит он об этом без всякого интереса. Такое ощущение, что мы только что совершили преступление, ни один из нас не упоминает имени Чарли, пока мы не добираемся до дому. И только выйдя из машины и направляясь к дому, папа произносит в своей категоричной манере: «Боже, и зачем только люди заводят детей?!»

9 часов вечера

Папа приглашает меня вечером выпить с ним, чтобы поднять настроение, но это выше моих сил. Мне по-прежнему грустно, и поэтому я отправляюсь к Джемме. Мне нужно обрести хоть какую-нибудь надежду, хоть какой-нибудь свет впереди, и я хочу обсудить с ней нашу летнюю поездку. Но она только что получила список предлагаемого жилья и обсуждает с отцом поездку в Шеффилд, чтобы выбрать подходящее пристанище. Ее родители собираются ехать вместе с ней. Я пытаюсь изобразить радость, но у меня плохо получается. Джемма, заметив это, спрашивает, в чем дело. И я говорю, что надеялся, что этим будем заниматься мы, на что Джемма отвечает смехом.

— Ты хотел удостовериться, что я не буду жить в одном доме с парнями, да?

Наверное, это была шутка, но мне она почему-то не кажется смешной. Я говорю в ответ какую-то гадость, о том что свитер делает ее бесформенной, и ухожу домой.

Меня немного начинает волновать состояние моего здоровья. У меня уже несколько дней болит живот. И стул стал неоднородным. Он выходит в виде каких-то фрикаделек и не тонет в воде, как это было с мамой перед тем, как она заболела. Роб считает, что это может быть результатом стресса, а когда я сказал об этом папе, тот только посмеялся.

— Ах, у тебя стресс! Да ты же обосрал все, что можно, — заявил он.

Среда, 7 апреля

Я чувствовал себя очень странно и неловко, сопровождая Шона к врачу. А бодрое и жизнерадостное поведение Шона еще больше это усугубляло. В приемном покое он листал «Ридерз дайджест» и рассказывал мне об электрических угрях, о которых прочитал в «Британнике». Затем нас вызвали к врачу, и мой друг с места в карьер принялся объяснять совершенно незнакомому человеку, что скорее всего он гей.

Доктор Фитцпатрик прилагал титанические усилия, чтобы не выглядеть обескураженным, и лишь изредка его глаза изумленно расширялись. Я сидел в самом углу, чтобы не привлекать внимания, но, заявив, что он гей, Шон нервно оглянулся и наградил меня улыбкой. И в этот момент, несмотря на всю серьезность положения, меня начал разбирать смех. Я вспомнил об одной игре, в которую мы играли с Шоном еще до того, как он провалил экзамены, когда еще была жива мама и взрослая жизнь казалась далеким будущим. Для того чтобы довести Марка и Кейт, мы оба начинали изображать сумасшедших: Шон заявлял, что в предыдущей жизни был адмиралом Нельсоном, а я обходил посетителей и сообщал им, что я потомок Сэмюэля Кингстона, того самого, который изобрел карманы у брюк.

И вот теперь мы с Шоном сидим в Чешемской больнице, и игра стала реальностью. Больше всего мне хотелось подмигнуть Шону, рассмеяться над абсурдностью происходящего и сказать доктору какую-нибудь нелепицу, типа: «А на самом деле меня зовут леди Вера, и мне очень идут широкие пояса». Я очень старался быть серьезным, но у меня ничего не получалось. Поэтому мне ничего не оставалось, как сидеть, нахмурив брови, и с ясным взором предавать своего друга.

— Шон, у тебя никогда не возникает ощущения, что с тобой разговаривает телевизор? — осторожно начинает доктор Фитцпатрик.

— Нет, телевизор со мной никогда не разговаривает, но то, что говорят люди на телеэкране, имеет ко мне отношение, — отвечает Шон. — Они постоянно говорят обо мне.

Не приходили ли ему в голову мысли о самоубийстве?

Да, вполне возможно, что в один прекрасный день он покончит жизнь самоубийством.

— Хотя, строго говоря, Библия очень отрицательно относится к геям, — говорит Шон и награждает меня таким долгим взглядом, что доктор тоже непроизвольно начинает на меня смотреть.

В конце приема доктор Фитцпатрик спрашивает, когда Шон переезжает в Дамфрис, и рекомендует ему посетить своего коллегу уже без сопровождающих лиц. Шон говорит, что предпочел бы, чтобы я был рядом. Доктор Фитцпатрик спрашивает:

— А почему ты хочешь, чтобы твой... — следующее слово он произносит словно в кавычках, — друг был рядом? Может, ты хочешь сообщить ему что-то важное?

Судя по всему, доктор принял и меня за гея, и я не знаю, что ему сказать. Внезапно мне становится страшно неловко. Шон говорит, что ему нечего мне сообщать, и всю обратную дорогу напряженно молчит.

7 часов вечера

Вечером в слезах звонит Чарли.

— Джей, — еле переводя дыхание от рыданий, спрашивает он, — мама что, стала обезьяной?

История эволюции, почерпнутая во время экскурсии в Зоологическом музее, смешалась в его голове с идеей рая, и теперь он считает, что Господь создает на небе обезьянок, которые, спустившись на землю, становятся людьми. Поэтому он считает, что мама снова стала обезьянкой, и боится, что ее могут подстрелить и выставить чучело в музее.

Я пытаюсь успокоить его и объясняю, что мама осталась той же мамой и просто живет теперь за облаками, так что мы не можем ее видеть, но Чарли продолжает плакать и сварливо спрашивает:

— Она что, даже ногой не может помахать нам оттуда?

Я не знаю, что ему ответить на это, и, чтобы сменить тему, спрашиваю, как поживает Медлюшка-Зеленушка, но это еще больше осложняет положение. Учитель биологии мистер Скрэнджи Стрэттон умудрился выронить аквариум, когда переносил его в лабораторию, поскольку в дормиториях запрещено держать домашних животных; Медлюшка-Зеленушка от страха обкакалась и с тех пор не шевелится и даже не реагирует, когда ее тычут карандашом около глаза. Чарли не сомневается в том, что она умрет, и теперь его интересует только одно: попадают ли черепахи в рай. Я говорю, что попадают, и тогда он спрашивает, будет ли мама ухаживать за Медлюшкой-Зеленушкой, а если будет, то как она узнает, сколько «Рептавита» ей давать, ведь у нее нет там специальной книжки, как ухаживать за черепахами.

— Все будет нормально, Чарли, — убеждаю его я. — Господь подскажет ей, сколько давать Медлюшке «Рептавита».

Чарли мгновенно перестает плакать и говорит, что хочет домой, потому что в Роксбурге не кормят «Капитаном Кранчем» и все его одноклассники тупоголовые.

Похоже, все не так уж плохо, и тем не менее я прихожу в ярость, поэтому, когда папа спрашивает меня, как там Чарли, я говорю:

— Он плакал и спрашивал о маме. — И поднимаюсь к себе наверх, а папа кричит мне вслед: «Я не позволю, чтобы со мной так разговаривали в моем собственном доме».

Однако, похоже, это не оставляет его равнодушным, потому что, когда позднее я спускаюсь вниз, он принимается рассказывать мне о своем первом дне в школе-интернате. Но кроме раздражения, у меня его рассказ ничего не вызывает, потому что он снова говорит о себе.

— Я никогда этого не забуду, — говорит он, медленно покачивая головой и глядя в потолок. — Я смотрел на отъезжающий маленький старый «форд» — ты их даже не помнишь — и осознавал, что не увижу маму и папу целых три месяца. Это было очень круто. Но такие вещи закаляют человека. Именно так произошло со мной. И Чарли это тоже закалит. Я знаю, как ты любишь брата, Джей. Мы все его любим. Мы любим его до самозабвения. Но ему это пойдет на пользу. Правда. Я в этом не сомневаюсь... Дети в этом возрасте очень... гибкие. В конце концов, из меня получился не такой уж плохой тип, а? — И по дороге на кухню он панибратски похлопывает меня по ноге, которая лежит на кофейном столике.

— Ага, — отвечаю я.

Он возвращается с сэндвичем.

— Чарли — спортивный мальчик, а спортсменов в интернатах всегда любят. Мне, например, в интернате очень нравилось, и ему понравится. А главное, он усвоит там полезные навыки, которые ему пригодятся в жизни. Ты же видел список их выпускников — директора, члены парламента, кавалеры всевозможных орденов.

— Ага, — снова говорю я.

Он опять выходит на кухню, чтобы налить себе выпивки. Он чувствует, что я на него сержусь.

— Понимаю-понимаю, — произносит он, выходя из комнаты.

Через несколько секунд он возвращается с открытой бутылкой «Куантро» и спрашивает, не хочу ли я выпить. Я качаю головой.

— Да брось, выпей со своим стариком, — говорит он, но я отвечаю, что мне не хочется. — У нас есть все. Что душе угодно — виски, бренди, портвейн, вино, джин, водка... А может, хочешь пива?

Я снова качаю головой, и он уходит в столовую за стаканом, бормоча себе под нос, как сложно быть отцом. Это начинает меня по-настоящему бесить, потому что он снова изображает из себя мученика, и я поднимаюсь к себе, чтобы не находиться с ним в одной комнате. Тем не менее я слышу, как, продолжая разговаривать сам с собой в расчете на меня, он наливает себе на кухне выпивку: если бы он относился к своему отцу так, как отношусь к нему я... и зачем он только завел детей — толку от них никакого, они только сковывают его по рукам и ногам, поэтому иногда ему хочется все бросить и уехать жить на какой-нибудь греческий остров.

Я запихиваю голову под подушку, чтобы не слышать, но, не вынеся всего этого, внезапно вскакиваю и сбегаю вниз. Выражение моего лица несколько его пугает, и это лишь подливает масла в огонь. С мгновение мы смотрим в глаза друг другу, после чего он заявляет, что собирается ложиться спать, и пытается меня обойти. Но я говорю, что, перед тем как лечь спать, ему придется ответить на один вопрос. Сколько раз еще Чарли должен позвонить в слезах, чтобы он признал, что его не надо было отправлять в интернат? Я еле сдерживаю ярость. Несколько секунд папа беспомощно моргает, но потом к нему возвращается самообладание, и он заявляет:

— О чем ты говоришь? Он же пробыл там всего лишь сутки.

И он ставит ногу на ступеньку. Но я снова повторяю свой вопрос: «Сколько раз?» Его рука замирает на перилах, но он ничего не отвечает, и поэтому я спрашиваю еще раз:

— Сколько раз, папа? Ты говорил мне, что если ему там не понравится, то ты пересмотришь свое решение. Совершенно очевидно, что ему там не нравится. Так сколько раз он еще должен позвонить в слезах?

Еле передвигая ногами, папа начинает медленно подниматься по лестнице. Он выглядит в своем халате таким постаревшим и усталым, что мне даже становится его жалко.

— Я заплатил за год вперед, — не оборачиваясь, отвечает он.

До этого он говорил, что за один семестр. Мне хочется догнать его и ударить, но вместо этого я снова спрашиваю:

— Так сколько раз, папа? — И я продолжаю выкрикивать это снова и снова, доводя себя до бешенства.

Когда мы сегодня с Джеммой делаем нашу обычную остановку, я не могу отделаться от ощущения внутреннего раздрая. Джемма пытается меня подбодрить и внушает, что я должен позитивно мыслить.

— Ты только представь, как нам будет здорово спать вместе в нормальной кровати с простынями, когда ты приедешь ко мне в гости, а не в этом фургоне.

Потом мы играем в игру, когда люди по очереди пишут пальцами на голых спинах друг друга разные слова. Джемма написала на моей спине: «Я по-прежнему тебя люблю», и я догадался. Когда наступает моя очередь, волосы у меня на загривке встают дыбом, потому что на какое-то мгновение мне кажется, что я могу помешать отъезду Джеммы в Шеффилд, если напишу «Выходи за меня замуж».

15 декабря: Через несколько дней нам должны сообщить новые сведения. Живот отекает по-прежнему. Это свидетельствует о том, что химиотерапия не помогла, и маме остается не больше полугода.

Я всегда мечтал о том, как мама станет свидетельницей моего писательского успеха, и представлял, как она будет стоять рядом в день презентации моей первой книги. А теперь она никогда не увидит моих детей и никогда не узнает, что со мной станет.

Вчера вечером я написал ей письмо и оставил его у нее под подушкой, поверх ночной рубашки. Я немного выпил и поэтому, когда писал его, так заливался слезами, как это бывало со мной только в детстве. В результате нос у меня так распух, что я даже испугался. Я совсем забыл, что такое происходит, когда плачешь.

Маляр мистер Уормли начал переделывать кладовку, расположенную рядом с моей комнатой, в еще одну спальню. Он объяснил маме, что готовит комнату для Сары и Роба, когда они приедут к нам на Рождество. А мне он сказал, что это будет спальня для постоянной сестры-сиделки, которая понадобится маме перед самым концом.

Настроение у мамы мрачное и подавленное. Голос звучит глухо, и ничто не вызывает у нее интереса. Думаю, она знает, для чего подготавливается еще одна спальня.

Четверг, 8 апреля

Откуда я мог знать, что нельзя ставить сумку на стол? Из-за этой мелкой оплошности все собеседование идет прахом. Папа со мной не разговаривает, а позвонившая с Багамов Сара осыпает меня упреками.

В каком-то смысле все это очень забавно. Мистер Гриффитс даже ни разу не взглянул мне в глаза и постоянно пялился на мою сумку с сэндвичами, словно внутри нее кишели ядовитые твари. И чем с большим ужасом он на нее пялился, тем с большей опаской начинал на нее смотреть я сам. Под занавес уже казалось, что он задает вопросы сэндвичам, а я отвечаю на те вопросы, которые сэндвичи задают мне.

Я сообщаю мистеру Гриффитсу — то есть сэндвичам, — какой я активный и целеустремленный. Однако я мог не утруждать себя, поскольку единственное, что он обещает, так это — занести мое имя в свой файл.

— Могло бы быть и хуже, — заявляю я папе, вернувшись домой.

Но он почему-то не смеется и обвиняет меня в том, что я умышленно занимаюсь саботажем.

— Вероятно, ты это сделал из-за вчерашнего вечера. Но зачем тебе это надо? Ты причиняешь боль мне, создаешь неудобства для себя. Я уже готов признать поражение — эту битву явно выиграешь ты. Поэтому мне ничего не остается, как перейти к драконовским мерам. Терпение мое лопнуло. Я пытался тебя понять. Но возможно, в данном случае нужно обратиться к более старомодным способам воздействия. Похоже, только они смогут на тебя подействовать.

На мгновение мне кажется, что он собирается меня ударить, но он проходит мимо, подходит к своему столу, берет ручку и лист бумаги со штампом «Морис Голден, шеф-редактор „Долбаного мира"».

Позднее, когда я возвращаюсь от Джеммы, я понимаю, зачем ему понадобились писчие принадлежности, так как он выдает мне на подпись документ, который озаглавлен «Условия пребывания под моим кровом». Он сообщает, что если я откажусь его подписать, то он тут же вышвырнет меня из дома. Документ содержит в себе семь страниц и написан со всеми правовыми формальностями. Я обязуюсь содержать свою комнату в чистоте, проводить меньше времени в ванной, в течение двух недель найти приличную работу, относиться к нему с уважением, прекратить его дискредитировать и обмахивать его страусиными перьями...

— А второго экземплярчика у тебя не найдется для меня? — в шутку спрашиваю я, но он награждает меня лишь суровым взглядом.

— Если ты не понимаешь устную речь, приходится писать на бумаге, — говорит он. — И я предупреждаю тебя, что это не шутка. Теперь все будет не так, как раньше, — добавляет он уже более тихим голосом.

Самое смешное, что я совершенно не занимался умышленным саботажем и действительно хотел получить это место. Не такой уж я никчемный человек. Во всем виновата секретарша. Это она представила мне мистера Гриффитса этаким минотавром, который сожрет меня за то, что я опоздал на десять минут. Позднее я пытаюсь объяснить это папе, но он отказывается меня слушать и лишь произносит своим терпеливо-насмешливым голосом: «Только не называй эту фирму „Суки и К°". Эта фирма принадлежит моему приятелю. Прояви хоть немного уважения». Уж лучше бы он на меня накричал.

Доктор Келли направляет меня на ультразвук. Но за эту процедуру надо платить. Когда я рассказываю ему о боли в животе, он с усталым видом снимает очки и спрашивает, нет ли у меня каких-нибудь конкретных подозрений. Я знаю, что он ждет от меня ответа «рак». Тогда он скажет, что все это чисто психологические проблемы, связанные с мамой, поэтому я говорю «нет», хотя и ощущаю какой-то комок, когда ложусь.

Через несколько дней после смерти мамы я позвонил доктору Хиллу посреди ночи, чтобы сообщить ему, что у меня микроинсульт, и похоже, мне этого не забыли. Вероятно, доктор Хилл написал на моей карточке большую букву «И», подразумевая «ипохондрик», так что теперь все автоматически считают, что любые мои жалобы вызваны исключительно психологическими причинами. Они и смотрят на меня соответствующим образом. «Ты — ипохондрик, — говорят их взгляды. — Ты знаешь, что мы это понимаем, но не можем сказать об этом вслух».

Пятница, 9 апреля

Доктор Келли прислал мне письмо, которое я должен передать доктору Гудману, чтобы тот сделал мне ультразвук. Я тщательно изучил письмо в поисках потайного врачебного шифра, свидетельствующего о том, что я ипохондрик, но не обнаружил ничего конкретного. Впрочем, все это такие тонкие вещи. Возможно, называть своего пациента ипохондриком противоречит клятве Гиппократа, поэтому врачи изыскивают хитрые формулировки, которые понятны лишь другим врачам. Я спросил своего кузена Дэвида, что означают буквы Ф. Р., обведенные кружком, которые я разглядел сквозь конверт, но он сказал, что не знает. А мог бы и знать, ведь он учится в медицинском институте.

Джемма сегодня была в Центре трудоустройства за два часа до меня и слышала, как служащие обсуждали мою персону. А когда она спросила, что они так смеются, ей ответили: «Сегодня в двенадцать у нас опять будет Джей Голден. Он как раскидайчик — то здесь, то там. Две недели поработает, две недели отдохнет».

Джемма говорит, что позднее это заставило ее задуматься над тем, что же из себя представляет этот тип, с которым она встречается. Она смеялась, когда рассказывала это, и тем не менее на меня это все произвело гнетущее впечатление.

Хлоя пообещала, что на следующей неделе у нее будет для меня нечто особенное. Я сгораю от любопытства. Что бы это могло быть? Работа на сверхсовременном токарном станке? Или место курьера в фирме «Ни дна ни покрышки»?

Мы проводим день, стоя на обочине шоссе М40, и все опять заканчивается ссорой, потому что я говорю Джемме, что она напоминает мне картинку «Магический взгляд», на которую нужно долго смотреть, чтобы она начала нравиться. Я не имел в виду ничего плохого, просто хотел объяснить, почему нам потребовалось так много времени, чтобы соединиться. Я хотел сказать, что буду скучать без нее, когда она уедет, но Джемма меня не поняла.

— Сначала ты не видишь ничего особенного, а потом протираешь глаза, и картинка приобретает объем. После чего ты видишь ее уже только в трех измерениях и даже не можешь понять, как можно было не заметить этого с самого начала, — говорю я.

Джемма начинает рыдать и заявляет, что я считаю ее плоской, и я чуть ли не полчаса трачу на то, чтобы привести ее в чувство.

— «Сравню тебя я с ясным летним днем», — написал Шекспир Анне Хэтвей, а она, наверное, разразилась слезами и воскликнула: «На что ты намекаешь? На то, что я толстая?»

Но Джемма не дает мне разойтись. Трудно стать Камю на Чешемской кольцевой дороге, когда самым большим твоим достижением являются две шестерки, выброшенные в трик-траке. Камю страдал от туберкулеза, ел улиток в горячем соусе и обсуждал проблемы сексуального бессмертия с красотками в кафе Монмартра. Я хочу жить в глинобитной хижине, принять участие в вооруженном перевороте и убежать от потока лавы, изрыгаемой вулканом, но Джемма не дает мне это сделать. Однако она не только тормозит мою жизнь, но и скрашивает ее. Я чувствую, насколько Джемма мне необходима, когда все начинает валиться из рук. Она считает, что наши отношения с папой станут лучше, если я куда-нибудь перееду. Вчера она объясняла мне, что есть люди, которые просто не могут жить под одной крышей. Она говорит, что тоже самое было с ней и ее сестрой Дженни. Никто в этом не виноват, и поэтому мне просто стоит куда-нибудь переехать.

6 часов вечера

Сегодня я поинтересовался у папы, куда делись деньги, заработанные мамой. Я знаю, что смогу получить их только по достижении совершеннолетия, но на всякий случай спросил, не одолжит ли он мне две тысячи фунтов на поездку в Ботсвану, если я не поступлю на курс журналистики. На днях я прочитал о проводящейся там операции Рейли. Им нужны люди, для того чтобы разгружать грузовики с гуманитарной помощью и копать колодцы. Думаю, мама была бы довольна, узнав, что я потрачу ее деньги на столь конструктивную деятельность. Я добавляю, что если уж папа вознамерился выставить меня за дверь, то лучше я займусь чем-нибудь полезным. К тому же в дальнейшем я смогу использовать этот опыт для написания книги. Я думал, он обрадуется тому, что у него есть возможность от меня избавиться.

— Отличная идея. Только я не намерен платить за твои солнечные ванны. У тебя осталось тринадцать дней, после чего ты окажешься на улице, — отвечает он.

Мне становится так скучно, что я говорю папе, что испытываю особое пристрастие к Африке.

— Я понимаю, что ты просто хочешь меня спровоцировать, но я настолько устал, что тебе не удастся это сделать, — говорит он и выходит из комнаты. Я подумываю, не проколоть ли мне руку циркулем, чтобы убедить его в серьезности своих намерений, но потом решаю, что дело того не стоит. Это тревожный знак — я начинаю выдыхаться.

Может, в конечном итоге меня все-таки похоронят в Вестминстерском аббатстве? Возможно, вместо могилы Неизвестного солдата там будет выстроен мемориал Неизвестного неудачника, в эпитафии которого будет отражена незавидная доля миллионов безвестных тружеников, которые умерли, так и не реализовав себя. К моему освещенному свечами надгробию будут стекаться изгои, правонарушители, писатели-неудачники и прочий сброд, пропахший корнишонами, для того чтобы обрести веру в себя и новыми глазами взглянуть на собственную жизнь.

Суббота, 10 апреля

Сделал ультразвук в Мандевилльской больнице. Я не стал передавать доктору Гудману письмо доктора Келли, чтобы у него не возникло предубежденности, однако это ничего не изменило. Доктор Гудман заявил, что не видит ничего особенного, и отказался повторить процедуру, когда я намекнул ему, что он не обследовал левую часть желудка, которая была плохо смазана гелем.

— Сколько вам лет? — спрашивает он, и я отвечаю, что восемнадцать. — Ну так о чем говорить? Вы крепкий и здоровый молодой человек, поэтому очень сомнительно, ну просто очень сомнительно, чтобы у вас было какое-нибудь серьезное заболевание.

Ну, хоть это радует. И, выходя из кабинета, я даже пожимаю руку доктору Гудману.

5 часов вечера

Еще два раза поругался с Джеммой — похоже, в настоящий момент я ни с кем не в состоянии ладить. Первая ссора произошла из-за Ботсваны. Она заявила, что не может серьезно к этому относиться, и сказала, что если уж я не могу приспособиться к цивилизованному обществу, то как, интересно, буду жить в нецивилизованном. Ее отношение выводит меня из себя. Я начинаю объяснять ей это, и тогда она заявляет, что я веду себя, как Шон.

Вторая ссора происходит из-за моей записной книжки: она спрашивает, зачем я ее постоянно достаю, когда мы смотрим в гостиной телевизор с ее отцом. Я решаю не сообщать ей, что собираюсь превратить ее отца в монстра XX века, и говорю, что просто записываю необходимые дела на следующий день. Однако она умудряется залезть ко мне в карман и после этого набрасывается на меня с гневной отповедью. «Лицо у моего папы не испещрено морщинами, — сверкая глазами, заявляет она, и мне ничего не остается, как повесить голову с видом непонятого гения, — и оно ничуть не напоминает задницу вельветовых брюк!»

С тех пор как отец подарил ей машину, она постоянно берет его под защиту и даже грозится рассказать ему об этой записи, если я ее не вычеркну.

— Надеюсь, обо мне там ничего такого не написано, — добавляет Джемма.

— Мне нравится лицо твоего папы, — говорю я. — Именно поэтому я так и написал. У него симпатичное живое лицо.

Но Джемма отказывается мне верить, утверждает, что я ненавижу ее отца, обвиняет в том, что я только пользуюсь окружающими, и на прощанье даже не хочет меня поцеловать.

Что мне в ней не нравится, так это ее манера разговаривать по телефону. Хотя ее родители и являются представителями среднего класса, а отец даже возглавляет кондитерскую фирму с международными связями, она разговаривает, как персонаж из сериала «Обитатели Ист-Энда». «Приветик!» — отвечает она по телефону, а вешая трубку, добавляет визгливым голосом: «Ну ты мне еще звякнешь». Я не сноб, но эти помоечные интонации меня раздражают. Именно это я и сообщаю Джемме на пороге, объясняя, почему больше не стану звонить и извиняться, как делал раньше. Это снова вызывает у нее бурную реакцию, и она заявляет, что почему-то не сообщает мне постоянно о том, что из меня лезут волосы, как из драной кошки. Одно дело — борьба за то, кто будет командовать, а другое дело — хамство.

Джемма говорит, что ей уже надоели мои постоянные придирки и почему бы мне не научиться вести себя прилично. Неужели так трудно устроиться на работу и зарабатывать деньги, а иначе как я смогу ее навещать? Я отвечаю, что она рассуждает точно так же, как мой папа, и тогда она говорит, что прекрасно его понимает.

— Двенадцать, — будничным тоном произносит он, перед тем как уйти спать, имея в виду оставшееся количество дней до того, как он меня выгонит из дома. А до этого я слышу, как он по телефону делится с Сарой своими планами по превращению моей комнаты в еще одну гостевую спальню.

Воскресенье, 11 апреля

«Тамильские Тигры» — это террористы из Шри-Ланки, которые пытаются создать независимое государство на Джафне. На шее они носят ампулы с цианистым калием, чтобы отравиться, если их захватят в плен, а самые фанатичные — Черные Тигры Киллеры-Самоубийцы — еще и обматываются взрывчаткой, чтобы подрывать себя вместе с казармами правительственных войск. Судя по всему, вступить в эту организацию может любой желающий. Стоит только пройти трехмесячное обучение в одном из их лагерей. Вот было бы здорово. Потом я мог бы написать потрясающую книгу под названием «Борьба за свободу». Папа на Рождество будет дарить мне защитную форму, Сара — пояс с гранатами, а дедушка раскошелится на «калашникова» с парой обойм. Представляю себе эти рождественские снимки: Чарли и папа стоят в шерстяных костюмах от Маркса и Спенсера, а рядом я в своем камуфляже, винтовка небрежно закинута за плечо, взгляд идеалиста устремлен вдаль. Вечером я сообщаю об этом папе:

— Им есть за что умирать. Я тоже хочу, чтобы мне было за что умирать.

Папа заявляет, что я занимаюсь шантажом и что мои угрозы взорвать себя среди армейских казарм в Шри-Ланке все равно не заставят его дать мне деньги на участие в операции Рейли.

— Так что придется тебе их самостоятельно заработать, как это делают все остальные, — говорит он.

Однако он, естественно, не может этим удовлетвориться, поэтому позднее он врывается в мою комнату, когда я слушаю музыку, срывает с меня наушники и с трагическим видом принимается размахивать перед моим лицом целой стопкой счетов.

— Четыре тысячи за ремонт! — произносит он, швыряя первый мне на кровать. — Пять тысяч за свадьбу Сары. Четыре тысячи — за интернат Чарли. Тысяча — на вечер памяти мамы. Итого четырнадцать тысяч. Думаю, это больше, чем ты заработал за всю свою жизнь.

Папа не понимает, что художник должен приобрести опыт, для того чтобы отразить все перипетии современной жизни. Если бы Толстой работал в пекарне, вряд ли он смог бы написать «Войну и мир». После отъезда Чарли папа стал еще более невыносимым. Или он просто перешел к партизанской тактике, чтобы выжить меня из дома. Он переделал доску объявлений, изобрел новое место для хранения кастрюль и сковородок, убрал все игрушки Чарли и по утрам выкидывает на лужайку все, что я оставляю вечером в гостиной. Пока он успел таким образом загубить мою вельветовую куртку и две кассеты, а также сделать неносибельными докерские сапоги.

6.30 вечера

Чудовищное зверство, достойное рассмотрения в Международном суде в Гааге! Я забыл о его нововведении, гласящем, что салфетки сначала надо складывать в коробку и лишь после этого убирать в ящик.

— Если салфетки класть в коробку, то края у них не замусоливаются, — произносит он, подтаскивая меня к ящику, как нашкодившего щенка.

Чуть позднее звонит вполне бодрый Чарли, и папа явно испытывает от этого удовольствие.

— Значит, все хорошо, — произносит он нарочито громким голосом, чтобы я слышал. — Отлично-отлично, я очень рад, сынок. Я знал, что тебе там понравится. Скоро увидимся. Да, я передам Джею привет от Медлюшки-Зеленушки. Он как раз стоит рядом. Да, и то, что тебя зачислили в футбольную команду, тоже передам. Джей, — произносит он, глядя на меня с отчужденным видом, — Медлюшка-Зеленушка шлет тебе привет, Чарли приняли в основной состав футбольной команды младших школьников, а у тебя осталось, — он смотрит на часы, — одиннадцать дней.

11 часов вечера

Меня очень беспокоит этот комок слева в животе, который пропустил доктор Гудман. Именно он является источником боли. Еще меня беспокоит то, что посреди процедуры доктора куда-то вызвала сестра. Я понимаю, что все это, возможно, домыслы, но не было ли это сделано специально? Наверное, все ипохондрики утаивают письма от своих лечащих врачей, и доктор Гудман нарочно попросил сестру прервать его, чтобы он смог отыскать мое имя в национальном списке ипохондриков. Тогда понятно, почему он был так небрежен и не обнаружил комка в левой части моего живота.

20 декабря: Маму снова положили в больницу. На этот раз из нее выкачали одиннадцать пинт жидкости. Такого еще не было. Врачи больше не хотят делать ей проколов, так как она теряет белки, которые поддерживают иммунную систему. Но ей было настолько плохо, что им пришлось согласиться.

Когда я прихожу навестить ее, она говорит, что, как ни странно, во сне она всегда чувствует себя здоровым человеком и даже занимается легкой атлетикой. Например, недавно ей приснилось, что она участвует в Нью-Йоркском марафоне и приходит к финишу третьей, после двух финок. А в другом сне она занималась аэробикой. Это совсем не похоже на мои сны, так как мне постоянно снится, что она страдает и мучается. Прошлой ночью мне снова привиделся этот кошмар.

Если не считать бытового уровня, мама предпочитает не обсуждать свою болезнь. Она может что-нибудь сказать об интенсивности отеков или о том, насколько действенны мочегонные средства. Она постоянно повторяет, как ее утомили курсы химиотерапии. Но сама болезнь при этом никогда не упоминается.

Странная штука — вытеснение эмоций. Человек загоняет их в изолированные участки мозга, как в отсеки подводной лодки. Наверное, именно это и спасает от депрессии. Если в отсеке образуется течь, он перекрывается перегородками, и сознание перемещается в другие, чтобы нормально функционировать. Думаю, так постепенно можно перекрыть все сферы жизни, и тогда человек опускается на дно и захлебывается.

Понедельник, 12 апреля

Сегодня подстригся у Роя, чтобы привести себя в порядок. Рой — старомодный парикмахер: он не только стрижет, но еще и разговаривает и всегда знает, что ты собираешься ему ответить. Причем в этом нет и тени заискивания перед клиентом, просто он ощущает любой поворот мысли. Мужчина, который стригся до меня, рассказывал Рою о том, что его бизнес переживает не лучшие времена, и Рой поведал ему историю другого своего клиента, чье финансовое положение еще хуже, в результате чего человек ушел явно приободренным. Когда подходит моя очередь, Рой рассказывает мне об одном известном новеллисте, с которым вместе служил в Сингапуре. Его рассказы отвергались на протяжении десяти лет, а потом он достиг успеха.

Стрижет Рой не слишком хорошо, но каждый визит к нему внушает веру в свои силы. Я думаю, он бы прославился, если бы у него было свое ток-шоу. Его можно было бы назвать «Стрижка-шоу». Он мог бы приглашать разных знаменитостей, стричь им волосы и заодно болтать с ними.

Из Центра трудоустройства по-прежнему никаких сведений. (Ученик позолотчика — к чертовой матери. Ученик тахографа — к чертовой матери. Разносчик в «Пиццу-Хат» — к чертовой матери.)

Дела идут все хуже и хуже. Сходил на собеседование на должность медийного рекламщика в фирме «Гордер и Скук». Я бы назвал ее «Гордер и Скука», так как ничего скучнее я еще не видел. Целый час мне пришлось просидеть с фотокопировальщиком, чтобы познакомиться с тем, «как все это делается». Собственно, это даже еще не собеседование — оно предстоит мне только на следующий день. Пока это лишь процесс ознакомления. В кабинете стоит пять компьютеров; перед мониторами сидят служащие, облаченные в костюмы, у которых встает всякий раз, когда им удается продать кому-нибудь рекламное объявление. Здесь царит типичная унылая учрежденческая атмосфера: все непрерывно требуют кофе, изображают сплоченную команду и обсуждают поведение детей и качество куриных чипсов.

Как это ни дико, но я начинаю понимать преступников. Недавно я прочел статью о похищении людей. Некая агентша по недвижимости была освобождена после уплаты выкупа в сто семьдесят пять тысяч фунтов стерлингов. Статья, опубликованная в «Сан», изобиловала такими словами, как «подонки», «больные», «трусы». А я никак не мог избавиться от мысли, насколько все это захватывающе. Я представлял себе, как стою, посмеиваясь, в капюшоне и произношу: «Если вы еще когда-нибудь хотите увидеть тех-то и тех-то, слушайте меня очень внимательно». Вряд ли мне удалось бы сохранить серьезное выражение лица, поскольку все это очень смешно. Может, я психопат? Потому что я не вижу в этом никакого криминала. Похититель получает выкуп, похищенный продает прессе свою историю. В результате все выигрывают. Все сливаются в едином порыве и понимают, как они друг друга любят — эмоции высвобождаются, пар выпускается и человек осознает свое нравственное превосходство. А главное — такое экстраординарное событие остается в памяти.

День провел в фургоне вместе с Джеммой, гладил ее по голове, что-то возбужденно говорил и пытался вызвать в своей душе хоть какой-нибудь отклик. Однако дело кончилось тем, что мы снова поссорились. Мне кажется, Джемма все больше от меня отдаляется. Она не хочет заниматься со мной сексом, а когда я говорю, что, возможно, я психопат, она резко обрывает меня и заявляет:

— Не будь идиотом, ты обычный оболтус.

Чуть позже я сообщаю Джемме, что собираюсь вступить в Общество гуманитарной помощи, если не поступлю на курс журналистики. В отличие от операции Рейли, там не нужны деньги, и они ищут волонтеров, которые помогали бы копать колодцы в Судане, — так, по крайней мере, написано в буклете, который раздают в Центре трудоустройства.

Отчасти я надеюсь на то, что Джемма начнет меня отговаривать и, в свою очередь, откажется от обучения в Шеффилде, после чего мы вернемся к безответственному существованию и посмеемся над собой. Но она отвечает резкой и обидной шуткой: «Понятно, это будет не Смеходром, а Балбесодром. Мы ехали на святки, а попадем на блядки», — смеется она. Совершенно определенно, она теряет ко мне какое бы то ни было уважение.

10 часов вечера

Испытал страшную неловкость при повторном посещении доктора Келли. Сначала меня запомнили в Центре трудоустройства, а теперь еще и в больнице. Я становлюсь известной личностью в явно неподходящих местах. Когда я подошел к регистратуре, обе сестры беседовали по телефону, поэтому я остановился в ожидании, когда они освободятся, однако одна из них, в очках, тут же начала делать мне знаки руками, чтобы я проходил в приемную. «Джей Голден», — одними губами произнес я. «Знаю-знаю», — ответила она и презрительно прикрыла глаза.

Чтобы предвосхитить все вопросы о письме, я сразу говорю доктору Келли, что потерял его послание доктору Гудману. Потом я сообщаю, что продолжаю испытывать боль, и в каком-то смысле она даже стала сильнее. Кроме того, время от времени у меня вспухают лимфоузлы на шее; насколько я помню по маме, это еще один симптом раковой опухоли — поэтому я решаю и об этом упомянуть.

Однако доктор Келли даже не удосуживается их прощупать.

— Результаты ультразвукового обследования не показывают никаких отклонений, — со скептическим видом заявляет он и награждает меня соответствующим взглядом.

Я говорю, что знаю об этом, но, возможно, доктор Гудман пропустил определенный участок в левой стороне живота. Доктор Келли откидывается на спинку кресла и довольно раздраженно отвечает, что если я хочу проконсультироваться у платного специалиста, то дело мое, только он не скажет мне ничего нового, а визит обойдется мне в восемьдесят фунтов стерлингов. Тем не менее я прошу организовать для меня эту консультацию. Представляю себе, как будет потрясен доктор Гудман, когда у меня обнаружат опухоль.

. — Не знаю, имеет ли смысл писать еще одно письмо? — спрашивает доктор Келли.

Но я награждаю его непонимающим взглядом и делаю вид, что не знаю, что он имеет в виду.

29 декабря: Рождество мы проводим все вместе. Сара приезжает вместе с Робом, хотя в этом году ее очередь ехать к его родителям. Вероятно, это последнее Рождество, которое мы проводим вместе, и от этого каждое его мгновение становится особенно значимым. Сара почти не расстается с видеокамерой.

Маме становится плохо в Сочельник. От обилия мочегонных у нее постоянно кружится голова, и даже в Рождество ей не удается встать с постели, поэтому она вынуждена постоянно кричать, давая советы Саре, чтобы та слышала ее на кухне. Впрочем, перекрытия между кухней и ее спальней настолько тонкие, что она может следить за всеми нашими разговорами и присоединяется к нам как раз тогда, когда мы нуждаемся в ее совете. Например, Чарли спрашивает папу, нет ли у нас мороженого, папа отвечает, что, наверное, оно лежит в нижнем ящике холодильника, и тут сверху раздается мамин голос: «В кладовке на стиральной машине. Только не трогай грецкие орехи — они приготовлены на День подарков».

Позднее маме удается спуститься вниз, но она так слаба, что не может идти самостоятельно. Весь день она проводит в своем желтом халате. Я тоже целый день хожу в пижаме, чтобы она не чувствовала себя одиноко; правда, папа заявляет, что я это делаю лишь для того, чтобы не носить уголь.

Двадцать седьмого у мамы начинается грипп, который, как мы думаем, она подцепила от Роба, и теперь после каждого приема пищи или каких-нибудь усилий она на двадцать минут проваливается в сон. Несмотря на все ее сопротивление, папа заставляет ее обзвонить клиенток и сказать, что она больше не сможет гладить белье. Мама и сама знает, что у нее больше нет на это сил, но не хочет в этом себе признаваться.

Странно, но, как ни включишь телевизор, все персонажи болеют раком — Ребекка в исторической драме Дафны Дю Морье, Барбара Виндзор в «Обитателях Ист-Энда» и еще кто-то — не помню кто. Это создает странную атмосферу в нашей гостиной, так как втайне все думают именно об этом, и несмотря на то, что всем нам очень хочется немедленно переключить канал, никто этого не делает, чтобы не показать, что его это волнует.

Вторник, 13 апреля

Возможно, известность и слава, которые пришли бы к Рою после демонстрации его «Стрижка-шоу», тоже его испортили бы. Возможно, он стал бы таким же напыщенным хлыщом, как и папа, и начал бы грозить уйти на канал Ай-ти-ви, если ему не прибавят денег и не начнут снабжать аксессуарами от «Гарнье» («Я не могу стричь Тамару Бек-вит ножницами фирмы „Бутс"»). Он начнет нани-мать помощников, вместо того чтобы самостоя-тельно выполнять всю работу, откажется от им-провизаций и начнет театрально подмигивать, глядя в камеру, как это делают Паркинсон и па-па, когда ему кажется, что вечерние новости уда-лись на славу.

Еще одно собеседование в фирме «Гордер и Скук».

— Почему тебя привлекает именно телерек-лама, Джей? — спрашивает дама в деловом кос-тюме.

«Потому что я — неудачник и мне больше не-куда податься», — вертится у меня на языке. Но вместо этого я говорю:

— Потому что это у меня получится.

— Почему ты так считаешь?

— Потому что я целеустремленный, дисцип-линированный человек, умеющий работать в команде, я изобретателен, конкурентноспособен, всегда добиваюсь желаемого, я — Водолей... свой в доску чувак. — Я уже не могу вспомнить всего, что именно я ей сказал.

Здесь же присутствует рекламный директор Крис Хендерсон, которому не терпится расска-зать об истории возникновения компании. Вся та же немыслимая дребедень: как в 1967 году Том Трэнч взял ребро от компании «Глико» и вдохнул в него жизнь, и увидел, что это хорошо, после чего он вложил в дело приличную сумму и открыл центральный офис в Суонджи. Просто душераздирающая история!

Я настолько потрясен, что, когда наступает моя очередь задавать вопросы, не могу придумать ничего умнее, как спросить, сколько у них филиалов, где они расположены, какими сотрудниками укомплектованы и не планируют ли они открытие новых. Боюсь, что с этими филиалами я переборщил. Хендерсон честно отвечает на все мои вопросы. Беда только в том, что меня это абсолютно не интересует.

Еще один отвратительный день с Джеммой. Мы идем с ней в кино на какой-то гениальный итальянский фильм, рекомендованный ей Родом. Кинотеатры подобны кладбищам слонов — люди отправляются туда, когда инстинктивно ощущают, что их отношения исчерпаны. За последние три недели мы ходили в кино пять раз. На обратном пути я стараюсь вернуться к нашему сценарию с Суки-Лу и Рэем-Дуди и намекаю на то, что наша верная дворняжка осталась привязанной к скейтборду, но Джемма на это никак не реагирует и лишь говорит «угу».

Чем ближе день ее отъезда, тем меньше остается у нас тем для разговоров, поскольку нам больше нечего планировать. Поэтому я провожу один опыт. Не то чтобы мне хотелось трахаться с Джеммой, но мне надо было узнать ее реакцию. Она отказывается заниматься со мной любовью под предлогом, что ей надо домой, хотя истинная причина заключается в том, что я сделал какое-то саркастическое замечание, когда она осталась в зале, чтобы посмотреть титры. Я прекрасно понимал, что она делает это лишь для того, чтобы узнать имя режиссера, оператора или еще како-го-нибудь светила, чтобы потом сообщить об этом Роду. И мне от этого прямо худо становится.

6 часов вечера

Сегодня был на приеме у профессора Джонса в больнице Кромвеля. Вся больница забита лощеными арабами, и мистер Джонс принимал меня в безукоризненно чистом кабинете, прилегающем к приемному покою.

Практически сразу он начинает задавать вопросы, которые заставляют меня поверить, что наконец-то меня принимают всерьез. Насколько успешна ваша сексуальная жизнь? Где концентрируется источник боли — выше или ниже пупка? Нет ли упадка сил? В норме ли перистальтика? Как выглядит стул? Нет ли головных болей? Я честно отвечаю на все вышеперечисленное и уже надеюсь, что сейчас меня отведут делать биопсию, но тут выясняется, что это было ловушкой.

— Думаю, что без малейшей тени сомнения я могу охарактеризовать все вами рассказанное как результат стресса, — говорит он, расплываясь в широкой улыбке.

Я говорю, что никакого стресса нет и в помине.

— Я проработал врачом тридцать один год и буду искренне удивлен, если выяснится, что я ошибаюсь. Более того, меня это заставит бросить медицину.

Я снова повторяю, что не испытываю никакого стресса, и он опять обрушивает на меня целый ворох вопросов: «Как дела на работе? Не оказывают ли там на меня давления? Как складываются отношения с подружкой? Все ли с ней в порядке? Как чувствуют себя мама и папа?»

И в конце концов я сообщаю ему о том, что мама умерла. Он вцепляется в эту информацию как классический кетчер: «Так вот в чем дело. Надо быть исключительно крепким молодым человеком, чтобы подобная вещь не произвела на вас впечатления».

Однако я продолжаю настаивать на том, что у меня нет никакого стресса.

— Вы ошибаетесь, — произносит доктор Джонс, качая головой. — Не пытайтесь себя обмануть. Спросите свою подружку или отца. Мы склонны загонять свои проблемы внутрь. А стресс проявляется в самых разных формах. Конечно, я могу отправить вас на цистоскопию, на просвечивание с бариевой кашей и еще на тысячу процедур, но мне просто не хочется, чтобы вы зря тратили свои деньги. А вы не думали о том, чтобы обратиться к психотерапевту?

20 февраля: Мама так и не поправилась после гриппа. Она весит меньше шести стонов, аппетита нет никакого, и она уже не может сама подняться на второй этаж. Руки покрыты синяками и кровоподтеками от инъекций, и все жизненные силы окончательно ее покинули.

Она не понимает, что с ней творится, и ей страшно, хотя она и пытается это скрыть. Мы пытаемся убедить ее в том, что, как только она оправится от гриппа, ей станет лучше, а папа только ходит и повторяет свою мантру: «Диктору Би-би-си удалось справиться с раком». Однако все уже понимают, что дело не только в гриппе, хотя никто не хочет это признать.

Папа тоже на грани срыва. И сегодня вечером признается, что запас сил у него на исходе. Он и сам уже не верит в то, что говорит. «Я так часто повторяю ей одно и то же, что она уже меня не слышит», — замечает он.

И когда Сара просит Чарли, чтобы он не шумел на кухне, папа говорит: «Нет, пусть шумит. Пусть малыш делает, что хочет. А то этот дом уже начинает напоминать морг».

Мне хочется напиться и поговорить с ним, но вместо этого я ухожу в паб с Марком и Кейт и потом очень жалею об этом, так как мне не с кем поделиться своими переживаниями.

Среда, 14 апреля

Вместе с Джеммой посмотрел «Танцующего с волками». Это довольно трогательный фильм, который длится почти три с половиной часа, и позднее я пытаюсь вызвать у Джеммы слезы, повторяя последние слова Трепещущей Птицы: «Я всегда буду твоим другом, Танцующий с волками. Понимаешь? Всегда». Но ее это не трогает, и все заканчивается очередной ссорой.

— Что с нами происходит, Джей?

— Что ты имеешь в виду?

— Мы изменились.

— А разве раньше все было не так?

— Раньше все было иначе.

— Что именно?

— Ты был другим, не таким зацикленным на себе, Джей. Мы не обсуждали все время твои проблемы. Мы занимались разными вещами. И ты не был таким ревнивым. Нам было весело.

— Я не ревнивый, и мне по-прежнему весело с тобой. Я совершенно не зацикливаюсь на себе.

— Еще как зацикливаешься, Джей. Я собираюсь уезжать, а мы по-прежнему обсуждаем только твои проблемы.

— Только потому, что ты сама все время к ним возвращаешься.

— Какая разница — кто к ним возвращается? Ты все равно зациклен на своем романе, на своей болезни, отношениях с отцом, на том, что ты психопат. И с каждым днем все становится только хуже и хуже.

— Между прочим, это ты считаешь меня психопатом!

— Заткнись!

Пауза.

— Прости, Джем. Просто мне кажется, что происходит что-то неправильное.

— С нами?

— Да нет. Со всем миром. Со всем остальным, что не имеет к нам отношения. Я даже не понимаю, почему люди стремятся ко всей этой ерунде. Экономичные машины, компактные аудиосистемы, DVD. И даже когда эти вещи тебе не нужны, со временем начинаешь испытывать в них потребность, потому что их покупают все остальные. Тебя просто заставляют это делать. Потому что если ты отказываешься их покупать, то в конце концов начинаешь ощущать себя неудачником. И самое отвратительное, что окружающие даже не понимают этого. Они считают, что ты переживаешь из-за того, что твоя аудио-система хуже, чем у них. Они считают, что тебе так хреново из-за того, что ты им завидуешь.

Пауза.

— Мне действительно кажется, что ты им завидуешь, Джей. У всех твоих друзей есть хорошая работа, и ты им просто завидуешь. Это вполне естественно. А что плохого в том, чтобы хотеть иметь хорошие вещи? Вот, например, у меня прекрасная машина.

— Твоя машина здесь ни при чем. Я совершенно не имею в виду твою машину. У любого человека в детстве есть свои мечты, Джем. Это страшно глупо, но когда-то я мечтал о том, чтобы стать профессиональным футболистом. А Чарли до сих пор об этом мечтает. А когда ты становишься старше и начинаешь работать в магазине по продаже газонокосилок, все эти мечты рассеиваются. И все это происходит из-за того, что ты взрослеешь и начинаешь работать в магазинах по продаже газонокосилок. Для взрослого человека существуют только материальные вещи — очередная компактная аудиосистема. Новая машина. О чем мечтают взрослые? О солнечном дне? О чашечке чая с точно дозированным количеством молока?

Пауза.

— Ты говоришь как Холден Кофилд, Джей. «Все чухня, ля-ля-ля...»

— Я этого не говорил.

— Но имел в виду. И знаешь, мне все это порядком надоело. Мой папа — старый хрыч, потому что его волнует чистота подъездной дорожки. Марк пустозвон, потому что у него есть «Пежо-206». Я тоже пустышка, потому что... возражаю тебе. Остается один Шон. И посмотри, что с ним стало.

Пауза.

— Твой отец прав, Джей. Тебе пора повзрослеть.

— В этом-то и беда, Джем, что я уже повзрослел. Мне этого совершенно не хотелось, но тем не менее это факт. Я вижу, что меня ждет, и мне становится страшно. Безмозглое существование в фирме телерекламы, когда пределом мечтаний является хороший фильм после программы новостей. Мне этого мало, Джем. Я хочу сделать что-то действительно важное.

— Просто найди себе хорошую работу, Джей. И забудь ты об этих «Тамильских Тиграх». Забудь о глинобитных хижинах. Самое важное, что ты можешь сделать, это найти себе хорошую работу.

От Джеммы я направляюсь к Шону. Весь их дом забит ящиками и коробками. Они уезжают через несколько дней.

— Спасибо за помощь, — говорит миссис Ф. — Он у себя.

Я спрашиваю у Шона, был ли он еще раз у врача. Шон говорит, что нет, но его направили к какому-то доктору в Дамфрисе, которого он должен посетить через пару недель.

— Значит, ты уже точно уезжаешь в Шотландию? — спрашиваю я.

Он пожимает плечами.

— Неужели ты даже не подал заявку на трудоустройство? — спрашиваю я. Я хоть заявки подаю. Меня раздражает то, что Шон так легко сдался. Из-за его лени я скоро останусь без друзей. Он отвечает, что у него нет времени на то, чтобы работать. В «Британнике» он добрался уже до буквы «И», но не обольщается, потому что самые крупные разделы: на «М», «П», «С» и «Т» — еще впереди.

В какой-то момент мы оба умолкаем и вспоминаем о том, что произошло у врача. Но ни он, ни я не хотим снова к этому возвращаться.

— Шон, а почему бы тебе не сдать экзамены, не найти работу и не остаться здесь? — спрашиваю я. — Я серьезно, без дураков, почему бы не заняться чем-нибудь полезным вместо того, чтобы читать про этих дурацких жужелиц? Постарайся, возьми себя в руки. Почему мы оба смирились с тем, что у нас ничего не получается?

Шон смотрит на меня с изумленным видом и спрашивает, какие у меня проблемы. Меня это окончательно выводит из себя. Он ведет себя так, словно у меня проблемы серьезнее, чем у него.

— Знаешь, это не смешно, — говорю я. — Ты превращаешься в настоящего неудачника, Шон.

— А ты нет? — спрашивает он, не отрываясь от монитора, и начинает хихикать, словно это очень смешно, что мы оказались с ним в одной лодке, хотя на самом деле это не так. Его лодка уже идет ко дну, а моя все-таки еще держится на плаву. — Самое главное в электрическом угре то... — начинает он своим профессорским тоном.

Иногда я начинаю его ненавидеть.

— А почему ты не хочешь переехать к нам?

— Отличительное чертой жужелиц является то... — продолжает Шон.

Я наклоняюсь вперед и закрываю рукой экран монитора.

— Папа не будет возражать, Шон. — Я дожидаюсь, когда он меня услышит, и убираю руку. — Я уже говорил тебе. Это я не хотел с тобой жить, чтобы не брать на себя ответственность. И дело не в том, что ты гей. Ты сумасшедший, а это гораздо хуже.

Шон с такой страстью нажимает на кнопку мыши, что чуть ее не ломает.

— К тому же, возможно, я сам стал неудачником только из-за того, что слишком много времени вожусь с тобой, — добавляю я. — Такая мысль не приходила тебе в голову? Возможно, если бы ты взял себя в руки и перестал быть таким идиотом, моя жизнь тоже наладилась бы. Мне осточертело тебя обихаживать и выслушивать весь этот бред о том, что работу должны выполнять роботы.

— Обихаживать меня? — с изумлением переспрашивает Шон. — Это же ты постоянно твердишь о своих долбаных роботах!

Голос у него срывается, но я уже не могу остановиться. Я уже даже не смотрю на него, а пялюсь в маленькое зеркальце, висящее над его головой, и кричу сам на себя:

— И прекрати сплетничать о Джемме за ее спиной! Я знаю, ты говоришь, что она меня бросит, когда уедет в Шеффилд!

Шон заявляет, что ничего подобного он не говорил. И тут в комнату входит его мать с коробкой под мышкой. Она спрашивает, из-за чего сыр-бор, и Шон объясняет, что все из-за того, что Джея в очередной раз выгнали с работы.

Когда миссис Ф. выходит, я тоже встаю.

— Сдай экзамены, бездельник, и прекрати оправдывать себя, изображая гея, — говорю я.

— Да, ты прав, Джей, — отвечает Шон и, щелкнув по мыши, вновь возвращается к статье о жужелицах, — я это сделаю в тот же день, когда ты перестанешь оправдывать все свои поступки смертью мамы.

11 часов вечера

У меня в голове творится что-то очень странное. Я даже не могу определить это словами. Как будто череп наполнен супом, который плещется из стороны в сторону, когда я наклоняю голову, или мыльной водой, в которой тонут все мои мысли. Большую часть времени это такой жиденький бульончик с овощами, но иногда, например сегодня, он приобретает консистенцию домашнего супа-пюре. Я как-то слегка не в себе. В животе тоже

267

странные ощущения, словно там какая-то огромная сжатая пружина, которая в любой момент может распрямиться. А распрямившись, она может подтолкнуть меня на абсолютно безумные поступки. Если мне хватит бензина, я доеду до деда и спрыгну с Прибрежной Головы. Я чувствую, как меня прямо-таки подмывает это сделать. И не потому что я хочу умереть, просто мне нужна какая-то встряска, чтобы увидеть перспективу.

Я даже начал ненавидеть Наполеона. Я смотрю на подаренный мне мамой Джеммы портрет и представляю себя в рядах его сторонников. Не сомневаюсь, что он был энергичным и пробивным чуваком, и мы бы вряд ли с ним поладили. Он бы командовал и помыкал мной, посылал то за тем, то за этим. Он бы вел себя точно как папа: наверняка он был из тех, кто может переживать из-за того, что кто-то воспользовался его водой для ванны.

Я сегодня пишу как в первый раз. Все предшествующие записи были обязаловкой. Я представляю, как обнаружу этот дневник через двадцать лет, когда стану знаменитым писателем, и от души над собой посмеюсь: ха-ха-ха, папа сказал мне то-то, а я ему ответил то-то, — видите, как я его обскакал, ну разве я не молодец? По-моему, этот ретроспективный взгляд вполне естественнен, учитывая, что я собираюсь стать писателем.

Однако сегодня я пишу, потому что мне одиноко. Обычно я чувствую себя довольно счастливым человеком. У меня нормальные отношения с окружающими, и, начав любой разговор с простого «привет», я могу рассказать в веселой и смешной манере о том, что произошло со мной за день. Но боюсь, что в этом состоянии я ни с кем не смог бы говорить.

14 марта: Вначале я еще мог писать маме письма, в которых говорил о смерти, но теперь на эту тему наложено табу.

«Она просто должна жить, — говорит папа, — и мы должны делать то же самое».

Он все чаще и чаще прибегает к своему любимому методу, который заключается в стремлении откупиться от неприятностей. «Мы тут ездили на Международную ярмарку, — заявляет он и продолжает голосом, которым говорит всегда, когда пытается подбодрить маму: — Я ей сказал: „Мы поедем на ярмарку“. Поездка обошлась мне в двести пятьдесят фунтов, но это того стоило. Ей стало лучше. Она бегала по проходам, как Колин Джексон».

Сегодня перед уходом на работу Сара разрыдалась у меня на плече. Она сегодня мыла и завивала маме волосы и поняла, что от нее осталась ровно половина, если не меньше.

Вечером папа ложится рядом с мамой и пытается накормить ее супом. Мама говорит, что суп пересолен, и икает после каждой ложки. Когда обозленный и выведенный из себя папа выходит, я сажусь рядом с мамой и глажу ее по голове. Она говорит о том, что и так всем известно, кроме нее: она говорит, что дело не в гриппе, а в метастазах, которые уже проникли в печень.

— Грипп не может так долго длиться. Человек лишается аппетита тогда, когда рак захватывает печень, — говорит она, глядя прямо на меня. Лицо ее постарело, как у деда, и подбородок дрожит.

Четверг, 15 апреля

Собеседование в Финансовой службе «Молдон». Фрэнк Понд спрашивает, как делишки, и я отвечаю, что отлично, хотя на самом деле делишки идут из рук вон плохо. Потом ни с того ни с сего он вдруг заявляет, что ему не нравится моя куртка с застежкой Зиг-Заг. Мне тоже не нравится, что он такой толстый, но я же не сообщаю ему об этом.

— Видишь ли, Джей, — говорит он, — одежда является твоей визитной карточкой. У всех есть своя униформа — у полицейских своя, у обывателей своя. У продавцов тоже есть своя униформа. Мы — люди в сером, покупатель не станет обращаться к продавцу, который ходит в костюме бутылочного цвета. — Он вынимает карандаш и тыкает им в фотографию, помещенную на одной из страниц рекламной брошюры их компании. На ней изображена целая группа парней в серых костюмах, которые стоят, небрежно облокотившись на компьютеры, и сидят за фотокопировальными машинами. Волосы у всех расчесаны на прямой пробор, вид тупой, но деловитый. — В течение первого года ты заработаешь двадцать тысяч. Во второй год эта сумма возрастет до тридцати тысяч. И ты будешь получать эти деньги, потому что я научу тебя, как надо их зарабатывать.

Меня начинает сносить. Жизнь чем-то напоминает головоломку. Сначала ты тычешься налево и направо в поисках решения. Пробуешь то одно, то другое. А потом внезапно выясняется, что выбора уже не остается. И либо тебе удается найти разгадку, либо ты обнаруживаешь, что в самом начале совершил непростительную ошибку. «Всю жизнь сидеть в своем кабинете и писать!» — кричу я. А что, если я ошибаюсь? Что, если мое призвание там, где я еще никогда не был и уже никогда не буду, так как время мое ушло? Может, мой удел — стоять с гаечным ключом в автомастерской.

— Ты мне нравишься, — сообщает Фрэнк Понд. — Мне не нравятся твоя куртка и твоя прическа, но сам ты мне по душе. Значит, ты понравишься и нашим клиентам. Давай начнем прямо на этой неделе. Посмотрим, что у тебя получится. У тебя какой-то отрешенный взгляд. С тобой все в порядке?

10 часов вечера

Сара вернулась после медового месяца. Приближается годовщина свадьбы Джона и Сильвии, и она сегодня приезжала, чтобы убедить папу пойти к ним на торжественный обед, так как со дня смерти мамы прошел уже почти год.

— Но они приглашают только пары, так как Сильвия католичка. А мне не с кем пойти, — отвечает папа, и Сара начинает предлагать ему разные кандидатуры — его секретаршу Келли и еще какую-то разведенку из отдела планирования Би-би-си.

Я выхожу, так как не могу это слушать. Я представляю, как папа сидит за столом с какой-то теткой и смеется над шутками Джона: «Так что сказал генеральный? Ха-ха-ха!», и мне становится от этого худо. Такое ощущение, что мамина смерть просто стала источником неудобства: «Ну надо же, померла, и теперь не знаешь, кого с кем посадить... Извини, но вдовцов мы не приглашаем».

В результате папа соглашается пригласить разведенку. Сара страшно довольна и, добравшись до дому, перезванивает мне, вероятно предполагая, что я тоже буду доволен.

— Я понимаю, что ничего серьезного из этого не выйдет, но Эйлин очень симпатичная, Джей. Я ее как-то видела у папы в кабинете. Надеюсь, у них что-нибудь получится. Ты ее видел? Просто роскошная женщина.

Эйлин. Как, интересно, женщина с таким именем может быть роскошной? Больше всего оно подошло бы какой-нибудь раздатчице из школьной столовой.

Нашел симптомы своих ощущений в голове в «Медицинском справочнике» — как я и предполагал, скорее всего это опухоль мозга.

29 марта: Сегодня ездили обедать в «Розу и Корону». И еще до того, как официант принес наш заказ, мама сказала, что ей надо кое-что сообщить нам. «В течение всех этих лет... — начинает она, и на глазах у нее выступают слезы. — О господи, так я и знала».

Я отпускаю шутку, говорю, что она плачет потому, что забыла вынуть из морозилки морковку для вечернего жаркого.

— Давай я скажу, дорогая, — перебивает меня папа. — Как вы знаете, все эти годы мама брала гладить белье, и вот теперь она хочет кое-что вам подарить.

Левая мамина рука свисает вниз, и я вижу, как она изо всех сил сжимает ее под столом в кулак. А правой достает из своей сумочки три чека. Они сложены аккуратными прямоугольниками, и папа помогает ей их развернуть.

— Я просто хочу вам это отдать, — говорит мама.

Я вижу, что в каждом чеке проставлена сумма в шесть тысяч фунтов, и от этого слезы наворачиваются мне на глаза. Это заставляет меня вспомнить «Список Шиндлера», и я вижу перед собой горы волос и золотых зубов, вырванных у евреев в Аушвице. Три чека на шесть тысяч фунтов каждый, что вместе составляет восемнадцать тысяч фунтов стерлингов, заработанных глажкой белья при расценках пять фунтов в час — три тысячи шестьсот часов, сто пятьдесят суток, и все это ради того, чтобы у нас был начальный капитал.

Когда я поддерживаю маму при выходе из паба, она берет меня за руку и внезапно сжимает ее с невероятной силой. Я говорю, что недостоин ее подарка, и она отвечает:

— Еще как достоин. Даже не знаю, что бы я делала без тебя.

Я обнимаю ее за плечи и ощущаю каждую ее косточку. На ней не осталось почти никакой плоти, а та, что есть, свисает, как подтаявшая ваниль на эскимо. Глаза провалились, а на висках такие впадины, что в них помещается половина большого пальца. Прежними остались только волосы. И единственное, что маму радует, что она, в отличие от многих, не облысела после сеансов облучения.

Пятница, 16 апреля

На вводный курс для новичков приходят шестеро. Мы должны зазубрить наизусть мрачную рекламу страховки, которая начинается словами: «Поговорим о ваших финансах, потому что любой из вас наверняка хочет быть материально независимым человеком, не так ли? Вот и хорошо. Давайте попробуем сбалансировать ваши расходы, займы и накопления, и тогда мы сможем изменить систему доходов и расходов».

После того как все запоминают текст, в кабинет заходит Фрэнк Понд, чтобы поблагодарить нашего инструктора и выяснить, как у нас делишки. Мы говорим, что делишки лучше некуда, и он просит каждого составить список из пятидесяти друзей и родственников, которым мы готовы продать страховку.

Моя соседка без малейших колебаний тут же начинает кому-то названивать: «Привет, это Карен. Ты меня помнишь? Два года назад я была твоей соседкой. Да ты наверняка меня помнишь — у меня еще был такой большой лабрадор по кличке Кики».

Однако я не могу заставить себя кому-нибудь позвонить, так как ощущаю в этом фальшь. Фрэнк Понд обнимает меня за плечи своей толстой и потной лапой: «Да забудь ты про свою гордость. Конечно, это твои друзья, но ты ведь предлагаешь им услугу. Ты должен быть профессионалом. Да и вообще, когда ты смотришься в зеркало, кого ты там видишь — друзей и знакомых?» — И тут у меня возникает мысль, что этот сукин сын даже собственного отражения не видит в зеркале.

— Мы занимаем десятое место в мире и являемся одной из крупнейших финансовых организаций. Если сейчас сюда кто-нибудь войдет и скажет, что ему нужен заем в четыре миллиона иен, чтобы купить консервный завод в Коби, мы дадим ему эти деньги без всяких проблем. У нас огромная компания, Джей. Иногда даже трудно представить себе ее истинные размеры. Особенно когда выходишь на улицу, а там дождь, она не пришла на свидание, машина не заводится, да еще и куртку порвал, зацепившись за гвоздь.

За день до маминой смерти мы навещали ее вместе с Чарли. Она все еще надеялась на улучшение. Думаю, она искренне в это верила. Впро-

чем, никто и не пытался разубедить ее. Метастазы были уже повсюду, но она не желала с этим
мириться. Она просто была не в состоянии признать это.

Ее голова была откинута на горку из трех по-
душек. Ей постоянно кололи диаморфин, так что
она не могла держать голову и лишь глазами сле-
дила за происходящим. Она была рада нашему
приходу и в то же время встревожена из-за того,
что я прогуливаю занятия, а она хотела, чтобы я
сдал экзамены на отлично.

— Мне сегодня делали внутривенные влива-
ния. Говорят, они творят чудеса, — произносит
она, растягивая слова. От нее пахнет клубникой,
которой ее безуспешно пытались накормить в последний раз, и единственное, о чем я могу думать — это о тех временах, когда я поднимал ноги, чтобы она могла пропылесосить ковер вокруг
меня.

— Знаешь, сколько у меня спален? Восемь!
Пять кабинетов. Ты даже не поверишь, если я
скажу тебе, сколько я зарабатываю, — хвастает-
ся Понд.

Я набираю первый номер из своего списка
друзей и знакомых. Это мама Джеммы.

— Здравствуйте, миссис Дрейкот. Как делишки? Это Джей.

— Извини, Джей, но Джеммы нет дома. И какие, собственно, делишки ты имеешь в виду?

— Видите ли, миссис Дрейкот, я, собственно,
хотел поговорить с вами. Ведь вы бы хотели стать
материально независимой женщиной, не так ли?

Хотите, я объясню вам, как можно усовершенствовать систему доходов и расходов?

Миссис Дрейкот отвечает, что она не понимает, что такое система доходов и расходов, и я, испытывая страшную неловкость, вешаю трубку.

Я надеваю куртку, и Понд снова повторяет, что я ему страшно нравлюсь и он сможет озолотить меня, если я останусь. Самое ужасное, что, прельстившись мечтой о быстром обогащении, я чуть было не остаюсь, представляя, как буду сидеть в одном из своих пяти кабинетов и вспоминать, как едва-едва не остался с носом из-за миссис Дрейкот. «Ох уж эта миссис Дрейкот. Ха-ха-ха. Как я ее отымел на следующий день со своей страховкой! Налей-ка мне еще коньяка, Фрэнк. Ха-ха-ха. Каким же я был наивным дураком!»

— Ты знаешь, а у тебя действительно серьезные проблемы, — замечает Понд, когда я подхожу к двери.

— Боюсь, что проблемы у вас, а не у меня, — отвечаю я. Хотя он не ошибается — у меня действительно серьезные проблемы, и я это прекрасно понимаю.

Добравшись до дому, я перезваниваю маме Джеммы и прошу у нее прощения за то, что пытался втюхать ей страховку. Она говорит, чтобы я не переживал из-за этого, а что касается Джеммы, то она все еще в Шеффилде — ищет себе жилье.

— Все еще? — переспрашиваю я, и мама Джеммы, смутившись, говорит, что ей срочно надо в какой-то художественный клуб, и вешает трубку.

15 апреля: Мы с папой сидим допоздна, и он все время говорит о маме. Он устроился в своем кресле, перекинув ноги через подлокотник, так чтобы я не мог видеть за стеклами очков его покрасневших заплаканных глаз. Папа уже три недели не ходит на работу и говорит, что превратился из мужа в сиделку. Дойти до кухни и обратно стало для мамы настоящим испытанием. Он заказал специальные перила, чтобы ей было легче подниматься наверх. «Мы должны делать для нее все, что в наших силах, — говорит он, глядя вверх. — У нее самой сил больше не осталось».

По вечерам мама устраивается на диване, подняв наверх свои отощавшие ноги, и так сидит, не шевелясь. А папа, Чарли и я приносим ей сок лайма и ее любимые заварные печенья из металлической коробки, которая стоит в буфете.

Папа говорит, что она отказывается принять то, что с ней происходит. Каждый день она говорит о своих симптомах — какими неподвижными стали ноги, как раздулся живот, — но никогда не соединяет все это в общую картину. «Я ей говорю: „Надо уже разобраться, с какой формой рака мы имеем дело. Четыре месяца назад речь шла о раке желудка. А что происходит сейчас?“ А она отвечает: „Мне это не интересно“. Я говорю: „Давай спросим Мейтланда“, а она не позволяет. Она просто не хочет ничего знать. Ей кажется, что до тех пор, пока она этого не знает, она может делать вид, что все это происходит не с ней».

Суббота, 17 апреля

Мой мозг еле функционирует. Приступы ужаса, когда меня преследовал вопрос: «Что я делаю со своей жизнью?», сменились другими, не менее сильными, только вопрос превратился в утверждение: «Посмотрите, что я натворил!». Каждый день я просыпаюсь с ощущением того, что лечу в бездну.

Ходил с Джеммой, Марком и Кейт в индийский ресторанчик. Марк сказал, что сделал Кейт предложение и она согласилась выйти за него замуж. Джемма поздравила Кейт и, перегнувшись через стол, поцеловала Марка. А когда я их поздравлял, то внезапно понял, что мне глубоко наплевать, будут ли они счастливы. Это напомнило мне о том, что я психопат, и мне стало грустно.

К концу вечера мне было уже на всех наплевать. Окружающие вызывали у меня исключительно чувство ненависти. Я даже не знаю, чем это было обусловлено — тем, что я психопат, или темами их разговоров: кредитные карточки «AMEX», новая машина, цены на квартиры в Шеффилде. Когда у тебя нет работы, хочется обсуждать серьезные темы — говорить о жизни и смерти, о мудрости, почерпнутой утром в Чешемской библиотеке. Безработный ощущает себя художником-авангардистом эпохи Парижской коммуны. Хочется идти на баррикады, штурмовать Зимний дворец и перераспределять национальное богатство. Но в реальности не остается ничего другого, как смотреть по «Видео-Плюс» «Звездный десант».

Карл Маркс не работал десять лет. Он сидел в Британской библиотеке и судорожно кропал свой «Капитал». Такой работоспособности можно позавидовать, но, с другой стороны, его ничто не отвлекало — тогда не было ни дневных телепрограмм, ни современных видеотехнологий. Переместите Карла Маркса в 90-е годы XX века, и он превратится в совсем иного человека. Он бы сразу позабыл о коммунизме и роли пролетариата, он бы, как и все остальные, торчал от «Видео-Плюс», разыскивал кассету с «Крестным отцом-II» и ждал половины пятого, чтобы посмотреть «Обратный отсчет».

В конце вечера Марк отвозит меня домой. Он говорит, что ему надо пораньше лечь спать, но на самом деле он больше не в состоянии слушать мои уничижительные замечания, которые я отпускаю в адрес «Пежо-206». Марк очень высоко ценит экономичность этой машины.

Еще раз поссорился с Джеммой. Она заявляет, что в последнее время я постоянно раздражаюсь и что ее сестра Дженни разошлась со своим приятелем Стивом именно по этой причине. Я нарочито зеваю, чтобы дать понять, что меня не волнуют ее угрозы, и остаток вечера она просто не обращает на меня внимания. В понедельник она снова уезжает в Шеффилд, и вовсе не с родителями, как говорила раньше, а с какими-то двумя студентами, с которыми познакомилась в жилищном агентстве и которые приступают к занятиям вместе с ней. Она говорит, что я буду мешать, если поеду вместе с ней, но на самом деле просто не хочет меня видеть.

Ученые предсказывают, что в ближайшие тридцать лет от коровьего бешенства могут скончаться более пятисот тысяч человек. Я недавно прочитал об этом в «Дэйли телеграф». Симптомами заболевания являются ухудшение памяти, потеря чувства равновесия, слабоумие, слепота и потеря рассудка, что в конечном итоге приводит к летальному исходу. Описание того, что происходит с мозгом, когда белок пожирает его ткани, оставляя губкообразные дыры, полностью совпадает с теми ощущениями, которые я испытываю. Суп и губка, в сущности, одно и то же. Если я через пять дней не найду работу, папа вышвырнет меня из дома.

В Обществе гуманитарной помощи мне тоже отказали, объяснив это тем, что у меня нет необходимых навыков. Я настолько бездарен, что не могу разгребать даже речной ил!

Воскресенье, 18 апреля

Я по-прежнему вспоминаю маму. Это даже не воспоминания, а объемные картинки с цветом, вкусом и запахом. Маленький Чарли завороженно смотрит, как я играю в шарики на ковре в коридоре. Считая, что я этого не вижу, он запихивает один из шариков себе в рот, катает его между щек и случайно глотает. После чего тут же запихивает себе в рот следующий, полагая, что таким образом ему удастся скрыть происшедшее.

Однако машинально глотает и этот. Я иду жаловаться маме, и она говорит: «Чарли! Прекрати поедать шарики Джея». После этого все тщательнейшим образом изучают стул Чарли, пока наконец из него не выходят шарики вместе с моим солдатиком из набора «Ваффен-СС».

Сейчас я даже не могу в это поверить, однако, когда мама впервые нащупала у себя уплотнение, никто из нас не отнесся к этому серьезно. Помню, как она лежала на полу на кухне, а Чарли перегонял его из стороны в сторону, словно это была новая игра. Уплотнение погружалось внутрь, а затем всплывало наверх, как пузырек воздуха. «Вот он! Вот он! Я его поймал!» — кричал Чарли, загоняя его вглубь.

Потом другая сцена — мама в больнице, ей приносят протеиновый напиток, который она принимает два раза в день, так как уже не может есть. Мы все смотрим, как она втягивает в себя по четверть ложечки, каждый раз собираясь с силами, словно она тяжеловес, готовящийся поднять штангу с добавочными десятью килограммами, и каждый раз все заканчивается слезами, потому что она больше не может. Мы, сидя вокруг ее постели, ведем искусственно-оживленное обсуждение «Обитателей Ист-Энда», чтобы заставить ее съесть еще. «А ты что думаешь о Бьянке и Рики, папа? По-моему, она ему не подходит. Мама, а ты что думаешь о Бьянке и Рики?» «Эта Бьянка очень симпатичная», — включается мама, вытирая слезы и снова беря ложку — все облегченно переглядываются.

Я не знаю, что произошло. Но все, что я чувствую, — мама, папа, Шон, работа, Джемма — вдруг превратилось в какие-то шарики, которые, сталкиваясь, катаются в моей голове, как по бильярдному столу. И сколько я ни пытаюсь загнать их в лузу, они выскакивают обратно. Так что количество шаров никак не убывает. После каждого удара шар отфутболивается обратно, и скоро у меня уже не будет сил на то, чтобы перемещать кий.

10 часов вечера

Сегодня снова сообщают о том, что французы отказываются закупать английскую говядину, и это сообщение сопровождается старыми кадрами, на которых изображены коровы, умирающие на полях от бешенства. Однако когда я говорю папе о том, что, возможно, я им тоже заразился, тот приходит в бешеную ярость и обвиняет меня в симуляции: «Сначала у тебя был рак желудка, потом ты прочитал об опухолях мозга и начал изображать из себя умирающего. Возможно, ты действительно болен, но изволь держать себя в руках».

Я говорю, что ему просто наплевать и что, конечно, я могу держать все при себе, чтобы он спокойно мог смотреть своего «Дикого ангела».

— Потому что все дело только в том, что ты хочешь смотреть кино, а я тебе мешаю. Возможно, когда я ослепну и не смогу стоять, мы вернемся к этому разговору.

4 апреля: Маму снова отправили в больницу. Она настолько ослабла, что уже не может встать без посторонней помощи, а поднимать ее с дивана очень тяжело. Ей колют стероиды, чтобы вызвать аппетит. В течение последних двух недель она ежедневно съедает такое количество пищи, которое равно одному тосту. Сердце разрывается, когда я слышу ее голос. Она не может произнести даже три слова, чтобы не закашляться, после чего ей требуется целая минута, чтобы прийти в себя. Она говорит только о своей болезни, в основном о ногах, от которых остались одни кости, покрытые тусклыми красными и бледно-серыми пятнами, как туши в витринах мясных магазинов.

Иногда она переходит на доверительный тон и начинает говорить таким тихим шепотом, словно сама не желает себя слышать: «Я так ослабла, Джей, так ослабла». И тогда в ее голосе звучит такое отчаяние, что у меня дыхание перехватывает.

Глаза у нее теперь постоянно на мокром месте. И когда она плачет, все еще ничего, хуже, когда она пытается сдержать слезы, — она шумно вдыхает, задерживает дыхание и произносит с фальшивым оптимизмом: «Ну сколько можно хныкать. Как твои дела? Что в школе, Джей?»

Больше всего она боится, что метастазы захватят печень, но, вероятно, это уже произошло. Она говорит об этом только тогда, когда папа выходит из палаты, да и то ей не удается произнести всю фразу целиком, не срываясь: «Боюсь, опухоль... захватила... печень».

В такие моменты я начинаю вести себя как робот. Я жду, когда она успокоится, и отвечаю: «Это никому не известно, мама. Возможно, все это из-за лекарств. Вот когда тебе сделают новый коктейль, ты снова начнешь есть. Если бы дело было в печени, врач наверняка уже сообщил бы об этом. Подожди, что он скажет. Ты просто должна заставить себя есть. Во всем виноват этот несчастный грипп».

Понедельник, 19 апреля

После третьего собеседования мне предлагают работу в фирме «Гордер и Скук». Папа делает вид, что очень разочарован тем, что ему не удастся превратить мою комнату в гостевую спальню, но на самом деле он доволен. Теоретически я тоже должен быть доволен, но почему-то никакого счастья не испытываю. У меня такое ощущение, что я на ощупь иду по темному переулку, который заканчивается тупиком. Я чувствую, как на меня наезжает грузовик, извещающий сиреной о своем приближении, но мне все равно, потому что бежать некуда. Грузовик все ближе и ближе, я пытаюсь вскарабкаться по гладкой стене, цепляюсь за углы, но у меня ничего не получается. Узнал у миссис Дрейкот новый телефон Джеммы в Шеффилде и позвонил сообщить ей о том, что устроился на работу, но с последней нашей встречи она ведет себя отчужденно. Я надеялся, что она мне посочувствует. Но она говорит, что очень рада, и это приводит меня в бешенство.

— Просто теперь у тебя будут деньги и ты сможешь приезжать ко мне в гости, — объясняет она.

— Ах это я должен приезжать к тебе в гости?

Она говорит, чтобы я не дурил и что она не имела в виду ничего обидного.

— Я не дурю и прекрасно понимаю, что ты имела в виду, — огрызаюсь я.

Я уже не в состоянии держать себя в руках. Я снова вспоминаю Рода, представляю себе, как Джемма все больше от меня отдаляется, и думаю о том, что, возможно, его кадык не такой уж острый. Я представляю себе, как они надо мной смеются и как Джемма рассказывает ему об одном идиоте, с которым она встречалась последний год — «Ну все, Джемма, хватит, а то я сейчас лопну от смеха. Ха-ха-ха, ушам своим не верю! Неужели даже приходской журнал отверг его писанину?!».

— Ты считаешь меня неудачником, — ни с того ни с сего заявляю я. — Никчемным человеком. Вы с Родом потешаетесь надо мной. Тебя не волнуют мои чувства. Ты даже не представляешь себе, что такое мечтать стать писателем и повсюду получать отказы!

— Я не понимаю, о чем ты. Я вовсе не потешаюсь над тобой с Родом, — говорит Джемма. — Я даже не говорила с ним. Я же рассказывала тебе о его кадыке. Мне казалось, что мы с этим разобрались, и я вовсе не считаю тебя неудачником. Мне понравился твой рассказ про ванны. По-моему, это было очень смешно.

— А откуда мне знать, что у него действительно острый кадык? Я что, должен верить тебе на слово? — Меня уже несет по кочкам, и я не могу остановиться. Это как игра в бирюльки — все переживания свалены в одну кучу и невозможно вытащить какое-нибудь одно, не затронув остальные. — Вполне возможно, что у него совершенно нормальный кадык. Да и вообще, почему это должно тебя волновать? Может, тебе нравятся мужчины с острыми кадыками.

Некоторое время в трубке висит напряженная тишина, а потом Джемма разражается хохотом. На самом деле мне тоже смешно, и я бы рад посмеяться, но мне мешает это сделать суп, бултыхающийся в голове. Я понимаю, насколько глупо устраивать скандал из-за кадыка Рода, которого я даже никогда не видел. Но не могу рассмеяться. Я снова начинаю себе представлять, как она рассказывает Роду о нашей ссоре и тот катается со смеху и чувствует себя страшно крутым из-за того, что кто-то может поссориться из-за его кадыка.

— Вот видишь, ты снова надо мной смеешься, — заявляю я. — Ха-ха-ха, как смешно — писатель-неудачник, которого отказывается печатать даже приходской журнал. Могу поспорить, Род просто визжал от этой истории. Почему бы тебе не рассказать ему еще и о «Звезде щеголя»? Пусть развлечется на полную катушку.

Ты точно так же, как и все, считаешь меня неудачником. Желаю тебе приятно провести время в Шеффилде, Джем. Я к тебе не приеду. И ты тоже можешь ко мне не приезжать — и так понятно, что тебе на меня наплевать. Прощай и передай от меня наилучшие пожелания Роду, а также его выступающей части тела. И на всякий случай запомни — ты права: я действительно неудачник.

6 часов вечера

Консультация у доктора Келли тоже проходит хреново. Он — настоящий шарлатан. Я рассказываю ему о том, что слышу, как распадаются клетки моего мозга, и описываю ощущение бултыхающегося в голове супа, который меняет консистенцию от бульона из кубика до густого наваристого куриного супа, и он заявляет, что возможны несколько вариантов.

— Во-первых, можно сделать снимок пазух носа. Во-вторых... — он выдерживает паузу, — можно проконсультироваться у психиатра.

Когда дома папа спрашивает о результатах моего посещения, я умалчиваю о психиатре.

— Мне сделали снимок пазух носа, — отвечаю я. — Врачи считают, там может быть что-то серьезное, но, знаешь, давай подождем рекламной паузы, я не хочу, чтобы ты отвлекался от своей программы.

Он еще поплачет, когда я стану «овощем».

22 апреля: Вечером ко мне с деловым видом заходит папа — он всегда так себя ведет в критических ситуациях. Он объясняет, что только что говорил с медсестрой и та предлагает выбор: можно начать кормить маму

288

через нос, и это продлит ей жизнь, или попробовать новое лекарство, которое полностью снимет боль, но зато ускорит наступление конца.

Папа ответил, что перед тем, как принять решение, ему нужно обсудить это со мной и Сарой. Я понимаю, что он хочет, чтобы я выбрал второе, и я это делаю. Папа сообщает, что Сара посоветовала ему то же самое.

— Она страшно мучается, — говорит он. — Сегодня ей намного хуже, чем вчера, когда ты ее видел. У нее больше нет сил бороться.

Я спрашиваю, о каких сроках идет речь. Я тоже стараюсь быть исключительно деловым.

Он говорит, что в первом случае речь может идти о десяти днях, но мама внятно ему сказала, что не хочет, чтобы ее кормили через нос. Во втором случае — он выдерживает паузу.

— Речь идет о сорока восьми часах. Все кончено, сын, и я думаю, ты должен знать об этом.

С одной стороны, мне хочется забрать маму из больницы. Увезти ее на озеро Орта, где мы когда-то всей семьей катались на водных лыжах, чтобы последние дни она провела там, где мы были счастливы, чтобы я мог узнать о ней все то, чего еще не знаю. Например, я знаю, что она когда-то жила в Индии, но мне об этом почти ничего не известно. Но с другой стороны, почему я хочу это сделать?

Я хочу это сделать не ради нее, а ради себя. И поскольку она отказывается признавать, что умирает, все остальные обязаны поступать так же, а это исключает возможность какого бы то ни было серьезного разговора.

Я хочу поехать в больницу, чтобы повидаться с ней, но папа говорит, что мы поедем туда завтра. «Ближайшие два дня будут очень тяжелыми», — говорит он. В результате мы умолкаем и усаживаемся смотреть какой-то фильм. Посередине папа засыпает, и я звоню маме, хотя на часах уже начало двенадцатого, однако сестра в палате тут же меня с ней соединяет.

— Привет, милый, — сонным голосом говорит мама. — Сколько сейчас времени?

Я говорю, что уже поздно, и спрашиваю, как она.

— Я не могу есть, — после длинной паузы отвечает она. У нее такой слабый и испуганный голос, что я непроизвольно отодвигаю трубку от уха, чтобы не слышать его. — Прости, милый… Просто я больше не могу. — Она пытается справиться со слезами, и мне становится стыдно за то, что я вместе со всеми делаю вид, что больше всего нас волнует то, что она не может есть. — Как папа? — спрашивает она дрожащим голосом.

Я говорю, что он спит.

— А как прошла игра у Чарли? — спрашивает она. Чарли только что сыграл свой первый матч за школьную команду семилеток.

Я говорю, что все в порядке. Мне ужасно хочется сказать, что я люблю ее, но я боюсь ее напугать, так как это звучит слишком патетично.

— Спокойно ночи, — вместо этого говорю я.

— Спокойно ночи, милый, — отвечает она, и я слышу, как кто-то забирает у нее трубку.

Вторник, 20 апреля

Я безжалостно запускаю себя на полные обороты, переключаю коробку передач на первую скорость, выжимаю из двигателя все, на что он способен, но у меня ничего не получается. Я ощущаю вялость, безразличие и даже не могу сформулировать собственные мысли. Но мне необходимо двигаться хотя бы для того, чтобы иметь возможность сесть в фургон и уехать куда глаза глядят — хоть в Судан, хоть на край света. Все время представляю себе, как потом буду рассказывать об этом Марку и Кейт. Мы сидим у Элли, я окреп, поумнел и приобрел мудрость после всех испытаний, выпавших на мою долю. У меня отличная работа, и все смотрят на меня открыв рты. «Ты считаешь, что у тебя депрессия? Чушь собачья! — Глоток пива для усиления эффекта. — Когда умерла мама и я разошелся с Джеммой, — задумчивый взгляд, устремленный к потолку, — мне было настолько плохо, что я не спал до тех пор, пока не добрался до Судана. Я ни разу не остановился, чтобы передохнуть. В Италии я сел на паром и к рассвету уже был в Африке. Весь день до самой полуночи я просидел в баре Мустафы. Просто пил и смотрел на людей. И на следующий день я снова вернулся туда, после того как вылез из сточной канавы, в которой оказался ночью. И так продолжалось в течение целого месяца. Целый месяц я ни с кем не говорил и только пил. Разве это можно сравнить с твоей депрессией, Марк, которая вызвана лишь тем, что у машины нужно менять прокладку головки?»

Первый день у «Гордера и Скука». Все замолкают, когда кто-нибудь из членов так называемой команды близок к тому, чтобы совершить крупную сделку. Разговоры прекращаются, и все с тревогой устремляют взор на говорящего. Если он произносит: «Не сообщите ли вы номер вашего счета?», все понимают, что сделка заключена, и обмениваются восхищенными взглядами.

Переполненный адреналином удачливый агент бросает трубку и во всеуслышанье сообщает о своем достижении, а если сумма контракта оказывается особенно выдающейся, он начинает еще и распевать на глазах у своих менее успешных коллег. Нечто подобное было сегодня продемонстрировано Джеймсом, который разгуливал перед Берни и пел: «Семнадцать и пять, семнадцать и пять, семнадцать и пять». А ученикам предоставляется «привилегия» переставить флажки на доске соревнования, озаглавленной «Гонка за монетой звонкой». За Джеймса это делает Саманта. Вписав его достижение, она ударяет ладонью по доске и начинает скандировать: «Джеймс! Джеймс! Джеймс!»

Торговая формула, которой нас обучают на курсах концептуальной торговли, носит название ОИДСЖД. Вот ее составляющие: Определение проблемы с помощью Идентификации ее идеального решения. Доказательство того, что ваш продукт является идеальным решением проблемы (для этого используется система СПВ — Свойства, Преимущества, Выгода). Согласие, получаемое с помощью наводящих вопросов, типа «не так ли?». Добейтесь согласия на каждом этапе убеждения, чтобы оно разрасталось и крепло. Желание, подпитываемое энтузиазмом, позитивной речью (бутылка пива наполовину полна, а не наполовину пуста) и демонстрацией массовости (наш журнал читают тридцать пять тысяч человек — это почти половина того, что может вместить в себя стадион Уэмбли). Еще одно возвращение к Определению проблемы и, наконец, Действие с помощью метода РАПДКП — рикошет, альтернатива, приглядка, допущение, косвенные и прямые методы. Например, образчик рикошета: «У вас много читателей?»… «Вы стремитесь к большой читательской аудитории?» Альтернативный метод: «Так нам лучше купить у вас целую страницу или половину?». Метод допущения: «Какой у вас номер счета?». Косвенный метод: «Не могли бы вы связать меня с бухгалтерией?». Прямой метод: «Так, значит, вы покупаете нашу рекламу?». Нас даже обучают шуткам, с помощью которых можно выходить из неловких ситуаций, если вдруг выяснится, что все телефонные разговоры у нас записываются: «Ах, зачем вы это сказали? Теперь меня уволят».

Позвонил Джемме и извинился за прошлый вечер. Сначала она заявила, что не хочет меня видеть. И мне пришлось согласиться заехать за ней. Она считает, что мы ссоримся только тогда, когда ходим в паб. Поэтому я отвожу ее в Комик-трест за Лестерской площадью.

Я изо всех сил стараюсь развлечься, но у меня ничего не получается. Массовик-затейник из шкуры вон лезет, заставляя публику знакомиться друг с другом: «Теперь этот ряд. Ну-ка встали! Повернулись! И пожали руки сидящим за вашей спиной. Начали!»

Все это слишком напоминает то, что происходит на работе — гиперэнтузиазм, фальшивая доброжелательность и начальственный тон. Когда я отказываюсь встать, затейник пытается повлиять на Джемму, чтобы она заставила меня это сделать.

— Это твой бойфренд? — спрашивает он и добавляет, когда она отвечает кивком: — Надеюсь, ты недолго будешь с ним возиться. — И мы с Джеммой поворачиваемся друг к другу.

Домой мы возвращаемся на метро и всю дорогу молчим. От станции «Чешем» я подвожу ее на фургоне, но, когда мы доезжаем до ее дома, она не выходит. Мы сидим в машине и смотрим на дождь через ветровое стекло. И я уже почти собираюсь рассказать ей о том, как чуть не написал на ее спине «Ты выйдешь за меня замуж?», но она вдруг произносит: «Ничего у нас с тобой не получается».

Я говорю, что все прекрасно, и пытаюсь ее поцеловать, но она начинает плакать.

На обратном пути я тоже начинаю плакать, потому что понимаю, что у нас действительно ничего не получается, только я не могу понять почему. Слезы скапливаются под подбородком, как намокший ремешок от шлема, и когда я вытираю их тыльной стороной ладони, то неожиданно вздрагиваю, так как этот жест напоминает мне удар по горлу бритвой.

24 апреля: Дыхание у нее становится все более поверхностным. В горле все время что-то трещит, как вода, попавшая в розетку, и шипит. Я обтираю ей лоб влажной фланелью и смачиваю губы лимонной коркой, пока меня не сменяет папа. «Ну ладно, теперь моя очередь», — произносит он, и я чуть не взвиваюсь под потолок: он говорит это таким тоном, словно я должен уступить ему место за пультом управления видеоигрой. Я встаю в ногах кровати и крепко беру Чарли за руку.

Желвак, который ходуном ходил на маминой шее, движется все медленнее и медленнее. Вошедшая сестра пытается прощупать ее пульс. «Уже скоро», — говорит она и улыбается. Мы уже семь часов находимся рядом с мамой. Никто из нас не спал и не ел. И все равно она не имела права говорить «уже скоро», словно мы ждем, когда освободится столик в ресторане. Словно мы куда-то спешим.

И вот наступает момент, когда поднимавшийся и опускавшийся на ее шее желвак останавливается. Мы переглядываемся и вслед за папой подходим к маме и целуем ее в лоб.

Лицо у нее желтовато-землистого цвета, губы провалились, кожа стала прозрачной и свисает на шее складками, как подтеки воска. Рот полуоткрыт, и темнота в нем зияет, как дырка в рваном носке. Но это по-прежнему моя мама, и она выглядит еще прекраснее, чем раньше. Я наклоняюсь, чтобы поцеловать ее влажный лоб, и мне становится стыдно за то, что летом, когда она просила намазать ей спину кремом для загара, ее похожее на скелет тело вызывало у меня отвращение.

Но потом желвак на ее шее приподнимается еще один раз, и она делает вдох. Но этого оказывается достаточно, чтобы мы снова начали ее целовать. «Она смеется над нами», — говорит папа. И мы разражаемся каким-то истерическим жутким смехом, а обнадеженный Чарли полувопросительно-полумолитвенно начинает повторять эти слова про себя. И желвак снова опускается.

Теперь на маму уже никто не смотрит, все следят только за этим желваком. Проходит минута, и все молятся только об одном — чтобы он еще раз поднялся. Но на этот раз ничего не происходит. Струйка желтой желчи появляется из маминого рта и начинает стекать на подушку, Сара и Чарли отворачиваются и разражаются рыданиями. Папа уходит за сестрой, а я пытаюсь ощутить мамину душу, которая еще не отлетела и прощается с нами, но у меня ничего не получается. Я слышу лишь рыдания Сары и Чарли и гомон птиц за окном, которые продолжают петь как ни в чем не бывало.

Среда, 21 апреля

Ни один гепард, преследующий антилопу, никогда не остановится только из-за того, что у него выдался неудачный день. Уверенность — очень странное свойство, присущее лишь человеку. Оно определяет наше поведение в гораздо большей степени, чем поведение других животных. Вот я иду по тротуару, и такое ощущение, что мои внутренности спокойно плывут внутри какого-то другого тела — как в бассейне на океанском лайнере. Я обращаю на что-то свой взгляд, но мои глаза не сразу видят то, что находится перед ними. Они продолжают сохранять образ предыдущего изображения. Мои ноги словно налиты свинцом. Я чувствую, как с каждым шагом они становятся все короче и короче, как в том фокусе, когда человек спускается по воображаемой лестнице.

ОИДСЖД является источником бесконечных шуток в среде новичков. Все только бегают и задают друг другу вопросы из Определяющего этапа: кто, как, что, почему, где и когда. Например, Сэм сегодня спрашивает у Берни: «Как провел вечер?» — и, когда тот отвечает «Хорошо», тут же интересуется: «А что в нем было такого хорошего?»

— Отлично посмеялись.

— Насколько важен для тебя смех?

— Очень важен. Смех — это веселье.

— А от чего еще может быть весело?

— Ну не знаю... когда общаешься с друзьями, когда чувствуешь себя свободным и раскованным.

— А когда ты чувствуешь себя свободным и раскованным?

— Когда прихожу в паб.

— Если бы ты мог создать идеальный паб, как бы он выглядел?

— Там бы продавали в разлив «Джона Смита», там бы стоял музыкальный автомат, и он бы располагался неподалеку от метро, чтобы я успевал добраться до дому.

— И ты купил бы такой паб, если бы я тебе его предложила?

После работы пошел выпить с Берни и Сэм в бар, расположенный на первом этаже нашей фирмы. Там все говорят только о работе и о том, кто что собирается есть на обед. Здесь все просто одержимы проблемой жратвы.

Берни говорит, что я не общительный, так как не участвую в ролевых играх. Он считает, что я «рефлексирующий наблюдатель». Под занавес я довольно здорово надираюсь и сообщаю, что наврал Хендерсону во время собеседования и на самом деле с пяти из семи предыдущих мест работы меня уволили.

— Серьезно? И ты не написал об этом в своем резюме? — спрашивает Берни.

Я пытаюсь поговорить и с Сэм, но она может беседовать только на две темы — о работе и салатах — «Не пойми меня превратно, Берни, — я ем и говядину с горчицей, но иногда хочется просто салатик. А ты любишь салатики?». Через некоторое время общение с ней становится невыносимым, и поэтому, когда, совершенствуясь в усвоенной методике, она начинает выяснять у меня, чем я занимался прошлым вечером, я говорю, что мне было так тошно, что я чуть не перерезал себе горло.

Сэм принимает это за шутку.

— А почему вдруг у тебя возникло желание перерезать себе горло? — спрашивает она.

— Потому что я работаю с кретинами, которых интересуют одни сэндвичи, — отвечаю я, и она разражается диким хохотом.

— А что еще вызывает у тебя желание перерезать себе горло?

— Общение с тупыми толстозадыми девицами, которые не в меру пользуются косметикой и не отличают шуток от того, что говорится всерьез.

— Прости, это ты обо мне?

Дома меня уже ждет папа. Его вид не сулит ничего хорошего. Я предполагаю, что это вызвано тем, что я обещал ему помочь с фруктовым салатом и слишком поздно пришел. Я начинаю извиняться, но он меня перебивает.

— Наплевать на салат, — говорит он. — А вот что тебе известно об этом? — И он кладет передо мной счет за телефон с указанными в нем номерами. Я встаю и отхожу к холодильнику. — И не смей уходить, когда я задаю тебе вопрос! — кричит он. Я достаю из морозилки кубики льда. — Я жду объяснений. Раз, два, три, четыре, — он размахивает счетом, — пять, шесть, семь, восемь звонков после одиннадцати часов вечера, сделанных в январе через код ноль один семь один. Три в феврале. Семь в марте. Пять в апреле. Я никуда не звонил, и уж тем более этого не делал Чарли!

Я обливаю форму со льдом горячей водой, запихиваю самый большой кубик в рот и начинаю его сосать.

— Ну, ты закончил? — с саркастическим видом складывая на груди руки, интересуется он. Я продолжаю сосать кубик, чтобы придать себе безразличный вид. Не могу сказать, чтобы меня все это не трогало, но надо хотя бы внешне сохранять безразличие. Я думаю о Джемме и о выкапывании колодцев в Судане. Совершенно необязательно завербовываться в Общество гуманитарной помощи, мы с Джеммой можем поехать туда сами по себе и независимо копать колодцы.

— Ты опять брал мою телефонную книгу? — спрашивает папа, хватая меня за плечо и разворачивая лицом к себе. Слово «брал» он произносит особенно ядовито, потому что на самом деле он хочет сказать «крал».

— Нифефо я не фнаю, — произношу я. Из-за кубика льда во рту это получается у меня не слишком отчетливо.

— Что? — переспрашивает он.

— Я не фнаю, о фём фы хофоиф.

— Выплюни немедленно! — говорит он. — И надеюсь, на этот раз ты не забудешь налить в форму воды. Мне надоело за тобой бегать. Мне надо написать отчет и подготовиться к вечеру. — Он довольно крепко берет меня одной рукой за затылок, а ладонь другой подставляет мне под подбородок, чтобы я выплюнул в нее лед. Я плюю, но у меня это получается несколько сильнее, чем требуется. Кубик перелетает через его руку и шлепается на клавиатуру ноутбука, который стоит открытым на кухонном столе.

— О боже мой! — вскрикивает он, вероятно полагая, что я это сделал специально. — Что ты стоишь! Убери это скорей! Выкини в раковину, пока у меня все не погибло! У меня ушло на это два часа!

Чем больше я думаю о поездке, тем больше мне нравится эта идея. В Судане у нас с Джеммой не будет никаких проблем. Там ничто не будет нам мешать. Судан станет нашим необитаемым островом.

Я беру то, что осталось от кубика, и выбрасываю в раковину. Папа тем временем включает и выключает ноутбук, бормоча под нос, что я погубил предыдущий и, судя по всему, угробил и этот. По-моему, он даже хочет, чтобы ноутбук сломался, тогда у него будет повод обрушиться на меня с еще большей силой.

Но мне уже на все наплевать. Может превращать мою комнату в свой кабинет, если ему так надо. Может сжечь ее или сдать людоедам. Меня все равно уже здесь не будет. Я уезжаю в Судан. Мы с Джеммой уезжаем в Судан.

— Я звонил Полу Дэниелсу, — говорю я. Я хочу вывести его из себя. Я хочу, чтобы он вышвырнул меня из дома.

— Полу Дэниелсу? — переспрашивает он.

— Да, этому телевизионному магу.

— Я знаю, кто такой Пол Дэниелс.

— И Эдварду Хиту.

— Теду Хиту? Ты звонил Теду Хиту? — На его лице появляется серьезное выражение.

— Я говорил с ним всего пару секунд, — говорю я.

— И что же ты сказал нашему бывшему премьер-министру?

— Ничего особенного. Я сказал, что меня зовут Денис Хили и что я считаю его редкостным ослом.

— Ослом?! — Он резко поворачивается ко мне спиной.

— Ага, — отвечаю я.

И он столь же стремительно снова поворачивается ко мне лицом. Он так быстро крутится, что, видимо, ему стоило заниматься балетом.

— Так, давай по порядку. Ты звонишь бывшему премьер-министру Великобритании, возглавляющему палату лордов, и называешь его ослом. Сам ты осел после этого! — Он издает легкий смешок, означающий «ну что еще можно от тебя ожидать», и наливает себе большой стакан «Куантро», чтобы мне стало стыдно за то, что я вынуждаю его пить. И тут он замечает, что формочка для льда почти пуста. Надо видеть выражение его лица! Он замирает, и плечи у него обвисают, как будто в них вдруг исчезли кости. На какой-то момент это даже вызывает у меня тревогу.

— Я наливал воду. Наверное, она вытекла. Я точно помню, что наливал. Я абсолютно в этом уверен, — говорю я.

Мне не придется долго убеждать Джемму. Она может взять академку в Шеффилде. Мы будем сами зарабатывать себе на хлеб в Судане, разведем кур, я даже позволю ей командовать. При мысли обо всем этом у меня даже голова начинает кружиться, и я присаживаюсь на скамейку рядом с папиным ноутбуком. Он подходит ко мне и садится рядом. Он абсолютно спокоен. Такое ощущение, что после пустой формочки для льда я могу делать и говорить все что угодно, потому что хуже уже не будет. И я начинаю подумывать, не рассказать ли ему о Судане.

— Я хочу знать... я должен знать — кому ты звонил, — произносит он. — Я хочу знать правду, Джей. Когда эти люди узнают — а они непременно узнают, — что им звонил мой сын... — Его голос замирает.

На мгновение мне становится его жалко — надо же иметь такого сына, как я! Я говорю, что не помню точно, кому я звонил, что является истинной правдой. Тогда он достает свою записную книжку, и мы проходимся по всем именам, а я говорю «да» или «нет», когда он называет имя, и повторяю то, что сказал, если мне это удается вспомнить.

«Нанетт Ньюман?» — «Нет».

«Питер Сиссонс?» — «Нет».

«Том Бейкер?» — «Да». — «Что?» — «Представился Давросом... Нет, Далеком».

«Антеа Тернер?» — «Да». — «Что?» — «Не помню».

«Кэрол Вордерман?» — «Нет».

«Лорд Веймаут?» — «Да». — «Что?» — «Назвал его распиздяем».

«Иммон Холмс?» — «Да». — «Что?» — «Назвал его распиздяем».

«Филипп Шофилд?» — «Да». — «Что?» — «Распиздяй».

«Кейт Чегвин?» — «Сука».

«Арнольд Палмер?» — «Распиздяй».

«Никки Кемпбелл?» — «Распиздяй. Но он обозвал меня еще хуже».

Четверг, 22 апреля

Сегодня Берни пытался уболтать по телефону какую-то девицу, пользуясь методами ОИДСЖД.
А Джеймс слушал их разговор по параллельному
телефону, давая Берни ценные указания: «Подробнее, Берни, подробнее... Вернись к определению проблемы... Не забудь об этапах получе-
ния согласия».

По другому наушнику его слушает Джульетта
(«Подчеркивай итог каждого этапа, Берни!»... «Не
нарушай структуру!»).

Все это напоминает игру, и в конце разговора
Джеймс устраивает с Берни обсуждение, и тот
усаживается, весь подрагивая от возбуждения.
«Она была уже почти твоя, когда ты подвел итог,
но потом ты ее упустил. Ты спросил: „А что вы де-
лаете в пятницу?“, она ответила: „Нет, в пятницу
я занята“, и в этот момент ты должен был узнать
у клиентки, когда она будет свободна. А вместо
этого ты говоришь: „Ну ладно, как-нибудь в другой раз“. Твоя лексика недостаточно позитивна.
Ты должен был настоять на том, что встретишь-
ся с ней в пятницу, когда она закончит все свои
дела!»

— Все будет как в фильме «Тельма и Луиза», —
объясняю я Джемме, — с той лишь разницей, что
в конце мы не свалимся в пропасть. Мы будем
есть манго, вместе состаримся и изучим друг друга как свои пять пальцев.

— Я не люблю манго, — отвечает Джемма.

Она смотрит на Марка и Кейт, которые сидят
за соседним столиком, и меня это раздражает.

Я хотел позвонить ей еще вчера вечером, но потом решил, что о таких вещах надо сообщать при личной встрече. Конечно, я не рассчитывал, что на ее прощальный вечер явятся Марк и Кейт.

— Ну тогда будешь питаться кокосами или еще чем-нибудь. В конце концов, разве дело в пище? Я говорю абсолютно серьезно, — добавляю я. Ее рассеянность начинает меня раздражать. Вполне естественно рассчитывать на внимание, когда ты предлагаешь человеку отказаться от западного образа жизни и переехать в юрту. — Я же извинился за то, что делал в последнее время. Я много думал и наконец нашел решение. Видишь, я достал тебе блок-флейту.

Я взял старую блок-флейту Чарли. Вряд ли она ему понадобится. В Роксбурге никто не играет на блок-флейтах — это считается излишней роскошью. Думаю, Чарли уже играет на фаготе. В моих мечтах я пел колыбельные, а Джемма играла на блок-флейте. Этот инструмент должен был потрясти черную малышню. Я возлагал на него большие планы. В дневное время мы бы рыли колодцы, а по вечерам учили черных ребятишек петь колыбельные.

Но Джемма смотрит на Марка и Кейт. Она курит, обхватив себя руками за плечи. Обычно при мне она этого не делает.

— Джей, мне не нужна блок-флейта. Зачем мне блок-флейта? Я уезжаю учиться. Я уже внесла месячную плату. К тому же не думаю, что мой отец очень обрадуется, если я ни с того ни с сего уеду в Судан. Впрочем, скорей всего, твоему отцу это тоже не понравится. А как же твоя работа?

А что, если тебя примут на журналистику? Ты же еще не знаешь...

— Хорошо-хорошо, успокойся, — отвечаю я. — Ты так кричишь. — Джемма специально говорит достаточно громко, чтобы ее слышали Марк и Кейт. И мне это не нравится.

— Я не кричу, и никто ничего не слышит, — заявляет Джемма, выпуская струю дыма. — Это ты постоянно кричишь.

— Я не кричу.

— Нет, кричишь, Джей. Ты все время разговариваешь на повышенных тонах. Посмотри на свои руки. Видишь, как они трясутся? Думаю, тебя из-за этого не приняли в волонтеры. Ты ведь сказал, что тебя забраковали. Или это очередная ложь?

Я отворачиваюсь, чтобы показать, насколько я обижен тем, что меня назвали лжецом.

— Попробуй взглянуть на это с моей точки зрения, — говорит Джемма, гася в пепельнице недокуренную сигарету и тут же прикуривая следующую. Раньше она размахивала руками, вызывая у меня смех, а теперь непрерывно курит. Уж если кто-нибудь из нас и страдает гипервозбудимостью, так это она. — Несколько дней назад ты разорвал со мной все отношения. Сказал, что не будешь приезжать ко мне в Шеффилд. Помнишь? А теперь ты хочешь, чтобы мы вместе жили в какой-то хижине. Ты только послушай, что ты говоришь.

Я продолжаю смотреть в окно.

— Просто смешно. Как, интересно, мы окажемся в Судане? Где мы будем жить?

— Общество гуманитарной помощи здесь ни при чем. Фургон можно превратить в жилой трейлер, — отвечаю я, снова поворачиваясь к ней. — И мы будем жить в фургоне, пока не построим мазанку. Мы станем членами племени, Джем. Мы своими руками станем зарабатывать себе на хлеб. И даже тогда, когда его будет довольно, мы станем работать для других. Это будет потрясающе. Только представь себе вкус хлеба, испеченного собственными руками. Джем, подумай об этом хлебе. — И как ни странно, то, что еще накануне вечером казалось мне несбыточным, начинает приобретать реальные черты. Я отчетливо вижу, как мы с Джеммой печем хлеб — я мелю зерно, а Джемма замешивает тесто. Наверное, это одна из основных причин, по которой я хочу уехать.

Джемма закрывает глаза и прикасается к моей руке.

— Неужели нельзя просто поехать путешествовать летом?

Я сжимаю ее руку и наклоняюсь ближе.

— Джем, я говорю о том, чтобы уехать насовсем. Только представь себе. Только подумай обо всех этих черных ребятишках. Вообрази себе их лица. Путешествие — это совсем другое. Разве это может сравниться с пикником под Эйфелевой башней? Давай совершим что-нибудь такое, о чем будет не стыдно вспомнить в старости.

Джемма отвечает на мое пожатие, и в ее глазах появляются слезы. Я решаю, что это вызвано картиной несчастных черных ребятишек, и мне начинает казаться, что ее удалось убедить.

— Эти черные ребятишки будут сходиться к нам в пять утра, Джем. И весь день будут проводить с нами. Они будут следовать за нами по пятам. Они станут приходить из самых отдаленных мест. Мы будем приманивать их своей дудочкой, как Крысолов.

Джемма убирает руку и вытирает рукавом слезы. Рука у нее дрожит. Я смотрю на часы, висящие за ее спиной. Наблюдаю за тем, как качается маятник. Он напоминает мне раскачивающийся палец, свидетельствующий о том, что ничего не выйдет.

— Посмотри на меня, Джей. Посмотри на меня! — говорит Джемма. Она двигает головой из стороны в сторону, чтобы поймать мой взгляд. Она берет меня руками за виски. — Давай поедем на следующий год. У меня будет три месяца каникул. И если после этого ты по-прежнему будешь стремиться в Судан, мы туда уедем через три года, когда я получу диплом. Нам нужно время, чтобы во всем разобраться. Разлука пойдет нам только на пользу. Мы настолько привыкли друг к другу...

Я отстраняюсь от ее рук.

— Давай я покажу тебе флейту. Ты только посмотри на нее. — Я почему-то возлагаю на флейту очень большие надежды. Это довольно длинный инструмент с двойными отверстиями на конце. Я достаю его из сумки, и у меня возникает идиотская мысль, что, если я сейчас заиграю «Лондон в огне» или что-нибудь в этом духе, мне удастся ее убедить. Но потом выясняется, что я не могу вспомнить мелодию, и я понимаю, что ей будет за меня стыдно, поэтому я пихаю флейту Джемме, когда она вынимает изо рта свою сигарету.

— Прекрати! — говорит она, отталкивая мою руку. — Ты делаешь мне больно. Ты настоящий... — я убираю руку, и она швыряет флейту на стол, — эгоист. Тебе вообще на меня наплевать. Ты просто хочешь убежать от себя, потому что у тебя ничего нет. Ты в полном раздрае и всегда умеешь найти для этого тысячу причин. — Теперь она действительно начинает размахивать руками. — Но со мной-то все в порядке. Я тоже не понимала, что со мной происходит, но теперь все изменилось. К тому же я уверена, что у нас ничего не получится. — И она с силой втыкает свою сигарету в пепельницу, но ей не удается загасить ее как следует, и та продолжает испускать легкий дымок. Так что мне приходится самому ее погасить. — Никто не может понять, почему я с этим мирюсь. — Она трясется как в лихорадке, и мне хочется ее обнять. — Мама не может этого понять. И папа. Никто не понимает. Нет, я никуда с тобой не поеду, и вообще я думаю, — она начинает плакать, и слезы капают сквозь пальцы, которыми она закрывает лицо, — что мы с тобой должны расстаться. Я еще раньше хотела сказать тебе об этом, но ты мне не давал. Мне очень жаль. Я знаю, что все это некстати — вечер памяти твоей мамы и вообще... — Она теребит загашенную мной сигарету. — Джей... я познакомилась с одним парнем.

Она не в состоянии вынести моего взгляда. Она закрывает лицо своей большой неуклюжей ладонью и отворачивается к окну. Я встаю, чтобы обнять ее за плечи. Мне хочется выжать из нее все то, что она только что сказала. Я хочу, чтобы она рассмеялась. Я понимаю, что действительно люблю ее. И мне глубоко наплевать на то, с кем она там познакомилась. Я не испытываю никакой ревности. Потому что все это не имеет значения. Она — единственное, что у меня осталось. Я просто хочу быть рядом с ней. Но она останавливает меня и говорит:

— Не надо, Джей. Не надо. Пожалуйста.

11 часов вечера

Когда папа возвращается домой, я сижу в гостиной. Я спрашиваю, как прошел обед у Джона и Сильвии, на который он ходил вместе с Эйлин.

— Нормально, — отвечает он.

— Нормально — это как?

— Странное ощущение.

— В каком смысле? В хорошем или плохом?

— В странном смысле.

Потом звонит Сара, чтобы узнать, как дела. Она так радуется за папу, что меня начинает это раздражать. Сара говорит, что я должен привыкнуть к мысли о том, что папа будет ходить в гости и встречаться с разными людьми.

— Неужели ты не хочешь, чтобы он был счастлив? Неужели тебя не будет радовать вид счастливого человека? — Потом она спрашивает, удалось ли мне найти какую-нибудь приличную работу, и, когда я отвечаю, что нет, она говорит, что мне пора уже начать новую жизнь. Она сама вышла замуж и начала новую жизнь, Чарли начал новую жизнь, и папа тоже. Теперь моя очередь. — Давай, Джей, доктор говорит, что у тебя нет ничего страшного.

Что она понимает?

310

Пятница, 23 апреля

Скоро приезжает Чарли. Я ему сегодня звонил, чтобы спросить, что ему подарить. Я хочу, чтобы возвращение домой стало для него праздником. Он сказал, что ему нужны бутсы «Сан-Марино», которые я ему не подарил на день рождения, так как скоро он будет играть в финале команд восьмилеток. Я говорю, что у меня нет такой суммы, но я попытаюсь раздобыть. Я стараюсь не думать о вечере памяти мамы и делаю вид, что это просто какая-то годовщина. Но весь прошедший год представляется мне скатертью, которую иллюзионист стаскивает со стола, не потревожив при этом стоящий на ней сервиз — вуаля! — и года нет. Вокруг все то же самое, если не считать щемящей пустоты. Ощущение супа в голове становится все отчетливее. Например, вчера вечером это уже был суп с гренками, причем настолько густой, что в него можно было поставить ложку. Так что когда я лег, мне пришлось закрыть голову подушкой, чтобы не слышать звук распадающихся клеток мозга. Они брякают, как таблетки солпадеина. Я чувствую, как болезнь медленно пожирает меня подобно древесному жучку. Мысли мои разрозненны, и изрешеченный мозг забит трухой. Прошлой ночью было особенно плохо. Ветер ревел, как лесной пожар, на занавеске плясали искаженные лица, голова болела, задница чесалась.

Мы с папой смотрим «Пушки острова Наваррон». Он считает, что мы должны это сделать, так как накануне маминой смерти смотрели именно этот фильм.

— Я не буду сейчас вспоминать о твоих звонках, — говорит он. — Сейчас не время. Но завтра, когда вечер закончится, нам предстоит серьезный разговор. И боюсь, тебе не очень понравится то, что я тебе скажу.

Когда он ложится, я звоню Джемме в Шеффилд, но ее соседка по комнате отвечает, что она ушла гулять с Родом. Я интересуюсь, не тот ли это Род, который учится на классическом отделении, но девица вместо ответа спрашивает, кто говорит, и я вешаю трубку.

Суббота, 24 апреля

Мне удается дозвониться до Джеммы только в два часа ночи.

— Оцени по десятибалльной шкале — насколько ты меня любишь, Джем.

— Джей?

— Ну давай, Джем, дай мне хотя бы пять баллов.

— Джей, я сплю. На улице ночь.

— Так, значит, долговязый Род? Теперь ты любишь его? И что ты готова ему отдать?

Молчание.

— Какого он роста? Ну давай, скажи, какой рост у долговязого Рода?

Молчание.

— Джей, мне не нравится этот разговор.

— Зато мне очень нравится. Так какой у него рост?

— Он довольно высокий. Теперь мне можно пойти в кровать?

— Ты же говорила, что он коротышка. Ну ладно. — Пауза. — Брось, Джем. Хочешь, мы купим квартиру в Шеффилде?

— Нет, не хочу.

— Ну хорошо, тогда давай снимем.

— Джей, все кончено.

— Ну почему? Я все понял. Я отношусь теперь к тебе совершенно иначе. Я перестал зацикливаться только на себе. — Пауза. — Я собираюсь в Шеффилд.

— Напрасно. Тебе это не понравится.

— Нет, понравится.

— Я не стану с тобой общаться.

Пауза.

— Значит, ты уже трахалась с ним, Джем?

— Что?

— Трахалась?

— Какое твое дело?

— Просто я хочу понять, насколько все серьезно.

— Все очень серьезно.

— Значит, ты с ним трахалась? — Пауза. — А как же насчет лета? Ты вернешься, Джем?

— Не знаю.

— Мы могли бы поехать путешествовать. Я буду нести палатку. Я буду нести все. Я готов нести даже тебя, если ты захочешь.

— Нет, Джей.

— Ладно, тогда пойдешь сама.

Пауза.

— Джей, это не ты изменился, а я изменилась. Теперь я хочу другого. Я хочу что-то сделать, а ты никогда ничего не делал.

— Делал. Я делал тысячу разных вещей. Чего я не делал? Чего именно я не делал?

— Ничего. Разберись в себе, Джей.

— Со мной все в порядке. — Пауза. — Джем, прежде чем я разберусь, я должен с тобой увидеться. Я не могу разобраться в себе без тебя. Пожалуйста, Джем. По десятибалльной шкале — насколько ты еще меня любишь? Ну пожалуйста, дай мне хотя бы три балла.

— Ничего не получится, Джей. Я уже все решила.

— Аллё! Джем?

— Это Шейла пришла. Мне пора. Мне завтра вставать в...

— Джем!

— Что?

— Помнишь, как мы писали друг у друга на спинах, и ты написала «Я люблю тебя», а я написал «Я тоже тебя люблю», я чуть было не написал тогда, Джем, «Ты выйдешь за меня замуж?».

— Что?

— Давай поженимся, и у нас будут дети. Давай у нас будет трое детей, и мальчика мы назовем Борисом.

Пауза.

— Уже поздно, Джей. Мне пора идти.

— Поздно сегодня или поздно вообще?.. Ты еще пожалеешь об этом, Джем. Когда мое имя будет внесено в книгу Паркинсона, ты об этом пожалеешь. Когда я напишу свой роман. Ты пожалеешь, когда получишь от меня открытку из Судана.

— До свидания, Джей. Ой...

— Что?

314

— Сколько времени? Господи, сегодня же годовщина твоей мамы.

— Пошла ты к черту, Джем.

7 часов вечера

Уставший как собака после бессонной ночи, отправился на работу и тут же был вызван в кабинет Криса Хендерсона. Голова у Криса напоминает грецкий орех, но на этот раз она выглядит еще более ореховой, так как он весь сморщился, чтобы продемонстрировать мне свое недовольство.

Здесь же в углу восседает гиперактивный Берни со своей трясущейся ногой, которая ходит вверх и вниз, как игла у швейной машинки. Я сразу понимаю, что меня собираются уволить, только еще не догадываюсь за что. Собственно говоря, мне наплевать, просто я хочу знать, за что именно.

— Садись, — говорит Джульетта очень серьезным тоном. На мгновение мне приходит в голову, что кто-то видел меня в Комик-тресте, и я уже собираюсь объяснить, почему вел себя там так необщительно. Почему я не встал, когда затейник хотел, чтобы я это сделал.

Джульетта берет со стола лист бумаги и с брезгливым видом поднимает его, держа большим и указательным пальцами. Я замечаю, что наверху написано знакомое имя — это мое имя. Это мое резюме. Меня увольняют из-за… и я инстинктивно перевожу взгляд на Берни.

— Да, ты угадал. Только он ни в чем не виноват, — перехватив мой взгляд, произносит Джуль-

315

етта. Нога у Берни начинает подпрыгивать еще выше. Пол в кабинете бетонный, но я чувствую, как вибрируют ножки моего стула. — Берни просто оказался профессионалом, — добавляет она.

Это у них называется «профессионал»! Я говорю «ага» и пытаюсь представить себе сцену предательства: согнувшийся в три погибели Берни вползает в кабинет начальника, чтобы выдать мою тайну.

— Должна признаться, что сначала я хотела передать это дело в полицию, — говорит Джульетта.

— Обман доверия, — добавляет Хендерсон.

Джульетта кладет на стол мое резюме с таким видом, словно ей только что удалось добыть его у меня в тяжелом бою, и я не могу удержаться от смеха. Больше всего мне хочется сказать Берни, чтобы он перестал трясти ногой. Из-за непрестанной вибрации мне довольно трудно сосредоточиться.

— Неужели ты считал, что тебе удастся нас обмануть? — спрашивает Джульетта, поднимая свое конфетное личико к десяткам дипломов, которыми завешана стена над ее головой.

Хендерсон тоже резко поворачивает свою ореховую голову и принимается энергично поглаживать подбородок, изображая полное недоумение при мысли о том, что я собирался их обмануть.

— Неужели ты считал нас такими идиотами? — вопрошает Джульетта, поворачиваясь к Хендерсону, у которого голова трясется из стороны в сторону — так энергично он массирует свой подбородок.

И тут я замечаю, что она приступает к фазе Определения: они собираются ОИДСЖДехнуть меня. Я перевожу взгляд на свои ноги в надежде на то, что ее это остановит. Пускай увольняют, но ОИДСЖДехать я себя не позволю.

— Неужели ты считал, что мы не проверим указанные тобой данные? — не унимается Джульетта.

Я перевожу взгляд на Хендерсона. Если он попробует изобразить еще большее изумление, то точно сломает себе шею.

— Неужели тебе нечего сказать? — продолжает Джульетта.

Мне хочется сообщить ей, что я «рефлексирующий наблюдатель» и поэтому умею думать.

— Или ты объяснишься со мной, или тебе придется объясняться с полицией, — говорит она, передергивая плечами, словно ей абсолютно все равно, что я выберу. Однако ей явно не все равно, потому что лицо у нее горит от возбуждения. И именно поэтому она похожа на клубничную конфету. Она снова берет в руки мое резюме. — И дело не в том, что ты солгал в каком-то одном пункте. Здесь все ложь! — произносит она и снова швыряет листок на стол.

— Почему? Некоторые из перечисленных увлечений соответствуют действительности, — говорю я.

— Ах, прости меня! — говорит Джульетта, с издевательским видом прижимая к груди ладонь. — Некоторые из перечисленных увлечений все-таки соответствуют действительности.

И тут я вспоминаю сон, который приснился мне накануне. Это один из тех тяжелых и мучительных снов, которые преследуют меня постоянно. В нем была мама, но мама была Джеммой. Она плавала на мелководье в бассейне Чешемского развлекательного центра. Только он находился на открытом воздухе, и вовсю сияло солнце. Я сидел в шезлонге и потягивал через соломинку какое-то питье.

— Иди сюда, вода просто восхитительная, — говорит мама. Но тут ко мне подходит официант, только это не официант, а Шон, и даже не Шон, а Чарли, и он приносит мне не выпивку, а коробку с шоколадными конфетами, только внутри не конфеты, а кубики льда.

— На всякий случай сообщаю, что твои увлечения нас не интересуют, — говорит Джульетта. — Мы брали тебя на работу не из-за того, что ты увлекаешься кибернетикой и литературой XX века. Наибольший интерес для нас представляли твои предыдущие места работы. — Она выделяет последние слова, словно заключая их в кавычки.

Я пытаюсь прочитать названия конфет на коробке, но мне не удается их разглядеть, и поэтому я съедаю весь первый ряд кубиков льда. Я помню, что после этого меня охватывает чувство невероятного счастья. И тогда я приступаю ко второму ряду. «Вкусно, правда?» — смеется мама. И я тоже отвечаю ей смехом, потому что страшно рад тому, что она не умерла. Но потом она перестает смеяться, и коробка с конфетами превращается в аптечку, битком набитую таблетками. Я снова смотрю на табличку с названиями и понимаю, что внутри вовсе не кубики льда, а таблетки диаморфина, и тут мне становится страшно, так как я съел их слишком много и у меня может быть передозировка. Я поворачиваюсь к бассейну, чтобы узнать у мамы, что мне делать, но она плавает в воде лицом вниз.

Джульетта зачитывает пассаж из моего резюме: «Предыдущие места работы: год в службе трудоустройства „Монтонс"» — ложь. «Два года в издательском доме „Рид"» — еще одна ложь. Но больше всего мне нравится шкипер на яхте, участвовавшей в кругосветных гонках. — Она издает иронический смешок и начинает читать, подчеркивая каждое слово: — «Это помогло мне выработать в себе навыки лидера и развить коммуникабельность, которая необходима в сложных, а порой и опасных условиях мореплавания, например таких, как экваториальная штилевая полоса, мыс Доброй Нодежды (через букву «О») и — вот это мне нравится больше всего — угроза цинги от постоянного поглощения галет и прочего». — Она снова кладет мое резюме на стол и смотрит на него с изумленным видом. — Как, интересно, от галет может развиться цинга?

— Это были старые галеты. С просроченной датой употребления. Может, я, конечно, сгустил краски и на самом деле они были вполне съедобны, — говорю я.

— У меня не остается выбора, — говорит Джульетта. — Мне придется тебя уволить. Извини, но ничего другого я не могу сделать.

Хендерсон с сожалением кивает. И лишь продолжающая дергаться нога Берни нарушает общее благолепие. Я так устал и чувствую себя таким одиноким, что больше всего мне хочется расплакаться, но вместо этого я просто киваю.

— Твоя куртка у Джанис. У тебя ведь не было с собой сумки? — Джульетта встает и протягивает мне резюме. — Можешь забрать его, — говорит она. — Тебе причитается двести фунтов. И считай, что тебе еще повезло. — Она вручает мне деньги, нажимает на кнопку, и в кабинет входят два охранника. Один из них берет меня под руку, вероятно на случай, если я вдруг начну буйствовать и крушить офисную мебель, и меня выводят на улицу.

Я настолько устал, что не в состоянии идти в метро, поэтому сажусь на ступеньки у вращающейся двери, прижимаюсь носом к стеклу и начинаю доставать охранников тем, что произношу разные реплики из «Пушек острова Наваррон». «Сегодня Мандракоса постигнет кара», — говорю я, но охранники награждают меня лишь удивленными взглядами.

Мимо, прижав к уху мобильник, проходит какой-то парень.

— Когда все закончится, встретимся у Симпсона — ростбиф, йоркширский пудинг и немного красного вина, — кричу я ему, но он лишь перекладывает трубку к другому уху и продолжает двигаться дальше.

Я представляю себе маму в желтом халате, которая смотрит на меня со строгим видом из-за того, что я потерял очередную работу. Я достаю ее старую зажигалку и начинаю играть с кремнем. Мне доставляет удовольствие нажимать на клапан, который еще помнит прикосновение ее пальцев. Но когда я вспоминаю, как выглядели ее пальцы перед смертью, когда они все пожелтели от желтухи, я снова прижимаюсь лицом к стеклу и опять начинаю произносить реплики из «Пушек острова Наваррон». Поразительно, сколько я их помню. «Вечеринка закончена! — кричу я. — Экспонат номер один — автоматический взрыватель, — я поднимаю вверх мамину зажигалку, — со сломанным контактным устройством. Им даже рождественскую шутиху не подожжешь. Хронометр, — я снова поднимаю зажигалку, — семьдесят пять граммов ртути — вполне достаточно, чтобы мне оторвало руку. Очень нестабильное и нежное устройство, — и, чтобы подчеркнуть свою мысль, я бросаю зажигалку на пол, — а это, капитан Мэллори, означает только одно: среди нас есть предатель. Берни, ты — сука».

11.30 вечера

— Ты опоздал, но хоть постарайся вести себя прилично, — говорит папа, когда я прихожу домой.

Я отвечаю, что и так веду себя вполне прилично. Гости расположились в задней, освещенной части сада. У меня на шее болтается фотоаппарат, так как считается, что я должен сделать «множество снимков». Папа говорит, что он хочет, чтобы об этом вечере осталась память. Хотя на самом деле он хочет запечатлеть себя стоящим в обнимку с разными знаменитостями.

— Ты ведешь себя необщительно и негостеприимно, — заявляет он и всучивает мне поднос со стаканами. — Вон туда, — указывает он, разворачивая меня лицом к группе журналистов и членов парламента, — и улыбайся.

Я уже жалею, что вообще вернулся домой. Я всего лишь хотел подарить Чарли его ботинки, перед тем как уйти, но Чарли уже лег, и теперь придется ждать утра.

Все присутствующие держат в руке по срезанной розе, и мне становится смешно. Сара раздает их у входа. Мамин прах был рассеян над розовыми кустами, и папа решил, что будет вполне уместно вручать гостям розы. Однако мне это не кажется уместным. Это все равно что лев в зоопарке, который не производит никакого впечатления, так как ты уже насытился мультяшными львами из фильмов Диснея. Мама была мультяшным львом. А теперь ее превратили в яркие срезанные розы.

— Вы знакомы с моим старшим сыном Джеем, не так ли? — произносит папа, следуя за мной. Присутствующие берут стаканы с моего подноса, а папа обнимает меня за плечи и ерошит мне волосы.

— И чем ты сейчас занимаешься? — спрашивает женщина, в которой я узнаю ведущую «Последних новостей».

Я собираюсь сообщить ей, что намереваюсь сбежать в Судан с папиной «Мастер-картой» и жить там в хижине, но вместо этого говорю, что год назад закончил школу и сменил несколько мест работы.

— Расскажи ей о «Золотых кебабах», — говорит папа. — Расскажи ей о том, что там произошло. Это просто замечательная история, — заявляет он и в предвосхищении моего рассказа начинает деланно смеяться. От этого мне тоже становится смешно — в глазах окружающих он хочет выглядеть вполне либеральным отцом и даже готов шутить по поводу Большого Эла. Когда меня уволили, он почему-то не смеялся. — Расскажи, как тебя уволили из «Золотых кебабов», — повторяет он и начинает массировать мне шею, демонстрируя всем, какой он нежный и внимательный. — Джею... А кстати, тебе сколько, Джей? — спрашивает он, хватая меня за макушку и поворачивая лицом к себе. Он даже не знает, сколько мне лет, — и от этого мне становится еще смешнее.

— Восемнадцать, — глядя ему в глаза, отвечаю я.

— Вот, Джею восемнадцать лет. Ему всего восемнадцать, а мест работы он уже сменил больше, чем я за всю свою жизнь. Его то и дело увольняют, да, старичок? —И он снова разражается деланным смехом, при этом обнимая меня за голову, что мне совершенно не нравится, так как я только что причесался. К тому же он довольно больно впивается мне в плечо своими пальцами. — Ах ты несчастный балбес!

— Да, я несчастный балбес, — повторяю я.

И папа отворачивается к одному из своих бывших однокашников по Роксбургу, который что-то спрашивает у него о Чарли. Я слышу, как папа благодарит его и отвечает, что Чарли отлично успевает по всем предметам.

— Так что же произошло в «Золотых кебабах»? — встревая в их беседу, спрашивает ведущая «Последних новостей». — Вы меня заинтриговали. — Руки у нее сложены на груди, и она смотрит на меня поверх стакана, продолжая посасывать его содержимое через соломинку.

Услышав ее вопрос, папа тут же оборачивается.

— Ты так и не рассказал? — спрашивает он.

— Мне очень интересно... Джей? Да?.. Что там произошло? — поддерживает беседу женщина.

— О господи! — восклицает папа, утирая воображаемую слезу в манере Боба Монкхауса. — Расскажи, Джей. И не забудь, что «Золотые кебабы» были твоим четвертым местом работы за три месяца! — И он снова разражается смехом.

Я начинаю подумывать о том, чтобы разбудить Чарли, подарить ему бутсы и слинять. Все это становится невыносимым.

— Я оставил в пите шампур, — сообщаю я даме из «Последних новостей».

Папа хлопает себя по ляжке, снова начинает смеяться и изображает меня: «Никто мне не говорил, что мясо надо снимать с шампуров».

— О господи! — с гримасой на лице восклицает дама. — Это ужасно. — Похоже, ее это по-настоящему волнует.

— Действительно ужасно, так как одна из посетительниц распорола себе щеку, — добавляю я.

Папа перестает смеяться. Это дополнение я только что придумал. Ведущая «Последних новостей» с ужасом прижимает руки к лицу.

— Боже мой!

Атмосфера кардинально меняется. Папа хватает меня за плечо и с силой его сжимает. Я затылком ощущаю его сверлящий взгляд и чувствую впивающиеся в плечо пальцы.

— Она...? — Даме от волнения не удается закончить предложение.

— Ей наложили семнадцать швов, — отвечаю я, — так как был поврежден зрительный нерв. — И я провожу пальцем от угла рта до края глаза, показывая, где были наложены воображаемые швы.

Папа отпускает мое плечо и уводит даму к буфету, качая головой и кидая на меня неодобрительные взгляды. Я слышу, как он объясняет ей, что это была шутка.

— Джей в своем репертуаре, — говорит он.

Мимо, обсуждая какие-то магазины, проходит группа ведущих программы «Сегодня».

— Будьте осторожны с бутербродными вилочками за шведским столом! — кричу я вслед папе и даме из «Последних новостей». Они резко оборачиваются, и их примеру следуют остальные знаменитости, которые вьются вокруг Анны Форд. — Это я накрывал шведский стол, и меня никто не предупреждал о том, что я должен вынуть вилочки.

Папа смотрит на меня с такой ненавистью, что я поднимаю фотоаппарат и запечатлеваю выражение его лица.

— А когда вы вернетесь, я расскажу вам еще пару историй! — кричу я, перематывая пленку. — Последняя приключалась со мной в фирме «Гордер и Скук». Даже папа еще ее не слышал. Возвращайтесь, и я вам расскажу. Отличная история.

Папа оставляет свою спутницу, широкими шагами подходит ко мне и, схватив за шею, волочет к летней беседке. По дороге мы минуем несколько знаменитостей, которых я пытаюсь снять, но папа выхватывает у меня фотоаппарат, срывает с моей шеи ремешок и требует, чтобы я прекратил тратить впустую пленку. Он считает, что если в кадре нет его особы, то это пустая трата пленки, и это снова вызывает у меня смех.

— Что с тобой происходит? — захлопнув за собой дверь, спрашивает он. — Это правда?

— Что именно?

— То, что ты сказал?

— Правда.

— Тебя уволили?

— Да.

Проходящий мимо Джереми Пэксмен машет нам через окно. Папа машет в ответ и бьет меня по руке, когда я пытаюсь сделать то же самое.

— Мы вернемся к этому утром, — произносит он и поворачивается к двери. Ему не терпится присоединиться к Джереми Пэксмену. Ему гораздо интереснее разговаривать с Пэксменом, нежели со мной.

— Нет уж, давай сейчас поговорим, — отвечаю я. — Я хочу знать, что меня ждет, потому что, если утром ты собираешься вышвырнуть меня на улицу, я не собираюсь возвращаться обратно и болтать об этих чертовых розах. Лучше уж я прямо сейчас отправлюсь вон отсюда.

— Как ты мог себе позволить такое сегодня! — восклицает папа.

Заглянувшая в беседку Сара видит, как мы стоим, набычившись, друг напротив друга. Она говорит что-то о десертных ложечках и, бросив на меня хмурый взгляд, выходит.

— К тому же я считал, что это отличная шутка, — замечаю я. — Специально для таких вечеринок. Ты ведь сам смеялся над Большим Элом. Так в чем же дело? Что заставило тебя изменить свой взгляд?

Папа ничего не отвечает и просто поворачивается ко мне спиной. Я снова превращаюсь для него в досадную помеху.

— Ну надо же, чтобы именно сегодня! — повторяет он.

Вся эта белиберда уже начинает выводить меня из себя. Он опять пытается взвалить всю вину на меня — это не он отравил мамин день, а я. Хотя на самом деле, будь мама жива, она бы первой ушла с этой вечеринки. Она терпеть не могла всех его знаменитостей. Она бы предпочла посмотреть «Обитателей Ист-Энда». Это папа любил такие вечеринки. Так что если я кому и отравил вечер, то только ему.

— И хватит делать вид, что это вечер памяти мамы! Несколько роз, приколотых к дверям, не делают вечеринку вечером памяти, — говорю я. — Для тебя это только повод сняться еще с парой знаменитостей, чтобы потом повесить фотографии в бильярдной и всем демонстрировать, какой ты герой. Если здесь кто-то и отравляет мамин день, так это ты, организовавший весь этот бардак. Почему ты не мог провести этот день вместе со мной, Чарли и Сарой? Почему бы тебе не повесить наши фотографии в бильярдной?

Папа краснеет как помидор. Впрочем, я чувствую, что краска приливает и к моему лицу. Он опускается в плетеное кресло и обхватывает руками голову.

— Сегодня ты еще можешь переночевать, но чтобы завтра духу твоего здесь не было, — очень тихо произносит он. — Я не позволю, чтобы со мной так разговаривали в моем собственном доме. Не позволю! — Он открывает дверь и шаркающей походкой выходит в сад.

— Отлично, — говорю я, — я и ночевать здесь не стану. Я уйду прямо сейчас. Только попрощаюсь с Чарли. И не думай, что я вернусь обратно. Я отправляюсь в Судан копать колодцы, и мне наплевать, какие болезни я там подцеплю, потому что лучше умереть от неведомой инфекции, чем жить здесь и выслушивать твои крики из-за того, что я слишком много времени провожу в ванной!

— Не смей будить ребенка! — отвечает он, но силы его уже иссякли, и я не слышу особой убежденности в его голосе.

Чарли просыпается сразу, как только я включаю свет у кровати. Он резко садится и, не говоря ни слова, приподнимает одеяло, чтобы я залезал к нему. Я залезаю в кровать и достаю из-за спины футбольные ботинки, о которых он так мечтал. Они оказываются у него прямо перед носом. Я решаю подарить ему ботинки прямо сейчас, так как утром меня уже здесь не будет.

— Да-да-да-да! — произношу я.

— Ух ты! — восклицает Чарли, выпрыгивая из кровати. — «Сан-Марино»! — Он тут же натягивает их и принимается бегать взад-вперед по комнате. Он делает разные финты и демонстрирует обводки. Я опасаюсь, как бы он не разбил себе коленку, и поэтому прошу его остановиться.

— Ну что, будешь выигрывать в этих ботинках? — спрашиваю я.

Он сидит на кровати и не спускает с них глаз.

— Да я хет-трик в них сделаю, ёлки-палки!

Я прижимаю палец к губам, показывая, чтобы он вел себя потише.

— Я тебе говорил? — шепотом спрашивает Чарли. Он снова вскакивает и делает вид, что

328

бьет пенальти. — Я тебе говорил, что, может быть, меня назначат капитаном? Ферраби-Томас уехал на праздники, у Ворстонкрофта грипп, и мистер Говард сказал, что капитаном команды буду я.

Меня смешат фамилии его новых друзей. Я так и представляю их себе с Крестами королевы Виктории на груди.

— Если ты будешь капитаном, то можешь не забивать голов, — говорю я, обнимая его за плечи. — Твоя главная обязанность будет заключаться в том, чтобы воодушевлять других.

Он уже снял бутсы и теперь сидит на кровати, сгибая и разгибая их, чтобы размягчить кожу.

— Ты научился перехватывать мяч? — спрашиваю я, так как раньше ему это не очень удавалось.

— Даааа, — с напором отвечает он и, вскочив, принимается босиком маневрировать вокруг меня. Он создает столько шума, что снизу доносится папин голос: «Чарли, гаси, пожалуйста, свет. Одиннадцать часов».

Чарли снова залезает в кровать, и я накрываю его одеялом. Я хочу сказать ему, что уезжаю в Судан, но у меня уже нет на это времени. С минуты на минуту в комнату может войти папа, чтобы проверить, лег ли он.

Потом Чарли о чем-то вспоминает, и его лицо расплывается в улыбке. Он резко сбрасывает одеяло, сгибает руки, подносит кулаки ко рту и демонстрирует мне свои локти. Сначала из-за спешки я не понимаю, что это значит. А потом до меня доходит.

— У тебя прошли все струпья, — говорю я.

Он пожимает плечами.

— Это потрясающе, Чарли! Это действительно потрясающе! — говорю я, разглядывая его локти. Мне хочется остаться с ним, но я слышу папины шаги и поэтому гашу свет. Я уже добираюсь до двери, когда меня шепотом окликает Чарли.

— Что? — так же шепотом отвечаю я.

— Донателло передает тебе привет.

— Кто?

— Донателло, моя черепаха.

— Ее же звали Медлюшка-Зеленушка.

— Это очень глупое имя.

Я уже берусь за ручку, когда он окликает меня снова.

— Что?

Он перевернулся на живот и лежит, опираясь на локти.

— А я все-таки сделаю хет-трик, ёлки-палки, — говорит он.

Я слышу, как по лестнице поднимается папа, и ныряю в комнату напротив, а когда он проходит мимо, тихо спускаюсь вниз. К счастью, все находятся в саду, поэтому я спокойно достаю свой паспорт из ящика с документами, выхожу через парадную дверь и сажусь в фургон.

Три недели спустя

Понедельник, 17 мая

Большую часть времени я лежу в кровати в футболке и трусах и сплю. Просыпаюсь я всякий раз мокрый от пота. Одно из двух — либо здесь очень жарко, либо у меня температура. Я думаю, что все-таки это температура, потому что врач, который время от времени проходит мимо, произносит слово, напоминающее «лихорадку». Я не слишком в этом уверен, потому что нахожусь в итальянской больнице. Она раположена довольно высоко в горах, и здесь ни у кого нет разговорника и никто не говорит по-английски.

Мне ставят капельницы и три раза в день дают какие-то таблетки, которые вызывают сонливость и сентиментальность. У меня постоянно берут на анализы кровь и мочу, а вместо еды и питья дают только ромашковый чай. Его приносят каждый час.

Вместе со мной в палате лежат два итальянца — старик и еще один мужчина среднего возраста. Моя кровать между ними. Старик все время что-то бормочет и ест прямо с ножа. Он ни с кем не разговаривает и во всем подчиняется моему соседу слева, человеку среднего возраста, которого я про себя называю мистер Командир. Я его так окрестил, потому что он крупный, говорит растягивая слова и, судя по всему, привык, чтобы ему оказывали уважение. К тому же мне кажется, что он — мафиози.

Вторник, 18 мая

Мистер Командир очень заботливый. Когда меня привезли, он взбил мне подушки, так как я не мог пошевелиться. Он выглядит таким большим и мужественным, что начинаешь чувствовать себя десятилетним ребенком. Я постоянно говорю ему «grazie»* за те мелкие услуги, которые он мне оказывает. Итальянец приносит мне рогалики и кусочки сахара, чтобы подсластить ромашковый чай, а также зовет сестру, когда у меня заканчивается капельница.

И всякий раз, когда я говорю ему «grazie», он небрежно отмахивается. Все движения этого человека отмечены благородством и достоинством, и в них нет ни малейшего оттенка угодливости. Например, когда он несет рогалик, то делает это с таким видом, словно выполняет опасное задание.

После каждой трапезы мистер Командир собирает тарелки и поправляет столы и стулья.

---

* Спасибо (*ит.*).

Остатки пищи он крошит перочинным ножом и скармливает их голубям, которые толкутся на карнизе. Окно выходит на автомобильную стоянку. А еще ниже расположено озеро Орта.

Среда, 19 мая

Сегодня помогал мистеру Командиру крошить остатки пищи для голубей. Он сам забрал их с моей тарелки, потому что я все еще не могу вставать. Подойдя ко мне, он сочувственно мне кивнул, и я ощутил невероятный прилив гордости за то, что сделал.

Большую часть времени мистер Командир ходит по коридору и громко разговаривает с больными. Похоже, даже старшая сестра его уважает, так как в отличие от остальных не делает ему замечаний, когда он ходит без тапочек.

В данный момент, когда я пишу это, ему делают укол в попу. Но даже эту процедуру мистер Командир принимает с достоинством. Она не только не унижает его, а, наоборот, возвышает. Он принимает ее, как герой войны принимает медаль.

Думаю, мистер Командир уже давно здесь. У него есть своя личная посуда, сахар и соль.

Четверг, 20 мая

Я до сих пор не знаю, что со мной. И не понимаю, вызвано ли это тем, что я не понимаю языка, или мне просто не хотят говорить. Но здесь так тихо и хорошо, что, честно говоря, мне и знать ни о чем не хочется. Скорей всего, у меня что-то с легкими. Сегодня доктор Атори показывал мне картинку в медицинском учебнике.

— Comprende?* — спросил он, указывая на нее.

— Comprende, — ответил я.

— Bene**, — сказал врач и ушел.

Пятница, 21 мая

Спина у меня по-прежнему болит, и всякий раз, когда я поворачиваюсь или просто шевелюсь, ее пронзает нестерпимая стреляющая боль. Поэтому я предпочитаю лежать неподвижно и просто смотреть в белый потолок. Я стал ужасно эмоциональным — думаю, из-за таблеток, которые я принимаю. И это доставляет мне некоторые неудобства. От малейшей ерунды у меня на глазах выступают слезы, а если кто-нибудь оказывает мне любезность или просто говорит доброе слово, я начинаю плакать. Вот и сегодня это произошло, когда сестра по имени Мария раздергивала нам утром занавески. Я ощутил нестерпимое желание поцеловать ее и сказать, как ее люблю. «Amore, amore», — повторял я, когда она выходила из палаты, полагая, что это означает «я тебя люблю».

---

* Понимаете? (*ит.*)
** Хорошо (*ит.*).

На следующий день после маминой смерти мы составили список необходимых дел. Папа называл его список Джея. Я начал составлять его еще в пять утра. Мы сидели на кухне, жевали тосты, и папа будничным тоном диктовал мне все, что необходимо сделать:

— Позвонить мистеру Твену и сообщить ему о пожертвованиях в Раковый центр, получить свидетельство о смерти, передать его копии в банки мистеру Твену, позвонить каменщику и заказать надгробную плиту в сад, разобрать мамины вещи, обзвонить маминых клиенток и поставить всех в известность, написать благодарственные письма сестрам из больницы, заменить текст на автоответчике.

Мы делаем эти дела и, закончив очередное, как роботы вычеркиваем их из списка («Это сделано. Что дальше?»), пока не доходим до последнего — разбор маминых вещей.

Сначала этим пытается заняться папа, но он с маниакальным видом просто бездумно начинает все выкидывать вне зависимости от того, может это еще пригодиться или нет, поэтому мы с Сарой отправляем его гулять и сами беремся за дело. Мы выкидываем синий свитер, который мама так и не успела довязать для Чарли, корзины для глаженого белья, мочегонные, мамины кремы, зубную щетку и пуховый жакет, который я подарил ей на Рождество. Все это отправляется в мусорный бак. Еще недавно все эти мелочи были так важны, а сегодня они уже ничего не значат. Я оставляю мамину щетку для волос, так как на ней еще сохранились ее волосы. Я оставляю ее наперсток, в который она вставляла палец, и бумажник с ее инициалами. Все это я запихиваю к себе под кровать.

Потом мы переходим к гардеробу, и Сара начинает доставать мамины платья — она что-то вспоминает о каждом из них, нюхает их и потом смотрит на меня, иногда с улыбкой, иногда со слезами на глазах. В углу шкафа мы находим какую-то сумку. Наверное, ее туда поставил папа. Она битком набита вещами, которые мама брала с собой в больницу. Все аккуратно уложено, словно для поездки на выходные, — туалетные принадлежности, журналы, одежда, последний роман Даниэллы Стил, который она так и не дочитала, с загнутой уголком семьдесят шестой страницей. Все это тоже отправляется в мусорный бачок, за исключением одной ночной рубашки с черными и белыми кружевами, в которой мама умерла и которую она обычно носила дома, когда спускалась вниз в гостиную. Мы не могли ее выбросить, потому что теперь эта рубашка и была для нас мамой, она являлась ее воплощением в гораздо большей степени, чем то тело, которое было выставлено в траурном зале и на которое никто из нас не пошел смотреть. Когда мы достали ее из сумки, нам на мгновение показалось, что мама все еще жива, — это было такое потрясение, что слезы выступили на глазах: эта рубашка источала такой знакомый запах, словно мама была где-то рядом.

Потом мы с папой сидим в саду вместе с распорядителем похорон мистером Твеном.

— Как хорошо поют птицы, — перебивает папа мистера Твена, который демонстрирует ему каталог похоронных принадлежностей.

— Да, сэр, — кивает мистер Твен, — они сегодня явно в ударе.

— Ну что ж, эта плита выглядит очень симпатично, мистер Голден, — произносит каменщик Рэг. — Тут мы подравняем уголки, чтобы она не выглядело такой тяжелой... Этот итальянский камень очень красивый.

Папа поглаживает стену, куда будет вмонтирована плита, и смотрит на меня. Я киваю и направляюсь к дому, потому что внезапно все мои чувства к маме словно покрываются коркой и деревенеют, подобно тому как грубеет кожа на пятках.

Суббота, 22 мая

Сегодня вспоминал о том, как Чарли сказал, что маму связали на небесах, и подумал, что он не так уж далек от истины. Действительно, такое ощущение, что маму похитила какая-то неизвестная банда и мы не знаем, как с ней собираются поступить и какой мы должны заплатить выкуп. Нам даже не сообщают, что с ней все в порядке. Судя по всему, это действительно очень крутая банда.

Мне по-прежнему не разрешают принять ванну из-за антибиотиков, и, кажется, от меня уже начинает разить. Мистер Командир обрызгал сегодня мою кровать одеколоном. Закончив процедуру, он кивнул мне, и я тоже ответил ему кивком. Сам мистер Командир моется три раза в день и выглядит безукоризненно в своей безрукавке и бордовых пижамных штанах.

После завтрака мне позвонил Алан Эймс с Би-би-си и сказал, что он делает это по просьбе папы.

— Я бы хотел поговорить с врачом, — заявил он, представившись. И я передал трубку доктору Атори. В течение нескольких минут они разговаривали по-итальянски, а потом доктор Атори снова протянул трубку мне.

— Тебя интересует, что с тобой происходит? — спрашивает Алан Эймс.

— Да, — отвечаю я.

— У тебя бронхиальная пневмония, — говорит он. — Может, тебе интересно знать, сколько времени они собираются продержать тебя в больнице?

— Да, интересно.

— Две недели, после чего тебя отправят обратно в Англию. А теперь я перезвоню твоему отцу.

Чуть позже звонит папа, чтобы узнать, как я себя чувствую. Я говорю, что прекрасно. Он говорит, что я здорово его напугал.

— Но ведь сейчас все в порядке? — спрашивает он.

— Да, — отвечаю я, и он передает трубку Чарли, который вырывает ее у него из рук. Чарли сообщает, что забил два гола в моих бутсах «Сан-Марино». Он говорит, что его пока не сделали капитаном команды, но он станет им на следующий год, так как Ворстонкрофт уезжает с родителями в Саудовскую Аравию.

— Я так рад, что у тебя прошли локти, — говорю я, — и так горд за тебя. — Тут голос у меня, вероятно, срывается, потому что Чарли спрашивает, что со мной такое, а когда я отвечаю, что ничего особенного, он интересуется, как по-итальянски называются скрэнджи. Я говорю, что «скранджио», и рассказываю ему о мистере Командире.

— А он большой, этот мистер Командир? — спрашивает Чарли.

— Огромный, — отвечаю я.

И Чарли возвращает трубку папе. Я извиняюсь за все, что наговорил ему на мамином вечере, а он отвечает, что ему очень жаль, если я действительно думаю о нем то, что сказал. Я говорю, что на самом деле я этого не думаю, и он отвечает, что и так это знал.

— У нас был тяжелый год, — говорит папа. — И я люблю тебя, сын.

Мамин прах отдают нам в пластмассовом ящике, как креозот. И я шучу, не надо ли потом будет сдать тару, но Саре эта шутка явно не нравится. Папа с видом киношного поджигателя, выливающего бензин из канистры, резко открывает ящик и высыпает содержимое на клумбы с розами. Он делает это настолько поспешно, что налетевший с полей ветер подхватывает пепел и уносит его прочь.

— Все равно все разлетится, — говорит папа. Но я пытаюсь поймать его и втоптать в землю, и часть пепла попадает мне в глаза.

А на следующий день мы с папой садимся смотреть все имеющиеся в доме фильмы. И сейчас мне это представляется особенно удивительным — мы сидим с ним рядом на диване и каждый знает, о чем думает другой, но мы не говорим об этом и лишь снова и снова повторяем эту дурацкую реплику.

— Нет, папа, «Сул-ла — да будет про-клято его имя и весь его род».

— Нет, «Сул-ла — да будет про-кля-то его имя и весь его род». Более отрывисто.

— Может, все-таки «Сул-ла... да будет про-кля-то его имя и весь его род»?

— Нет, ударение на «ла». «Сул-ла».

Воскресенье, 23 мая

Мне стало лучше, и я уже могу вставать. Так что сегодня мы обедали в палате, сидя за одним столом, как настоящая семья. Мистер Командир восседал во главе и передавал нам соль и рогалики. Он ведет себя за столом, как Сара, и всем задает вопросы. Я пытаюсь убедить его в том, что со мной все в порядке. «Sono meglio*», — повторяю я, но, судя по всему, опережаю события.

Когда я не смотрю на потолок как идиот, то указываю на разные вещи и спрашиваю «Che cosa?», что означает «Что это?». Таким образом мне уже удалось узнать, как будет по-итальянски «язык», «голубь», «морковка», «картофельное пюре» и «озеро».

Когда у нас были каникулы, мы с Сарой катались на водных лыжах по озеру Орта. И теперь так странно видеть его из окна каждый день.

— Завтра я попытаюсь устоять.

_____
* Мне лучше (*ит.*).

— Главное — не дергаться и стоять ровно.

— Да, папа, я понял — ровно.

Когда мы были маленькими, мы приезжали сюда пять лет подряд. Папа садился за руль моторки. А Чарли был еще совсем малышом. Мама сидела с ним на корме у самого мотора и раздавала нам бутерброды с солониной. Я капризничал, когда мне попадались кусочки жира, и спрашивал, почему нельзя было сделать бутерброды с ореховым маслом, а мама отвечала: «Слушай, ешь что дают». Это было одним из ее любимых высказываний наравне с глаголом «набургериться» и выражением «ну надо же: столько свинины, и все за один шиллинг». Это старое выражение означает «много шума из ничего». Мама сказала так за несколько дней перед смертью, когда я пришел навестить ее в больнице.

А в один из наших приездов, когда мы гуляли по холмам, на одной из травянистых тропинок мама поскользнулась и упала. И с тех пор мы стали называть эту тропинку Маминой попой. В то время она еще носила длинные косы, которые доходили ей до пояса. Я прекрасно помню день, когда она их обрезала. Она устроилась на работу к мистеру Чипсу, и ее косы никак не помещались под шляпку. Когда она пришла встречать нас с Сарой после школы, я ее не узнал. Она так изменилась и настолько не была похожа на мою маму, что я разрыдался и отказался залезать в машину, так что ей пришлось пообещать снова отрастить волосы.

А эти пикники на берегу озера Орта — Сара в надувных нарукавниках плавает вместе с папой, а я катаю по подстилке крикетные шарики, поскольку боюсь воды, и сообщаю маме о своих успехах в выстраивании береговой линии Британских островов — это специальная игрушка для развития познавательных способностей. Потом мы с Сарой строим замки из песка, а мама нам помогает. Мы выстраивали целые города, так что проходящие мимо туристы их даже фотографировали. Огромный замок в окружении многочисленных укреплений, сделанных из песчаных куличиков, которые расположены симметричными рядами, расходящимися в разные стороны до пятнадцати футов. Все строения были окружены глубоким рвом, копать который было моей обязанностью, и украшены садами из водорослей, чем обычно занималась Сара. «Мам, а этот плоский камешек нельзя использовать для подъемного моста?»

Я мечтал о том, чтобы всем послать открытки из Судана, особенно Джемме. Собственно, ради этого все и делалось. Текст спокойный и непритязательный: «Дорогая Джемма, как видишь, я в Судане...», «Дорогой папа, как видишь, я в Судане». Но я заболел, и мне пришлось изменить маршрут.

Когда мы отправлялись отдыхать всей семьей, самое интересное начиналось тогда, когда мы добирались до Домодоссолы, расположенной в двенадцати милях от нашей гостиницы в Патенаско. Стоило нам проехать указатель, как папа начинал распевать песню о том, как нам хорошо едется в машине. «Молодец, Фифи! — кричал он.

Фифи — это название нашей машины. — Отлично, Фифи, умница, Фифи, са-а-мая лу-учша-ая Фифи на свете! — А затем переходил к восхвалению себя: — Молодец па-апочка! Умница па-апочка! Самый лучший па-апочка на свете!» Далее следовали Сара, я, Чарли и, наконец, мама.

Распевая о себе, папа наклонялся вперед и внимательно изучал наши лица в зеркало заднего обзора; когда он переходил к Саре, она гордо задирала свой подбородок, а мама поворачивалась назад и улыбалась нам, после чего начинала интересоваться, не выросли ли мы из своих купальников.

Понедельник, 24 мая

Больше всего мне не хватает посиделок с мамой на кухне, когда она гладила, а я рассказывал ей о том, что пишу, с кем встречаюсь и что думаю о своих друзьях. Мне не хватает прикосновения ее рук, когда она меня стригла и при этом так сосредотачивалась, что упиралась языком в щеку. Мне не хватает ее хитрого вида, когда она заменяла масло на маргарин, считая, что я этого не замечу, или запихивала остатки фасоли в крестьянский пирог, чтобы та не пропала. Мне не хватает звяканья ее спиц, когда она вязала, сидя на диване, и хруста турецкого гороха, который она любила есть перед сном. Мне не хватает ее крика «Поставь меня на место! Поставь меня на место!», когда я обнимал маму и поднимал вверх. Мне не хватает совместных поездок в фургоне, когда мама развозила глаженое белье, а я просил ее ехать помедленнее, так как она забыла дома очки. Мне не хватает ее рассказов о всех тех выходках, которые она совершала на обедах Би-би-си, куда вынуждена была ходить вместе с папой: о том, как ее вытошнило в Альберт-холле и Ферджи был вынужден переступать через ее блевотину, или о том, как она сидела рядом с генеральным директором Би-би-си, являющимся одновременно председателем совета директоров фирмы «Маркс и Спенсер», и, не зная, о чем с ним говорить, сказала: «Мне нравятся ваши чипсы из креветок».

Вчера вечером мистер Командир смотрел телевизор, который принесла ему молодая пара — вероятно, его дочь и зять. Зять вел себя очень почтительно и все время смотрел на мистера Командира, когда тот что-нибудь говорил, — так обычно смотрят умные собаки, когда не знают, что их ожидает — похвала или пинок под зад.

Мы все вместе посмотрели итальянский детективный сериал «Комиссар Кестлер», и мистер Командир время от времени отпускал какие-то замечания, чтобы удостовериться в том, что никто не отвлекается. Потом вместе со стариком он посмотрел программу о динозаврах. Старик то и дело засыпал, но мистер Командир все время будил его своими замечаниями. Единственная реплика, которую я понял, звучала: «Ну и здоровые!» («Che grande!») У меня это вызвало настоящий прилив чувств к мистеру Командиру — это надо же, смотреть фильм о динозаврах и при этом удивляться, что они такие большие!

Вторник, 25 мая

Сегодня в нашей палате появился новый пациент. Старика куда-то перевели. Новичок был по-настоящему изумлен, когда мы начали крошить остатки обеда для голубей. Поскольку я занимался этим вместе с мистером Командиром, он, вероятно, решил тоже к нам примкнуть. Так что в результате на тарелке мистера Командира оказались яблочная кожура, крошки от рогаликов и нарезанные сырные корки. Мистер Командир, как всегда, указал на голубей, улыбнулся мне и сказал: «Piccione*». Сегодня я тоже улыбнулся ему в ответ и повторил: «Piccione». От этого его улыбка стала еще шире.

Получил письмо от папы, написанное на его фирменном бланке «Морис Голден, шеф-редактор Би-би-си-2». Письмо оказалось коротким и сводилось к следующему: «Старик, я понимаю, что очень сложно иметь преуспевающего отца. Я понимаю, что ты предпочел бы, чтобы я был неудачником, но ничего с этим не могу поделать. Однако я хочу, чтобы ты знал — я все равно люблю тебя, вне зависимости от того, что ты делаешь. Ты совершенно не обязан мне что-то доказывать. Я говорю это абсолютно серьезно. Чарли очень по тебе скучает и просит передать привет, то же самое относится и ко мне. Твой любящий отец». К этому еще был добавлен шутливый постскриптум, что наконец-то мне удалось заработать серьезную болезнь.

Меня приняли на отделение журналистики в Шеффилд, и к концу следующей недели нужно

---

* Голубь (*ит.*).

дать ответ, приступлю ли я к занятиям, так как их надо оплатить. Папа позвонил, чтобы спросить меня об этом. Он сказал, что решать мне, но чек он уже отправил, хотя, если я передумаю, он его аннулирует.

«Говорит Джей Голден из Патенаско. Тот самый Джей Голден, перенесший бронхиальную пневмонию, снова возвращается в студию». На самом деле мысль о том, чтобы стать репортером, меня привлекает. И действительно, множество знаменитых писателей начали с репортерской деятельности.

Кроме этого, я сегодня поговорил с Шоном. Его номер телефона дал мне папа. Я спросил, как у него дела в Шотландии, и Шон ответил, что все в порядке. Он был у нового психиатра, который прописал ему торазин, а через три недели ему предстоит пройти сканирование мозга.

Я спросил, не собирается ли он когда-нибудь вернуться, и он сказал, что его родители пристраивают к коттеджу отдельное крыло для него.

— К тому же папа записал меня в колледж, так что не знаю.

Я хочу ему сказать, что мне глубоко наплевать на то, что он гей, что я страшно по нему скучаю и мне будет его ужасно не хватать, когда я вернусь домой, но не знаю, как все это выразить, так что в результате это произносит Шон:

— И я никогда не хотел тебя трахнуть, — говорит он.

Эта формулировка вызывает у меня дикий смех, который отдается болью в спине, и Шон тоже начинает смеяться, так как даже не догадывается о том, как он просто и ясно все выразил.

Потом мы умолкаем, и я говорю, что напишу ему письмо. Шон обещает ответить, хотя на самом деле он никогда этого не сделает, да и я скорей всего тоже.

Среда, 26 мая

У нас появился новый обычай. Теперь, прежде чем сесть за стол, мы смотрим за окно — прилетели ли голуби. Потом все обмениваются понимающими взглядами, и мистер Командир с улыбкой сообщает, что все голуби очень жадные. Вчера, уже окончательно овладев словом «piccione», я первым посмотрел в окно и сказал: «Hanno fame» («Они голодные»), что вызвало бурю восторга у мистера Командира.

К тому же мне сегодня впервые позволили принять ванну. Я сидел в ней так долго, что сестра начала беспокоиться. Дело кончилось тем, что я пропустил папин звонок, а когда он перезвонил, то сказал, что это очень здорово, что я сижу в ванне, когда он звонит, — в точности как дома. Я сказал, что написал ему письмо, и он ответил, что будет его ждать.

— Знаешь, я сейчас лежал в ванне и думал — так вот, он абсолютно точно говорит «Сулллла». «Сулллла — да будет проклято его имя и весь его род».

— Нет, Сул-ла, ударение на «ла», — возражает папа. — Сул-ла — да будет проклято его имя и весь его род.

— Нет, ты ошибаешься, — говорю я.

— Нет, это ты ошибаешься, — говорит папа.

— Папа, я думаю, у нас все будет хорошо, — говорю я. — У меня такое чувство, что все будет хорошо.

— Ты действительно так думаешь? — спрашивает он, и я слышу, как у него срывается голос. — Надеюсь, старик.

Перед вами исключительно живой Джей Голден, который готов занять свое место в Шеффилде.

«Мистер Голден, не правда ли, ситуация была довольно рискованной?»

«Да».

«Мистер Голден, не расскажете ли нам, о чем вы думали в тот момент, когда поняли, что вам не удастся стать настоящим писателем?»

«Без комментариев».

«Мистер Голден, вы по-прежнему скучаете по Джемме? Вы не собираетесь с ней встретиться?

«Без комментариев».

«Мистер Голден, нам известно, что она обнимается с другим, каким-то очень высоким мужчиной. Вы не хотите что-нибудь сказать о его росте?»

«Простите, господа, мне нечего сказать по этому поводу».

«Мистер Голден, он очень высокий. Почти два метра.»

«И она действительно с ним обнималась. Это уже доказано».

«Мистер Голден, раньше вы очень любили высказываться по поводу роста других».

«Извините, господа, я очень занят. Я хочу приступить к своим новым обязанностям. Я все сказал. Спасибо. До свидания».

ОТ АВТОРА

Приношу благодарность своему другу Дэвиду Томасу за неоднократное опустошение запасов бумаги формата А4 за спиной начальства для распечатки этого текста. Спасибо подруге Дайне Робинсон за талантливую имитацию смеха при сороковом прочтении романа, а также за то, что она втайне от меня отослала его Кертису Брауну. Я благодарен Питеру Робинсону за то, что он выделил мой роман из потока поступающих в издательство рукописей, а также Саре Холловей за то, что она настояла на покупке этой книги и отредактировала ее. Я благодарен Сюзанне Лэм, Энтони Китсу и всем остальным сотрудникам «Ориона», которые участвовали в ее издании и рекламе. И наконец, не могу не выразить благодарность своему отцу, чьи помощь, советы и подзатыльники оказались просто бесценными, хотя и весьма болезненными.

Литературно-художественное издание

Бен Хэтч

ЗНАМЕНИТЫЙ ГАЗОНОКОСИЛЬЩИК

Ответственный редактор *Иван Спиридонов*
Литературный редактор *Елена Янус*
Художественный редактор *Егор Саламашенко*
Технический редактор *Татьяна Харитонова*
Корректор *Людмила Виноградова*
Верстка *Любови Копченовой*

Подписано в печать 17.03.2006.
Формат издания 84×108^1/$_{32}$. Печать офсетная.
Усл. печ. л. 18,48. Тираж 3000 экз.
Изд. № 60127. Заказ № 2348.

Издательство «Амфора».
Торгово-издательский дом «Амфора».
197342, Санкт-Петербург, наб. Черной речки, д. 15, литера А.
E-mail: info@amphora.ru

Отпечатано с готовых диапозитивов в ОАО «Лениздат».
191023, Санкт-Петербург, наб. р. Фонтанки, 59.

НИКОЛАС КОЛРИДЖ
крестные дети

Миллиардер Маркус Брэнд собрал шестерых
крестных детей в своем доме на острове Бали.
К концу каникул им откроются секреты,
которые навсегда изменят их жизни.
Паутина лжи и предательства, опутывавшая
их на протяжении четырех десятков лет,
будет разорвана...

Что заставляет Маркуса Брэнда вмешиваться
в жизни крестных детей? Какие тайны лежат
в основе их отношений? Почему подопечные
Брэнда никак не могут вырваться из плена?
Крестные дети взрослеют, и их зависимость
от Маркуса становится все более сильной,
пока они не решаются повернуться против
могучего противника и узнать правду...

По вопросам поставок
обращайтесь:

ЗАО Торговый дом «Амфора»

123060, Москва,
ул. Берзарина, д. 36, строение 2
(рядом со ст. метро «Октябрьское поле»)
Тел./факс: (495) 192-83-81, 192-86-84,
944-96-76, 946-95-00
E-mail: amphoratd@bk.ru

ЗАО Торговый дом «Амфора»

198096, Санкт-Петербург, Кронштадтская ул., 11
Тел./факс: (812) 783-50-13, 335-34-72
E-mail: amphora_torg@ptmail.ru